Das Buch

Diese Anthologie will nichts beweisen. Vielleicht kann sie helfen, ein paar Vorurteile zu beseitigen. Vielleicht kann sie etwas vermitteln. Eindrücke, Ansichten. Hier sind 22 Geschichten von 15 Autoren. Von Autoren aus der DDR. Von Johannes Bobrowski, Werner Bräunig, Jurij Brězan, Günter de Bruyn, Franz Fühmann, Peter Gosse, Hermann Kant, Günter Kunert, Irmtraud Morgner, Erik Neutsch, Joachim Nowotny, Siegfried Pitschmann, Rolf Schneider, Erwin Strittmatter und Christa Wolf. Hier sind 22 Geschichten, die Auskunft geben. Lustige Geschichten (ziemlich viele), traurige Geschichten (auch ein paar) und ganz normale Geschichten. Über eine Großmutter zum Beispiel, über ›Drei Tage unseres Lebens‹ oder über ›Gewöhnliche Leute‹.

Der Herausgeber

Lutz-W. Wolff, 1943 geboren, studierte Literaturwissenschaft in Frankfurt, Bonn und Tübingen. 1969–1975 Verlagslektor in München und Frankfurt, 1975–1977 Rundfunkredakteur in London, seitdem Verlagslektor in Bergisch Gladbach. Seit 1971 Aufsätze und Rezensionen zur DDR-Literatur. Herausgeber der Anthologie ›Frauen in der DDR. 20 Erzählungen‹ (dtv-Band 1174).

Fahrt mit der S-Bahn
Erzähler der DDR

Herausgegeben von Lutz-W. Wolff

Deutscher
Taschenbuch
Verlag

Von den Autoren dieses Bandes
erschienen im Deutschen Taschenbuch Verlag:
Günter Kunert: Unruhiger Schlaf (sr 5462)
Christa Wolf: Der geteilte Himmel (915; auch dtv-großdruck Nr. 2520)

Günter de Bruyn, Günter Kunert, Irmtraud Morgner,
Erik Neutsch, Erwin Strittmatter und Christa Wolf
sind mit Erzählungen auch vertreten in:
Frauen in der DDR (1174)

Originalausgabe
1. Auflage August 1971
7. Auflage Januar 1979: 66. bis 80. Tausend
Deutscher Taschenbuch Verlag GmbH & Co. KG,
München

Umschlaggestaltung: Celestino Piatti
Gesamtherstellung: C. H. Beck'sche Buchdruckerei,
Nördlingen
Printed in Germany · ISBN 3-423-00778-8

Inhalt

Günter Kunert

Nach der Landung

Wir hatten bereits gehört und Kenntnis erhalten über merkwürdige Lebewesen, die nahe unserer Station gesichtet wurden, doch konnten wir aus den ungenauen Beschreibungen kein Bild gewinnen. Wir fürchteten schon, unsere wissenschaftliche Neugier, so mächtig angestachelt, würde unbefriedigt bleiben. Dank besonderer Umstände jedoch wurde uns wenig später ein Exemplar jener Gattung übergeben, für die wir bis heute keine exakte Bezeichnung formulieren konnten. Schlimmer: Wir sind heute wie damals nicht in der Lage, das innere Gesetz dieser zoologischen Novität aufzudecken.

Daß es von uns grundverschieden ist, stellten wir als einziges mit einer gewissen Sicherheit fest. So ist beispielsweise der Leib des unerklärlichen Dinges von einem Gewirr feiner und feinster Röhren durchzogen, die auf natürliche Art gewachsen zu sein scheinen und durch die eine rote Flüssigkeit läuft, die hauptsächlich aus Wasser besteht, bis auf einen geringen Prozentsatz organischer und anorganischer Substanzen. Innerhalb des Wesens, schlau geschützt durch eine korbähnliche Umkleidung, ist eine kleine Pumpe installiert, welche die Flüssigkeit durch die Röhren treibt, in einem steten Kreislauf, der offenkundig sich selbst genügt und gar nichts in Bewegung setzt. Die Vermutung liegt nahe, daß es sich um ein Lebewesen niederer Sorte handelt.

Äußerlich ist es mit einer weichen Folie überzogen, auf der sich da und dort Büschel feiner Fäden befinden; mißtönend klingt die Stimme aus einer Öffnung hervor, in der zwei Reihen kleiner harter Knochenstifte stehen. Diese sind in einem kugelförmigen Aufsatz angebracht, in dem auch das Reaktionszentrum versteckt zu sein scheint und dessen Funktionen kennenzulernen wir uns mühten: sie sind übrigens unbedeutend. Es produziert einige Affekte gröbster Sorte: Angst, Freude, Trauer, Heiterkeit, Haß. Recht simple Werkzeuge, die an seinem Rumpf befestigt sind, können wenige ungeschickte schwerfällige Operationen durchführen, die indes bisher ausgereicht haben, es mit dem notwendigen Betriebsstoff zu versorgen.

Und auch fernerhin ausreichen werden!

Denn am vierten Tag der Untersuchung entschlüpfte uns das Wesen bei der Prüfung seiner Schnelligkeit. Erst hatte es sich angestellt, als könne es sich kaum vorwärtsbewegen, war dann im Moment mangelnder Aufmerksamkeit plötzlich in Trab gefallen und ziemlich rasch verschwunden; eine Eigenschaft zeigte es damit, die wir nicht vermutet und die das Wesen wahrscheinlich vor dem Aussterben geschützt hat: nämlich hochgradige Listigkeit.

Die Akten über den Fall mußten notgedrungen geschlossen werden; ein weiteres Wesen wurde nicht gefangen. Über eine vorläufige wissenschaftliche Benennung war keine Einigung zu erzielen. Wir hatten die Zeit nach der Landung so gut wie möglich genutzt, faktisch bis zur letzten Minute des Abfluges.

Künftigen Untersuchungen wird also vorbehalten sein, endgültig festzustellen, was das eigentlich ist, das diesen Planeten hier belebt.

Erwin Strittmatter
Kraftstrom

Zwei eingemauerte Schweine fordern, daß der alte Adam auf einem Morgen Sandland hinterm Hause Kartoffeln steckt, sie pflegt und erntet. Die Kartoffeln wandern durch die Schweine, werden zu Dreck, und er bringt den Mist aufs Feld, um neue Kartoffeln darauf zu stecken.

Er füttert die Hühner, hütet die Gänse, sägt und spaltet Feuerholz, schleppt zehn bis zwanzig Eimer Wasser täglich von der Pumpe hundert Meter hinter dem Hause, verwandelt sie zu Spülicht und schafft sie wieder hinaus. Mit einem Spaten belüftet er die Erdschwarte des Hausgartens, pflanzt und bejätet Gemüse, erzieht mit einer Schere das Fruchtholz der Obstbäume, schützt ihre Blüten mit Rauch vor den Frühlingsfrösten, achtet auf die wilden Wege des Enkels, hilft den Nachbarn, redet nicht viel, denkt lieber und arbeitet folglich mehr, als zu sehn ist, der alte Adam.

In Bettfedern gehüllte Braten auf blaßroten Beinen – das sind die Gänse. Weshalb fliegen sie um Martini nicht fort? Flügel haben sie doch genug! Der Mensch hat sie gezähmt, gezüchtet, gemästet, hat ihnen das Fliegen abgewöhnt. Ein verfluchter Zweibeiner, der Mensch!

Er veranlaßte die Hühner, ihre Lebensbahn vom Küken zum

Suppenhuhn mit Eiern zu pflastern, verpflichtete sie, die Eier in Kisten und Körbe zu legen, stiehlt sie ihnen unterm Hinterteil weg und erreichte sogar, daß sie sich nicht wundern, wenn immer nur *ein* Ei im Nest liegt. Ein Auskenner, dieser Mensch!

Aus dem Unkraut Häderich züchtete er Rettiche und Radieschen, Kohlrüben und Kohlrabi, Rot- und Weißkohl, der Mensch, der Mensch! Er ist stolz auf ihn, der alte Adam.

Er ist um sechzig Sommer alt, und dreißig davon verbrachte er im Wald. Der Wald ist nicht mehr jene dunkle Pflanzenwucherung, in der die Götter von Uran und Urina hockten, in der Schlangen dem Menschen das von Mönchen gezüchtete Edelobst anbieten, wie wir's von den Paradiesbildern der alten Italiener kennen. Der Wald ist uns untertan, und wir, seine Beherrscher, pflanzen ihm die Bäume, vergiften ihm die Maikäfer, vertilgen ihm die Seggen, stutzen ihm die Geilkiefern und lichten ihn.

Eine große Kiefer fiel beim Holzen im Drehwind schlecht, streifte einen Nachbarbaum und brach dort einen dicken Ast ab. Der Ast fiel herab und zerschmetterte ein Knie, es war das rechte Knie des alten Adam. Um das Barbiergeld zu sparen, ließ er sich im Krankenhaus den Vollbart wachsen.

Er liebt den Wald. Aber so sagt man das auf dem Vorwerk nicht; man wirft dort nicht mit hohen Begriffen umher wie mit madigen Pflaumen. Also, der alte Adam kriecht gern im Wald umher. Er geht in die Pilze. Pilze sind keine Pflanzen, keine Eier, aber auch keine Tiere. Eine Sorte, die Grünlinge, wächst in den Wagengeleisen der Waldwege, dort, wo sich nicht einmal die Laus unter den Pflanzen, die Quecke, hintraut. Grünlingsgehäuse sind, wie mit Lineal und Zirkel konstruiert, aus Mahlsand. Unter ihren Hüten fertigen sie ein namenloses Grün an, lassen sich sauer kochen und schmecken gut, weiß der alte Adam.

Auf dem Weg laden Langholzkutscher Baumstämme ab. »Licht wird's geben«, sagt der Schwiegersohn, sagt es gelassen wie jener Alte in der Bibel: »Es werde Licht!« Ist der Mensch ein Gott? Es ist zu oft übers Licht geredet worden. Zwei Regierungen versprachen den Leuten vom Vorwerk Licht, und die neue Regierung ist erst zwei Jahre alt, der alte Adam glaubt nicht ans Licht.

Er wohnt im Haushalt der Tochter. Eine Kiste, in der sich neunzig Kubikmeter von Tabakrauch durchschossener Luft aufhalten konnten. Das ist sein Stübchen. Zieht man den Luftraum ab, den Tisch, Schrank, Kommode und Bett einnehmen, kommt man auf fünfundsiebzig Kubikmeter Großvaterluft.

An den Wänden Fotografien, ein Rehbocksgehörn, ein Schauflergeweih und eine große Fünfundzwanzig aus versilberter Pappe. Im Kommodenschub Bücher, braun an den Blattecken vom nassen Umblättern.

Auf der braungetönten Tageslichtkopie über dem Bett eine ernste Frau mit einer Kindernase, die Adamin. Sie starb an Blutvergiftung. Auf einem anderen Foto: Er, die Frau und drei Kinder; die Kinder wie von der Weide zum Fotografieren getrieben. Die Jungen fielen im Krieg. Der Teufel hol ihn! Die Kleine mit der großen Haarschleife ist die Tochter, bei der er wohnt. Auf einem schwarzgerahmten Foto: Er, jung und allein zu Pferde. Bespannte Artillerie 1905 Rathenow. »Auf, auf, Kameraden, aufs Pferd, aufs Pferd. Zur Erinnerung an meine Dienstzeit.«

Die Tochter, früher Stubenmädchen bei der Frau des Gutsbesitzers, die Bücher in der Schule schon sauber, ist Buchhalterin auf dem Volksgut; der Schwiegersohn Traktorist, auch auf dem Volksgut.

Die Zeit vergeht. Der Mensch mißt sie an seinem Leben. Der Traum vom Licht wird Wirklichkeit.

Es kommen fünf Männer, und die stellen ihre klapperigen Fahrräder an die großen Kiefern. Fahrräder, Stahlgestelle, Beine aus Blech, die den Menschen zum Schnelläufer machen, sind rar geworden. Es gibt keine Bereifung aus elastisch gemachtem Baumharz mehr für sie. Die Menschen ringsum sind durch den Krieg wieder auf ihre Füße verwiesen worden. Beinfutterale, Schuhe sind knapp, weil die Rinder knapp wurden. Erwachsene Leute haben mit Feuer gespielt und nicht nur Häuser und Ställe des Nachbarn angezündet. Das Feuer hat seine Gesetze.

Eine wenn auch fünfzehnmal geflickte Fahrradbereifung spart Schuhe. Verschlissene Reifen werden zu Schuhsohlen, und wenn sie in Fetzen von den Füßen fallen, wirft man sie an den Waldrand. Einer, der im Wald zu tun und zuwenig Mantel hat, macht sich mit ihnen ein Feuer und wärmt sich. Eins geht ins andere über, bis es uns aus der Sicht gerät.

Die Männer tragen verschossene Arbeitsanzüge. Wer weiß, wohin die blaue Farbe flog! Zum Mittag essen sie kalte Pellkartoffeln mit Rübenmarmelade. Sie graben Löcher am Wegrand, lassen ein bis zwei Kubikmeter Luft in die Erdrinde, und wo sie die ausgeworfene Erde hinwerfen, muß die Waldluft weichen. Wo eines ist, kann das andere nicht sein. Sie setzen die Baumstämme mit den geteerten Enden in die Löcher, füllen die Löcher wieder mit Erde, und die Luft entweicht. Handel und Wandel.

Einer kehrt mit den Beinen ins Tierreich zurück, schnallt sich eiserne Krallen an die Holzschuhe und klettert in die ehemalige Baumspitze. Die Gänse gehn auf das Grab von Adolf Schädlich, fressen die Begonien und düngen die Pelargonien mit ihren grünen Kotstiften; der alte Adam hat sie vergessen.

Der mit den Fußkrallen dreht dem kahlen Baum an der Spitze Porzellanlaub an. Alle fünfzig Meter ein Mast – anderthalb Kilometer bis ins Hauptdorf; der alte Adam ist Augenzeuge.

Zwei Tage bleiben die Männer fort, dann kommen sie als Turmakrobaten auf dem Luftwege zurück, und die kahle Lichtmastenallee schleppt zwei dünne Geleise zum Vorwerk für den, der da kommen soll.

In seinen Wortschatz nisten sich ISOLATOREN ein. Er spricht das Wort beim Abendbrot unüberhörbar aus. Die Familie staunt. Man könnte die Isolatoren Masthände nennen, mit denen sich die kahlen Kiefern den Draht zureichen, aber jede neue Erfindung schwemmt neue Namen und Begriffe in die Wortvorratskiste der Welt, und wer sich ihrer nicht bedient, wirkt lächerlich. Kann man die Elektrizität mit alten Worten anreden und Lichtbringerkraft nennen?

Er beginnt sich mächtig für die Elektrizitätsleitung zu interessieren. Als man das Hauptdorf mit einer Leitung versah, tat er's nicht, weil die schweren Bauern dort so genug prahlten mit dem, was sie besaßen. Sollte man sich unter ein Großbauernfenster stellen und das helle Licht bewundern? Jetzt würden die Hauptdörfler die Vorwerker nicht mehr FUNZELHOCKER nennen können. Er bekam mächtig etwas übrig für die neue Regierung, der alte Adam.

Drei Häuser, vier Katen – das ist das Vorwerk, und jeder Behausung werden zwei Isolatoren ins Giebelgesicht gegipst. Zwei Tage später sind alle Häuser durch Drähte verbunden, sind miteinander verleint wie eine Koppel Jagdhunde.

Die Männer kriechen auf den Hausböden und in den Stuben umher. Das Haus erhält blecherne Eingeweide. Weißblechröhren rieseln von den Wänden, kräuseln sich in den Stubenecken und enden an den Raumdecken. Umsponnene Drähte hängen wie aufgelöste Schuhbänder aus den Blechröhren und lauern auf die Lampen.

Er drückt mit seinem borkigen Daumen auf den Schalterknopf, und die Glühbirne leuchtet auf. Etwas Mächtiges ist geschehn: Das Vorwerk ist durch zwei Nervenstränge mit der großen Welt verbunden, und der alte Adam glaubt an das Licht.

Es ist sündig hell in den Stuben am Abend. Sie zünden noch einmal die Petroleumlampen an und veranstalten einen Wettbewerb. Die Petroleumlampen geben ihr Hellstes her und mühn sich bis zum Blaken, doch sie können nicht gegen die kleine Glühbirne anstinken. Niemand achtet mehr auf die dunkelgelbe Traulichkeit des Petroleumlichts. Traulichkeit ist unausgereifte Helligkeit mit Petrolgasduft. Die Glühlampe ist eine Stubensonne und siegt. Der Enkel zählt die Haare auf seinem Handrücken. Die Tochter findet, man muß die Stube frisch weißen. Der Schwiegersohn stellt das neue Licht auf die Probe und liest im Buch über den Dieseltraktor. Der alte Adam prüft mit der Taschenuhr vor dem Elektrozähler, ob eine Kilowattstunde sechzig Minuten hat. Sie sind vor lauter Licht ein bißchen wie dummsig, die Leute auf dem Vorwerk.

Eine rätselhafte Kraft strömt ins Haus, doch bevor man sie nicht am Schalter in die Glühbirne drückt, ist ihre Wirkung nicht zu sehn. Was macht sie, wenn sie verborgen in den Drähten hockt? Die Vorwerkskinder wollen sie aufspüren. Sie ziehn mit einer nassen Bohnenstange zum Friedhofshügel; der Schädlich-Enkel stippt an den Draht.

»Wie ist es?«

»Wie Musik.«

Der Adam-Enkel probiert's, doch er hört keinen Ton. Er hat ein schweres Gehör und muß beide Drähte stippen, sagen sie ihm, und er tut es. Es gibt Funken, grüne und gelbe Funken, und der Enkel behauptet später, es habe auch rote gegeben. Die Stange fliegt ins Gras, und der Adam-Enkel liegt mit verbrannten Armen daneben. Die Kinder laufen davon; der Alte eilt herbei und bringt den schreckstarren Jungen mit Pfuhls Einspänner ins Kreiskrankenhaus.

Wenn sich Menschenerfindungen gegen den Menschen richten, weil er sie falsch handhabte, verflucht er sie. Der Urmensch Uran verfluchte das eingefangene Feuer, als er sich dran die Hände verbrannte. Der alte Adam flucht nicht; er denkt an seine Halbwüchsigenzeit:

Es war Herbst, schon kühl, sie hüteten die Großbauernrinder, zündelten ein Hirtenfeuer und wärmten sich. Sie erprobten, wer's von ihnen am längsten überm Feuer aushalte. Er war der kleinste, wollte sich beweisen und hockte über der Flamme, bis seine Hosen Feuer fingen. Er rannte, und der Luftzug brachte den Hosenbrand in Fahrt. Dann lag er im Gras, und die anderen löschten sein Hinterfeuer mit Maulwurfssand. Es gab Brandmale, die nicht zu sehen sind, weil sie in den Hosen stecken.

Auch als der Enkel gesund ist, kann der Alte von ihm nicht erfahren, was für eine Kraft die Elektrizität ist.

Im Frühling hilft er Grete Blume das Winterholz sägen, also zu einer Zeit, in der sich auch in Witwenaugen die Blüten der Sauerkirschen spiegeln. Grete Blume plaudert in der feurigkarierten Schürze von älteren Männern in Nachbardörfern, die sich ihrer Kräfte entsannen und wieder heirateten. Sie ist nicht nur Witwe, auch Brigadierin bei den Waldfrauen, sogar Aktivistin, und auch an diese Neuwörter hat der alte Adam sich gewöhnt, aber er kann sich nicht auf die Frühlingsreize seiner Sägepartnerin einlassen. Er will ihr gern behilflich sein, doch Weiterungen würde seine Tochter nicht dulden. Sie ist moralisch und wacht, daß er ihrer Mutter die Treue hält, und wer wird, wenn der Großvater sich verändert, bei ihr die Hausmädchenarbeiten verrichten?

Eines Abends sagt der Enkel: »Grete Blume kocht Kartoffeln elektrisch.« Das fährt in den alten Adam wie in einen Astronauten etwas Neues vom Mond.

Grete Blume zeigt ihm ihren Elektrokocher; glühende Drähte wie dünne Matratzenfedern; er sieht das Rädchen im Zählerkasten so schnell kreisen, als brennten drei oder mehr Lampen. »Wirst du aber mächtig in die Groschen greifen müssen«, sagt er.

Grete Blume schmollt: Das wäre nicht nötig, wenn sie jemand im Hause hätt, der ihr den Küchenherd einheizt, bevor sie von der Arbeit kommt. Der Forscher ist mit dem Elektrostrom beschäftigt: Der wird also zu einem flammenlosen Feuer, wenn man ihn durch Spiraldrähte treibt, und ersetzt sogar den Mann im Hause. Später wird er diesen Gedanken nicht mehr belustigend finden.

Die Elektrizität brachte ein weiteres Wunder aufs Vorwerk: Nachrichten, Theaterstücke, Vorträge und Wettervoraussagen. Man saugte sie mit einem Apparat und ausgespannten Drähten aus der Luft in die Stuben. Jede Familie für sich und nach Bedarf.

Bis in den Krieg besaß nur einer auf dem Vorwerk ein Rundfunkgerät. Die Elektrizität, um es zu betreiben, holte er sich in einem viereckigen Weckglas vom Fahrradflicker im Nachbardorf. Adolf Schädlich stand auf dem freien Platz vor der großen Forstscheune, formte die Hände zum Schalltrichter und brüllte: »Gemeinschaftsempfang! Der Führer spricht!«

Eines Tages stritten sie sich beim Frühstück im Wald: »Einen Leitbock braucht nur das Herdenvieh; die Menschen haben Verstand und können miteinander verabreden, wohin sie gehn wollen«, sagte der alte Adam.

Dieses Frühstücksgespräch ziemte sich nicht für einen Haumeister. Den Posten besetzte Adolf Schädlich. Dann geschah das Unglück im Wald, und Schädlich verkündete, die *Vorsehung* habe den alten Adam gefällt.

Schädlich rannte freiwillig in den Krieg und stolzierte im ersten Urlaub durch das Vorwerk, einen silbernen Tressenwinkel in der feldgrauen Einsamkeit seines Rockes. »Könn Sie nicht grüßen, Mensch?« brüllte er den hinkenden Adam an.

Schädlich besuchte den Oberförster, und der Hühnerhund biß ihn in den Hinterschenkel. Die Wunde zwickte, aber Schädlich winkte heldisch ab. Der Hühnerhund war ein Vorgesetztenhund.

Die Front war noch fern, und Schädlich war lange unterwegs. Die Tollwut flimmerte durch seine Blutkanäle und kam auf, als ihm auf einem Bahnhof ein Postsack vor die Füße fiel. Er verbiß sich wütend in den Sack, wurde arretiert und biß auf einer Frontleitstelle außerdem einen Obersten und einen Amtsleiter. Keine Rettung mehr! In einer schwarzen Holzuniform, die nur notdürftig auf seine Figur zugetischlert war, kehrte er aufs Vorwerk zurück und wurde auf dem tannenumsäumten Friedhof begraben. Das war, als man den elektrischen Strom noch in Weckgläsern aufs Vorwerk trug.

Der alte Adam hört wissenschaftliche Vorträge und ist enttäuscht, wenn er nicht erfährt, was der elektrische Strom ist. Dann sucht er in der Zeitung, Spalte WISSENSCHAFT UND TECHNIK. Die Tochter wurde unruhig. Sucht der Vater nach Heiratsinseraten? Er wirft die Zeitung unzufrieden weg und schimpft auf die Redakteure, die Unbekanntes als bekannt voraussetzen und Bekanntes erklären.

Wenn eine neue Kraft erst da ist, gibt's Zeitspannen, in denen sie nur Quant für Quant in die Umwelt wirkt. Das sind die langweiligen Stellen unserer Geschichten. Wir überspringen sie und fahren bei den sichtbaren Veränderungen fort:

Der alte Adam sitzt auf dem Friedhof, sitzt dort auf einem Grab und ist sich selber nicht gut. Immer noch Löcher im Friedhofszaun. Es muß scheußlich sein, wehrlos unter der Erde zu liegen und sich mit Gänsedreck bestiften zu lassen! Er geht mit dem Spaten auf die Gänse los, er könnte sie erschlagen. Die Gänse stelln sich draußen auf, lugen in den Friedhof, bis er sich wieder gesetzt hat.

Er hat auf dem Grab von Adolf Schädlich gesessen. Ein kleines Entsetzen durchrieselt ihn, doch er verdrückt es.

Er setzt sich aufs Grab seiner Frau. Es rauscht in den Blautannen. Dieser Nachsommerwind, wenn er keine Widerstände fände, wäre er nicht zu spüren! Ähnlich beim elektrischen Strom. Er weiß noch immer nicht, was dieser Strom ist, doch seine Wirkungen hat er an sich selber erfahren...

Fünf andere Elektriker kamen, hatten Motoren an ihren Fahrrädern und waren schnell wie galoppierende Pferde. Sonst ging alles wie damals: Jeder Mast zwei Isolatoren; zwei weitere Drähte, und die Häuser erhielten einen zweiten Anschluß: „Endlich Kraftstrom!" sagte der Schwiegersohn und kaufte einen Pumpenmotor. Das Haus erhielt ein Gekröse eiserner Eingeweide von unten her, und das Wasser kam unter menschliche Bevormundung, mußte in dünnen Röhren die Wände hinaufkriechen. Druckkessel, Spülstein und Wasserhähne – das erste Wasser, das in der Küche gezapft wurde, nötigte ihm noch ein Loblied auf den listigen Menschen ab, dem alten Adam.

Aber die großen Kümmernisse keimen unerkannt; man erkennt den Stein nicht, an dem man sich in der Zukunft das Bein brechen wird.

Die Wassereimer wurden zu den Petroleumlampen auf den Hausboden gebracht, und ihre von Hornhaut polierten Griffe sehnten sich dort im Dunkel nach den Händen des alten Adam. Wer kann es wissen?

Nachbar Pfuhl, der Bodenreformbauer, kaufte einen Motor für seine Dreschmaschine, und fortan wurde der Alte nicht mehr zum Treiben der Göpelpferde geholt, aber immerhin durfte er nach dem Dreschen noch die Saatreinigungsmaschine drehn. Dann wurde die Genossenschaft der Bauern gegründet; Pfuhls Dreschmaschine und der Dreher der Saatreinigungsorgel wurden überflüssig. Für den Dreschmaschinenmotor fand man Verwendung, für den alten Adam nicht. Der Motor wurde mit einer Kreissäge gekoppelt, und mit der Motorsäge zerkleinerte man das Winterholz für alle Einwohner des Vorwerks in wenigen

Stunden. Aus war's mit dem Holzsägen im Frühling bei Grete Blume!

Aber noch waren der Hausgarten, die Schweine und das Federvieh da. Schweigsam nahm er den Kampf mit der überflüssigen Zeit auf. Der Enkel lernte Elektriker in der Stadt. »Weißt du jetzt, was der Elektrostrom ist?« fragte der alte Adam. Der Enkel wußte es nicht.

Ein neues Weltwunder in der Kate: ein Apparat von der Größe einer Hühnerversandkiste, eine Seitenwand aus Glas. Der elektrische Strom lockte lebende und sprechende Bilder aus aller Welt auf die Glaswand. »Großvater soll noch was vom Leben haben«, sagten die jungen Leute.

Sie wuschen sich nur notdürftig, wenn sie von der Arbeit kamen, schlangen das Abendbrot hinunter und saßen wie eine Wand vor dem Spielkasten. Er mußte mit dem zufrieden sein, was er von hinten erspähte: reitende Mongolen, ein dicker Berliner ohne Humor spielte Komiker, Ernteschlachten und Hochwasser, Bagger, so groß wie Kirchen, die von einem Menschen bedient wurden, Oberliga und Eisenhüttenarbeiter, die vom Staatsrat mit Medaillen ausgezeichnet wurden, Wett-Tanzen, Wettreiten – jeder im Lande hatte seine Stelle, seine befriedigende Arbeit, nur er nicht, der alte Adam.

Die jungen Leute wurden vornehm und schafften die Schweine ab. Tochter und Schwiegersohn hatten Pökelfleisch und hartgeräucherte Wurst satt. Das Kartoffelland brauchte nicht mehr bestellt zu werden.

Die jungen Leute gingen auf die Hühner los. Er konnte aus seinem Ställchen keine Wintereier von ihnen liefern. Wintereier wurden den Hühnern in temperierten und elektrisch beleuchteten Ställen auf den Genossenschaftsfarmen entlockt.

Die Tochter brachte im Frühling frische Wirsingkohlköpfe aus dem Konsum. Er hatte seine Wirsingkohlpflanzen erst gesetzt. Kopfsalat und Kohlrabi – alles zu spät, zu spät. »Was soll der Hausgarten noch?« Die Tochter beachtete die Hände nicht, die sich unterm Tisch versteckten, die Hände des alten Adam.

Man ließ ihm nur die Gänse, die er am wenigsten leiden konnte. Behielt man sie der Bettfedern oder seinetwegen? Er wurde noch schweigsamer, wandte sich wieder dem vertrauten Walde zu, ging in die Pilze, verkaufte sie in der Sammelstelle. Aber ging's ihm darum, Pilze in bedruckte Zettel zu verwandeln?

Im Frühling entsann er sich der Ermunterungen Grete Blumes. Es war ein warmer Abend. Der Flieder sandte sein duftendes Gas aus, und der Vermehrungsdrang schrie aus den Käuzen, als er bei Grete Blume anklopfte. Ein Herein und ein Kichern klangen ihm entgegen, und das war zu verstehen: es saß ein verwitweter Umsiedler aus dem Hauptdorf hemdärmelig in Grete Blumes Küche, und sie aßen miteinander elektrisch gekochte Pellkartoffeln und Sülze.

Auf dem Heimweg war Müdigkeit wie nach einem langen Marsche in seinen Füßen. Der Fliederduft drückte seine Schultern nieder, und im Balzruf des Kauzes hörte er Hohn.

Das war im letzten Frühling. Jetzt ist Sommerkehraus mit schrägstehendem Licht und abnehmendem Grün. Er scheucht noch einmal die Gänse aus dem Hof der Toten. Die Gänse morsen sich etwas zu und tun, als ob sie sich zum See hinwenden.

Er bleibt vor einem Grabstein, jenem praktischen Leichenschutz aus den Tagen Urans, stehn und liest die dem Toten zugedichtete Inschrift:

Das Uhrgetack, der Stundenschlag
Nähn Zeit aus Stille, Nacht und Tag;
Der Mond tut einen Tritt,
Der Tod tappt mit.

Er fängt unter der großen Douglasie an zu graben, hebt das grüne Lächeln der Erde, die Grasplaggen, aus und schichtet sie. Eine Altmännerträne, schwer vom Salz der Erfahrung, hängt an seinem Vollbart wie eine Tauperle an einer Baumflechte. Sie fällt, wie alles, was der Schwerkraft der Erde gehorchen muß, in den krümeligen Humus und versickert.

Sommeranfangs war er ins Dorf gegangen und hatte um eine Stelle als Viehhirt gebeten. Der Melkmeister und Vorsteher der langen Genossenschaftsmilchfabrik klopfte ihm die Schulter und zeigte auf den Krückstock, aufs lahme Bein des alten Adam.

Er verfiel darauf, Heilpflanzen zu sammeln und sie auf Kuchenbrettern zu trocknen. Eines Tages brachte er sie auf den Fußsteig vor der Kate, weil die Sonne dort günstig stand, und der Schwiegersohn fuhr mit seinem Moped über die Teebretter.

Es gab keinen Zank, aber einen Seufzer und gleich darauf ein kleines Feuer auf dem Anger. Eine Menge Gesundheit flog mit dem Rauch davon.

Der Adam-Enkel war jetzt Elektriker im Wald, in einem Atomkraftwerk. Er arbeitete gut, war zum Ersten Mai ausgezeichnet worden, doch daheim war er – Musik, Musik und Fieber. Ein Rundfunkempfänger von Zigarettenschachtelgröße arbeitete an seinem Handgelenk. Musik aus dem Handgelenk. Der Strom für die Schachtel kam aus Batterieröllchen, nicht stärker als Gänsestifte. Posaunen und Stopftrompeten verscheuchten ihm die eigenen Lieder. Daraus entstand jenes Fieber, das den Alten am Enkel beunruhigte.

Der junge Elektriker brachte eine Verkäuferin aus dem Waldstädtchen. Sie hielten einander umschlungen, verrenkten Beine und Hüften, kamen trotzdem vorwärts und gingen zum See hinunter. Mit den ratternden Musikschachteln an ihren Handgelenken tauschten sie Gefühle aus, lächelten, stießen einsilbige Laute aus, waren glücklich auf ihre Art, und die mußte nicht schlecht sein, nur weil er sie nicht verstand.

Die Verkäuferin, das Kind, sollte ein Kind haben. Man holte sie in die Adam-Kate. Sie sollte vor der Geburt des Kindes noch haushalten lernen.

Kein neues Weltwunder in der Kate, die künftige Schwiegertochter mit Fernsehnamen Beatrix. Ihr Gesicht war blaß, ihr Haar gebleicht; sie trug ihren wachsenden Bauch mit Widerwillen durch die kleine Welt und hielt sich die Nase zu, weil ihr der Pfeifenrauch nicht bekam. Er deutete die Schwangerschaftsübelkeit auf seine Weise: für die ganz Jungen hatte er schon Leichengeruch. Er wich der kleinen Bea aus, doch sie schien ihn mit ihrem ausgebeulten Röckchen zu verfolgen. Eine gefüllte Knospe schickte sich an, ein gelbes Herbstblatt vom Aste zu stoßen.

Sie schlief beim Staubwischen auf dem Sofa ein, schlief überm Kartoffelschälen und am liebsten im Bett der versteckten Großvaterstube, die kleine Bea. Auch Urina suchte wohl einst die warme Höhle auf, wenn der Bär abwesend war. Bea schlief, und der kleine Apparat an ihrem Handgelenk arbeitete. So fand er sie, als er am Mittag aus dem Wald kam. Sie erwachte vom Pfeifendampf, hielt sich die Nase zu, bastelte mit der anderen Hand am Turm ihrer Haare, gähnte und sagte: »Hübsch werden wir hier wohnen.«

Da hatte er's aus der Quelle: Man wartete auf seinen Tod. Sie sollten nicht lange zu warten haben!

Jetzt gräbt er sich sein Grab, setzt eine vielgebrauchte Redensart in die Tat um. Er gräbt, und kleine Steine schrein auf, wenn das Spatenblatt sie berührt...Man geht zum See hinunter, man ist gottlob kein Schwimmer, man geht ohne Umschweife unter. Vielleicht bekommt das Herz einen Schlag vom kalten Wasser, bevor man den grünen Algenschlamm schlukken muß. Man stampft bis hinter das Röhricht, sinkt bis an den Hals und tiefer. Der taubenblaue Himmel wird mit blaßgrüner Dämmerung vertauscht; ein Aal rankt sich an einem hoch, benutzt den Wasserstrudel, um in den schluckenden Mund zu schlüpfen...

Aber soweit ist's noch nicht. Er hat die Bücher mit den braunen Blattecken aus dem Kommodenschub gelesen, er kennt Geschichten. Er will den jungen Leuten seinen Tod ankündigen, will den kleinen Pumpenmotor im Keller zerschlagen gehn. Er wird dem Drachen Elektrizität damit nicht einen einzigen Kopf abschlagen, aber dieses kleine Rätsel sollen die jungen Leute von ihm haben. Er geht zum Weg hinunter, tritt an die Wiese und steht vor einem Wunder: die Genossenschaftsweide ist bis an den Hochwald von einer niedrigen Elektroleitung umspannt. Eiserne Pfähle, Isolatoren und Drähte – eine Stromleitung im kleinen.

Ein moderner Tod, man hatte nur nötig, den Hängestrick zu berühren. Er packt den oberen Draht mit der bloßen Hand, erhält einen elektrischen Schlag, doch der ersetzt den Tod im See nicht.

Die Neugier, jene listige Lebensverlängerin, erwacht in ihm: Der elektrische Strom liegt ihm zu Füßen, er muß herausbekommen, wo der sich hernimmt.

Drei Hektar elektrisch umrandete Weide, und auf der Mitte grast die Milchrinderherde. Man hat den elektrischen Strom zum Hirten gemacht, während man ihn auf den Ausschußhaufen der Menschheit warf.

Ein Kästchen auf rotem Eisenpfahl. Es knackt und tackt drin, als ob sich ein Specht ins Freie hacken wollte. Pfahl und Kästchen unter einem Baum in der Wiese.

Beim Übersteigen des Zaunes bleibt sein steifes Bein, dieses Lebenshindernis, im oberen Draht hängen. Er erhält mehrere elektrische Schläge, er stürzt, und die Leitung reißt. Er steht wieder auf und lebt.

Zwei Männer springen von Fahrrädern. Er strählt sich verlegen den Vollbart und sucht nach einer Entschuldigung. Der Genossenschaftsvorsitzende ist nicht auf Entschuldigung aus, er sucht einen Weidewärter. Will der alte Adam den Posten nicht übernehmen?

Er fällt aus dem Nichts ins Erdenleben und bittet um RAUM im Hauptdorf.

Ein Traktor fährt vor die Adam-Kate. Zwei Traktoristen räumen eine Stube aus, bringen sie auf neunzig Kubikmeter Luftraum.

»Was soll das?« Die jungen Leute gehn auf den Großvater los.

»Ihr kriegt noch zu wissen, wie es ist«, sagt der alte Adam.

Auf dem Sofa schläft mit vorgerecktem Bauch die blasse Bea. Ein Saxophon und ein Schlagzeug arbeiten an ihrem Handgelenk. Er klettert auf den Zweisitz des Traktors. Die jungen Leute winken – der Nachbarn wegen. – Es gibt kein Gesetz, das vorschreibt: Du sollst in der Stube sterben, in der du geboren wurdest!

Kälber-, Jungvieh- und Milchrinderweide – er muß sie alle belaufen. Wenn Rehe oder Wildschweine die Drähte auf ihren Nachtgängen zerreißen, muß er sie flicken. Die Isolatoren müssen heil und die Akkumulatoren gefüllt sein. Ein anfälliger Gesell, der elektrische Hirt, er stolpert über Grashalme und hat einen ständigen Pfleger nötig.

Die Welt braucht ihn wieder, den alten Adam. Aber was der Elektrostrom ist, weiß er immer noch nicht. Er hält den Enkel an, der auf dem Motorrad mit der halben Geschwindigkeit einer Flintenkugel zur Arbeit flitzt. Keine Musikschachtel mehr am Handgelenk des Jungen. Die Musik des neuen Menschenkindes in der Kate hat sie verdrängt. Jede Jugend hat ihren Überschwang. Die Alten fürchten, er könne verderben, was sie mit ihrem Planeten planten, aber der Planet ist rund und bewegt sich.

»Frag endlich deine Ingenieure, was der Elektrostrom ist!« sagt der Alte.

Der Enkel wagt nicht mehr, den Großvater zu belächeln. Es ist genug Schande geschehn. Er sieht in der Werksbibliothek im Lexikon nach und lernt die Antwort auswendig: »Elektrizität ist die Gesamtheit der Erscheinungen, die auf elektrischen Ladungen und den von ihnen ausgehenden Feldern beruhen.«

»Die Kuh frißt Gras und gibt Milch, und daher kommt sie. Ist das eine Antwort?« fragt der alte Adam. Er ist unzufrieden mit den Ingenieuren. Er muß den Elektrostrom selber weiterbelauern: der ist nichts Fremdes: verwandelte Kohle, verwandelte Fließkraft des Wassers, verwandeltes Uranerz aus den Bergen der Erde.

Er ist nicht fremder als der Wind, den die Segelschiffer morgens dankbar begrüßen.

Das gibt ihm mächtig zu denken, das macht ihn glücklich. Aber so sagt man das auf dem Vorwerk nicht; man wirft dort nicht mit hohen Begriffen umher wie mit madigen Pflaumen. Der alte Adam ist mächtig am Leben.

Günter de Bruyn
Stallschreiberstraße 45

Auf den paar Quadratmetern freigelegter Erde steht Janke mit ernster Miene und hebt die Hand, so, daß er die rauhe, kalkbestaubte Innenfläche sieht, krümmt die Finger leicht, bis ihre Spitzen einander berühren, öffnet sie gleichmäßig wieder, erreicht nach einigen Korrekturen, daß die Fingerspitzen einen Kreis markieren, der einen Durchmesser von fünf bis sechs Zentimetern hat, dreht die Hand, ohne die Stellung der Finger zu ändern, nach unten, geht in die Knie, drückt die Fingerspitzen in die Erde, nicht tief, nur bis zu den Nagelwurzeln etwa, richtet sich auf, greift in die Hosentasche, nimmt eine Handvoll weißer Bohnen heraus, geht wieder in die Knie, legt die Bohnen in die durch den Fingerabdruck entstandenen Vertiefungen, jede einzeln in ein Loch, bedeckt die Bohnen mit Erde, steht wieder auf, besieht sich sein Werk, wiederholt das dreimal, zählt die restlichen Bohnen, eins, zwei, drei, vier, fünf, sechs, sieben, schließt die Hand, sieht zu der Frau hinüber, starrt auf ihre Bluse, ihre Lippen und schließlich über sie hinweg auf den Mann, der sich aus der Richtung Friedrichstraße nähert.

Hinter der Bordschwellenmauer, die Jankes Beete begrenzt, hockt die Frau auf der Erde, sammelt mit beiden Händen Pflastersteine und Mörtelbrocken in einen löchrigen Ledereimer, spreizt manchmal die Finger, harkt Ziegelsplitter zusammen, tut gar nicht erst so, als bemerke sie Jankes Blicke nicht, hebt sofort den Kopf, sieht Janke an, nickt, als er die Hand mit den Bohnen öffnet, lächelt zu ihm hoch, als er die paar Schritte auf sie zukommt und nur noch die niedrige Umzäunung zwischen ihnen ist, sammelt weiter dabei, Holzstücke, Steine, Glasscherben, Kabelstücke, sagt nichts, wartet, daß er endlich zu reden beginnt.

Da, wo einmal die Stallschreiberstraße gewesen ist, geht der

Mann durch die Trümmerwüste, langsam, ein Bündel Stangen auf der Schulter, bleibt manchmal stehen, sieht nach unten, nach vorn, zurück und geht dann weiter in Richtung Moritzplatz, genau auf Janke zu. Wenn die Häuser noch ständen, könnte man ihn nicht sehen; jetzt sieht man den Kopf und die Schultern; wie von einer Schnur gezogen, rutschen sie auf den halbhohen, geborstenen Mauern entlang.

Janke läßt die Bohnen in der hohlen Hand klappern und beginnt zu reden. Daß da soviel Erde unter war! Fünfzig Jahre lang waren immer nur Steine da und Asphalt, Straße, Trottoir, Vorderhaus, erster Hof, Hinterhaus, zweiter Hof, zweites Hinterhaus, alles nur Steine, Ziegelsteine, kleine Pflastersteine, große Pflastersteine, Rinnsteine und Asphalt, manchmal Eisen auch, die Gullis, die Hydrantendeckel, die Teppichstange, Blechschilder: Betteln und Hausieren verboten, Deutsche Feuersozietät. Und jetzt merkt man plötzlich, daß da immer Erde unter war, richtige Erde, in der man die Frau begraben kann und die Kinder, wo Melde wachsen kann und Disteln und Birken und Tomaten, Obstbäume sogar, die sogar gut, die lieben Kalk, und der ist genug drin durch den Schutt. Einen Boskoop hat er schon in Aussicht für den Herbst. Aber der allein nutzt nicht viel. Andere Sorten müssen in der Nähe stehen, da der Boskoop sich nicht selbst befruchten kann. Aber zum Glück sind auch Laubenkolonien zerbombt, in Hohenschönhausen, in Lichtenrade, in Baumschulenweg. In zehn bis zwölf Jahren spätestens kann man mit annehmbaren Ernten rechnen.

Da sagt die Frau zum erstenmal etwas. Mein Gott, zehn Jahre, sagt sie und steht auf.

Der Mann mit den Stangen murmelt einen Gruß und will wissen, wer die Rinnsteine hier herausgewuchtet hat. Anscheinend hat er noch nie was von Luftminen gehört. Er stellt die Stangen an einen Mauerrest, zieht ein Bandmaß aus der Tasche, legt das Ende an eine Rinnsteinkante, die noch am rechten Fleck liegt, beschwert es mit einem Mauerbrocken und geht auf die Alexandrinenecke zu, wo der Straßenverlauf wieder erkennbar wird. Das Band rollt aus der Trommel und schlängelt sich über Geröllhügel, Treppenreste, Eisenträger und quer durch Jankes Bohnenbeet.

So ein Gitter vom U-Bahn-Schacht eignet sich gut zum Durchsieben der Erde, sagt Janke. Er hat eins in seinem Wohnkeller, da vorn gleich, wo der Schornstein noch steht. Er hat es mal gebraucht, als der Keller voll Wasser stand. Jetzt ist es trokken bei ihm, ganz trocken. Und der Keller ist groß, viel zu groß für ihn allein. Überhaupt sind die Keller hier noch alle in Ordnung, bis zur Charlotten- und Schützenstraße 'runter. Wenn man Pferdemist kriegte, könnte man Champignons züchten. Das wäre ein Geschäft. Hoffentlich kommt der Frost nicht zu früh dies Jahr, damit die Bohnen noch werden. Gott sei Dank liegt genug Holz 'rum in den Trümmern.

Die Frau fragt, ob der Keller auch gut heizbar ist, und steigt über die Steine in Jankes Garten, um sich zeigen zu lassen, wo der Boskoop stehen soll. Am besten pflanzt man die anderen bei ihr, da und da und da. So groß kann der Boskoop werden. Vielleicht sogar noch ein bißchen größer. Ja, das ist der mit der rauhen Schale. Hält sich bis zum Frühjahr, wenn man ihn richtig lagert.

Der Mann hat die Trommel genau an der Ecke Alexandrinenstraße hingelegt, geht neben dem Band zurück zu seinen Stangen, nimmt eine auf, greift sich einen Ziegelstein und schlägt die Stange in Jankes Beet.

Stangenbohnen sind das aber nicht!

Die muß hier stehenbleiben!

Und warum, wenn man fragen darf?

Damit man weiß, daß die Kartoffeln im Bezirk Mitte und die Kohlrabi in Kreuzberg stehen.

Janke zuckt die Achseln: Sorgen haben die! Schön wäre, wenn man Gravensteiner und Goldparmänen kriegte. Oder Ontario oder einen Edelborsdorfer. Und die Bohnen läßt man wohl am besten beieinander.

Und während die Frau ein bißchen Erde von den Rüben wegkratzt, um zu sehen, wie groß sie schon sind, hebt Janke die Hand, krümmt die Finger, bis die Spitzen einen Kreis markieren, drückt sie in den Boden, legt die glatten, glänzenden Bohnen in die Vertiefungen und bedeckt sie mit Erde.

Werner Bräunig
Gewöhnliche Leute

Stütz stand neben der Tür, obwohl noch genügend Sitzplätze frei waren; er konnte sie aber von hier aus besser beobachten: Sie hatte sich wieder neben diesen Kerl gesetzt, dessen Mütze aussah wie die Reliquie eines sagenhaften Rückzugs, und sie las in ihrem Buch, als ob tatsächlich einer lesen könnte hier drin. Das ging den zweiten Tag so, und Stütz wußte, daß es ein Trick war. Er hatte es ausprobiert, und er wußte, daß man bestenfalls Zeitungsüberschriften entziffern konnte, für mehr war die Gegend nicht eingerichtet und der Ikarus schon gar nicht. Aber sie las überzeugend. Obendrein Furmanows Statik. Das sagte alles.

Wenn sie umblätterte, konnte er ihr Gesicht sehen: Sie hob den Kopf, sah herüber, sah ihn aber nicht an. Der Kerl neben ihr schielte auf das Buch oder auf ihre Knie – sie saß den zweiten Tag neben ihm, und vermutlich dachte er sich etwas dabei –, aber er sah dann doch wieder weg. Er trug das idiotische Silberkettchen mit dem idiotischen Talisman, das die ganze Gilde der Dumperfahrer am Hals hängen hatte. Er sah jetzt aus dem Fenster. Auch Stütz sah hinaus. Von der Baustelle war nichts mehr zu sehen. Die Baustelle hieß »das Gelände«, und außer dem Gelände gab es vorläufig bloß Brachland mit spärlichen Bäumen; es gab die Bahnlinie und den Fluß und diese bemerkenswerte Straße; ferner gab es allerhand Sehenswertes in der weiteren und nichts davon in der näheren Umgebung; es gab eine ziemliche Trockenheit in diesem Sommer und einen Himmel, der tiefblau gewesen wäre ohne den Staub überm Land; wie immer in solchen Zeiten gab es zuwenig Getränkefabriken, wenn man absah von den Brauereien: das Hoch reichte von den Azoren bis zur Ukraine.

Das Getriebe knirschte vernichtend, der Bus schlingerte. In der Kurve wurde sie gegen den Dumperfahrer geworfen, das Buch fiel herunter; als sie sich wieder aufrichtete, sah sie Stütz zum erstenmal an. Aber nun sah er weg, betrachtete die Landschaft draußen, er war ganz abwesend. Natürlich spiegelte die Scheibe: Er sah, wie sie ein Stück abrückte von ihrem Nachbarn, irgend etwas zurechtzupfte, immer noch zu ihm herübersah und dann, als sie sicher war, unbeobachtet zu sein, ihr Buch wieder aufschlug und sich dahinter verschanzte. Das Spiel lief nun umgekehrt; jetzt beobachtete sie ihn.

Übrigens wußte Stütz, daß sie Adele hieß, hatte es beiläufig gehört, wie man eben von jemandem hört, der neu ins Gelände kommt: Neu war sie vor vier Wochen gekommen mit einer Absolventengruppe von der Hochschule; aufgefallen war sie ihm erst drei Wochen später. Adele kann man nicht heißen. Adele heißen Großtanten, Frachtkähne und Zirkuspferde. Solche Mädchen dagegen heißen Elke oder Anke oder Kerstin. Ramona Schmidt und Enrico Lehmann geben ihr Verlobung bekannt. Er sah sie sitzen, und er dachte: Es gibt Leute, die sind erst auf den zweiten Blick interessant, aber dafür sind sie es dauerhaft. Sie war also ins Gelände gekommen mit der spöttischen Selbstverständlichkeit dieser Sorte Mädchen, die bloß noch auffällt, wenn man darüber nachdenkt, und er hatte sie drei Wochen lang nicht bemerkt. Als ob sie einer versteckt hätte. Allerdings war das Gelände zweieinhalb Kilometer breit und vier Kilometer tief, Leute aus einundzwanzig Betrieben kletterten umher, da verlief sich manches. Da verlief sich sogar, was Siegel und Adresse hatte, und nicht bloß das.

Der Bus hielt, das war die Umspannstation halbwegs zur Stadt; fünfzehn Meter oben summten vierhundert Kilovolt. Hier stieg selten einer aus. Indessen stieg Trockenschleifer zu. Er gab Stütz die Hand, er sah sich im Wagen um, er grinste. Trockenschleifer, Hochfrequenztechniker, Kumpel magna cum laude, wußte, was los war. Er blieb neben Stütz stehen und sagte: »Der reinste Backofen.« Der Wagen hatte eine Innentemperatur von gut und gerne vierzig Grad.

Dann fuhren sie über die Brücke, die Stütz' Freund Moßmann gebaut hatte, und wie fast jedesmal, wenn er darüberfuhr, dachte er, daß Brückenbauen eine gute Arbeit wäre. Die einzige vielleicht, die ihn noch interessieren könnte außer der, die er selber tat. Die ersten Häuser der Stadt. Klein, alt, anachronistische Wohnhöhlen. Er sah hinaus, sah das graue Gras an den Grundmauern und in winzigen Vorgärten, sah den verrosteten Kandelaber einer gußeisernen Straßenlaterne, sah den Verfall im Putz und im Rinnstein und überall, und er dachte: Es ist billiger, neue Häuser zu bauen, als hundertjährige zu erhalten, aber das Problem liegt woanders. Meistens liegt das Problem woanders. Das Problem besteht nicht darin, Probleme zu lösen, sondern darin, lösbare Probleme zu finden, hatte Steenbeck gesagt; der sagte andauernd solche gescheiten Sachen. Die Häuser wurden trauriger von Querstraße zu Querstraße. Da war seit zwanzig Jahren nichts gestrichen worden und seit hundertzwanzig Jahren nichts gebaut. Wer wollte, konnte sehen, wie die Leute von Anfang an klein gehalten wurden in kleinen Verhältnissen.

Der Bus bog zum Altmarkt ein, bremste scharf, hielt. Adele erhob sich. Es war schon der richtige Ausdruck. »Na?« sagte Trockenschleifer. Sie stiegen hier alle aus. Stütz sagte nichts, stand auf dem Marktplatz, suchte nach Zigaretten. Nach der

Bruthitze des Wagens war die pralle Sonne über dem Platz fast kühl. Auf einmal stand Trockenschleifer vor Adele und sagte: »Entschuldigen Sie, haben Sie einen Augenblick Zeit?« Sie sah ihn an – wenn sie nicht tatsächlich überrascht war, machte sie es zumindest gut. »Nichts weiter, eine Wette«, sagte Trockenschleifer.

Sie hatte Zeit. »Schön«, sagte er, »dann stellen Sie sich doch bitte mal hierher.« Er zeigte es ihr, winkte dann Stütz heran, er stellte sie Rücken an Rücken auf und ging ein paar Schritte zurück, angestrengt nahm er Maß. Der Kerl mit dem Silberkettchen war schon weg, ein paar Leute sahen herüber, nichts weiter. »Pech«, sagte er. »Ich hätte gewettet, daß Sie größer sind als er.«

Sie sagte noch immer nichts, es war bloß ihr Gesicht. Stütz hätte Trockenschleifer gern ein paar passende Takte gesagt, aber der fand sich gut. »Ich verliere immer«, sagte er. »Wie ist es, eigentlich müßten wir jetzt was trinken. Ich weiß da ganz in der Nähe...«

»...ein entzückendes kleines Café«, sagte sie. Sie machte das hervorragend. Aber sie ging mit.

Das Café hieß »Nußbaum«, es lag gleich am Markt, und es war steinalt. Sie bestellten Eiskaffee. Der kam mit flotten Schritten, Trockenschleifer kannte die Serviererin. Das Fenster war geöffnet, Stütz saß Adele gegenüber, hinter ihm hing ein alter Stich oder wenigstens eine Kopie davon: Planwagen vor einem Wirtshaus, ein Türke, der ein Säckchen Kaffee geöffnet hatte, jemand, der daran roch. Stütz stocherte mit dem Strohhalm im Eis, er sagte nichts. Es war nicht seine Veranstaltung. Sie sah auf den Marktplatz hinaus. Sie war einfach da, und es machte ihr gar nichts. Der »Nußbaum« war mäßig bevölkert: ein Mann mit Rennzeitung, ersichtliche Rentnerinnen, das abwaschbare Lächeln des Büfettfräuleins, diverse Jugend, dazu ein afrikanischer Student, der aus einem Buch konspektierte und Kaffee trank. Patina, leicht gelüftet durch Gegenwart. Die Kirche draußen war sechshundert Jahre alt, der »Nußbaum« zweihundert Jahre, die Renovierung ein Jahr. Der Eiskaffee war übrigens gut.

Aber plötzlich stand Trockenschleifer auf. Hatte es auf einmal sehr eilig. Mußte dringend noch etwas erledigen. Stütz sah ihm nach, und als er damit fertig war, sah er, daß sie lächelte. Sie lächelte ohne Spott und sie zog einen Strich unter das Vorspiel. »Bißchen anstrengend, nicht?«

»Na ja«, sagte er.
»Außerdem«, sagte sie, »ich heiße Adele.«
»Stütz«, sagte er und verbesserte sich sofort: »Hannes.«
Dann sagten sie eine Weile nichts. Er sah ihre Hände auf der Tischdecke, sie waren schmal, aber nicht zerbrechlich, ihre Haut war sehr braun und glatt, und sie hatte feste Arme und gerade die richtigen Schultern, und natürlich wußte er auch, welche Beine sie hatte und wie sie ging: Sie ging erstaunlich. Da, wo er herkam, nannte man das »eine Wucht«, und er wußte schon, daß er sie so nennen würde. Sie war mit ihrem Eiskaffee fertig und sah ihn an. Er sagte: »Wir könnten ein bißchen die Stadt besichtigen.«
»Ja«, sagte sie.
»Waren Sie schon auf der Burg?«
»Schon zweimal.«
»Dann gehen wir einfach so los. Einverstanden?«
»Einverstanden.«
Er zahlte, und sie gingen hinaus auf den Marktplatz. Es war noch immer sehr heiß, die Gebäude warfen die Hitze zurück. Es waren sehr viele Leute unterwegs um diese Zeit, und der Marktplatz war einer der belebtesten Plätze der Stadt. Jemand grüßte ihn, und er sah sich um: Es war Wenzel, der den Blindgänger gefunden hatte. Die Bombe hing plötzlich in seiner Baggerschaufel, und er hatte sie butterweich abgesetzt und die Kipperfahrer zurückgehalten und alles getan, was nötig war, als fände er jeden Tag so eine Höllenmaschine. Als die Feuerwerker schließlich kamen und die Bombe entschärft war, hatte er bloß gesagt: »Mein lieber Mann.« Von all dem wußte Adele nichts. Sie wußte verschiedene Dinge nicht, die vor ihrer Zeit geschehen waren und wichtig waren für die Leute vom Gelände, aber sie gehörte nun dazu, und sie war selber wichtig genug. Sie ging neben ihm, und sie waren nun alte Bekannte. So, wie es war, war es gut.
Er dachte: Eigentlich habe ich ein verdammtes Glück. Ein ganz mordsmäßiges Schwein habe ich eigentlich. Ich muß mich mal erkundigen, vielleicht bin ich an einem Sonntag geboren.

Die Sonne schlug herab mit glühenden Äxten. Der Staub bedeckte das graue Land und einen Teil des grünen Landes, und es war ein empfindliches Stechen in der Luft, das den Gaumen dörrte und in den Lungen brannte; die Kräne ragten aus der

Landschaft wie aus einer Wüste. Aber sie bewegten sich. Leute waren wenig zu sehen. Es war knapper Mittag.

Stütz stand auf der Deckenlage des siebenten Stockwerks. Er konnte so ziemlich das ganze Gelände überblicken, Stadt für siebzigtausend Leute, wenn sie einmal fertig wäre, aber sie war vorläufig erst für dreißigtausend fertig, und die hatten in diesem Sommer wenig Freude an der neuen Stadt mitten auf der Baustelle. Der Kran schwenkte die letzte Platte ein. Stütz beobachtete das Manöver, es war eine saubere Arbeit, die Leute waren aufeinander eingespielt. Unten zog die Palette davon. Sie würden jetzt mindestens eine Stunde trockensitzen. Das Plattenwerk kam seit Wochen nicht nach. Das war eins von seinen dreihundert Problemen, und es kostete ihn täglich drei Dutzend seiner bedeutendsten Flüche. Schaffrek kam herüber und sagte: »Sense, Chef.« Springer saß noch am Schweißgerät, und Bobach goß Fugen aus, das war aber auch alles. »Los«, sagte Stütz, »gehen wir eine rauchen.«

Sie setzten sich auf der Schattenseite in den Treppenschacht, der den Aufzugsschacht umgab, das war eine Oase. Unten tauchte Müller II mit dem Sprechfunkgerät ebenfalls in den Schatten. Er hatte das Hemd über der Brust verknotet wie einen vorsintflutlichen BH. »Könnte mal regnen«, sagte Schaffrek. Er saß auf der obersten Stufe und kratzte den Dreck aus den Fingernägeln. »Es muß ungefähr so um die Völkerschlacht gewesen sein, als es hier das letztemal geregnet hat.«

»Spinner«, sagte Stütz. »Uns schwimmen die Felle weg, ich weiß nicht wie. Morgen früh wird mal wieder in der Zeitung stehen, wie gut wir sind. Wir sind so gut, daß wir jeden Tag vier Stunden dasitzen und auf Platten warten. Was nützt mir das ganze Netzwerk, wenn diese Pfeifen nicht mal die projektierte Kapazität schaffen?«

»Laß sie doch blechen«, sagte Schaffrek. Das war sein Hausmittel. Er war seit vier Jahren Montagemeister bei Stütz, und er wußte, daß sein Bauleiter mit der segensreichen Erfindung der Vertragsstrafe schon manchen säumigen Zulieferbetrieb zur Einhaltung der Termine gezwungen hatte. Was er nicht wußte, war, daß das Mittel diesmal nicht anschlug. Stütz kannte jede Tür im Vertragsgericht; er hatte Pauli, den Leiter des Plattenwerkes, aus dem Jackett geschüttelt, daß es weh tat. Aber der Anstoß blieb gleich. Es war, als ob man das Geld aus der einen Tasche in die andere steckte, gewonnen war nichts. Und Pauli hatte ein halbes Dutzend guter Gründe: Das Plattenwerk war neu, die Leute waren neu, die Wasserzufuhr war zu niedrig und die Ausschußquote demzufolge zu hoch; die Produktion wäre selbst dann noch zu niedrig, wenn die geplante Kapazität endlich erreicht würde, denn mit dem Tempo, das die Montage jetzt hinlegte, hatte vorher keiner gerechnet. Zu all dem wußte Stütz eines genau: Was Pauli vor allem fehlte, waren ein paar handfeste Betonfachleute, die sich in der Anlage auskannten und außerdem wußten, wie die Platten hinterher beansprucht und in welchem Rhythmus sie gebraucht wurden. Solche Leute waren rar, soviel war sicher, aber genauso sicher war, daß er welche hatte und daß er ihnen täglich Überbrückungsstunden schrieb für Sandschippen und Holzauflesen und ähnliche Kunststücke.

»Ich werde dir mal was Lustiges erzählen«, sagte Stütz. »Du wirst ab Montag verpumpt. Wir geben vier Mann ans Plattenwerk ab und der Schulblock auch vier. Für drei Wochen. Vierzehn Tage arbeiten wir bloß in zwei Schichten. Das kommt genau hin.«

Schaffrek saß da und sah aus.

Stütz sagte: »Hast du damals in Rostock Platten gemacht oder nicht?«

»Das war ganz was anderes.«

»Eben. Dort hat's geklappt, und hier klappt's nicht.«

»Na weißt du«, sagte Schaffrek. »Scheißfeuerwehr.«

»Also«, sagte Stütz, »dann geh' ich jetzt essen. Und sag deinen Leuten Bescheid.«

Er klopfte sich den Staub von der Hose und trat die Zigarette aus. Nachträglich war immer alles ganz einfach. Vierzehn Tage früher wäre das ein sehr guter Einfall gewesen, jetzt war es bloß noch ein Einfall. Wenn er die Augen aufgemacht hätte, hätte er schon damals sehen müssen, daß es nicht bloß an Pauli lag und daß der allein nicht weiterkam. Stütz ärgerte sich nicht über die Strafe, die er Pauli abgeknöpft hatte, die war verdient; aber er ärgerte sich, weil er seine Monteure zwei Wochen eher zurückbekommen hätte, hätte er sie zwei Wochen eher losgeschickt. Und dann noch das lange Palaver mit Pauli, bis der eingewilligt hatte. Vermutlich war ihm die Geschichte bis heute nicht geheuer.

Stütz trat aus dem Haus und überquerte die Kranbahn; jeder Schritt wirbelte Staub auf. Er sah Henschel kommen, den Putzerbrigadier, einen dicken Jüngling, von dicken Brillengläsern eingerahmt: Niemand hatte ihm je in die Augen gesehen. Er kam an, wie er immer ankam, Hahn inmitten eines

Rudels Witwen; es war seine normale Gangart, auch wenn die Witwen fehlten. Er nickte huldvoll und zog vorbei. Es war unwahrscheinlich, daß einer, der so aussah, auf jeder Großbaustelle seines Lebens wenigstens ein Kind hinterließ, aber es stimmte. Da er allerhand Alimente zu zahlen hatte, mußte er allerhand verdienen – das hatte ihn zu einem guten Brigadier gemacht. Man wird ein Kindergeld für Väter einführen müssen, dachte Stütz, sonst bricht der noch jede Norm.

Er überquerte die Magistrale und besah sich den Schulblock. Es war das gleiche wie am Hochhaus: Der Kran lud Deckenplatten ab und stapelte sie, die Außenelemente fehlten. Bauleiter des Schulblocks war Sandmann, Stütz' einziger ernsthafter Konkurrent im Gelände; er hatte geschworen, den Block in fünf Monaten hochzuziehen, das war für Bauten dieses Typs eine international noch nicht erreichte Zeit. Stütz ging um den Block herum; der C-Flügel saß noch auf den Fundamenten, aber in der Schwimmhalle waren schon die Fliesenleger. Sandmann war nicht zu sehen. Der zog umher, stritt sich herum, organisierte, disponierte um, das ging den Menschen wie den Leuten. Mitten im Schulhof, wo kein Kran mehr hin konnte und kein Tieflader, lagen vergessene Betonsegmente von ungefähr zweieinhalb Tonnen pro Stück. Der Junge mußte ein Geheimverfahren kennen, wenn er die noch herausholen wollte. Allerdings wußte man das bei Sandmann nie genau. Der hatte eine unwahrscheinliche Truppe aufgebaut, jeder ein Torschütze, und Sandmann war Mannschaftskapitän, sie hatten Fuhren gedeichselt, für die keiner mehr eine Mark gegeben hätte.

Überhaupt, dachte Stütz, es hat sich da eine Sorte von Problemen angefunden, an die vor sechs, acht Jahren keiner auch nur gedacht hätte. Damals hatten sie nach dem Ausland geschielt, jetzt schielte das Ausland nach ihnen. Sie hatten angefangen mit dem Möglichen, dann hatten sie das scheinbar Unmögliche möglich gemacht. Sie hatten allerhand Lehrgeld gezahlt, aber sie stellten nun Baulichkeiten in die Landschaft, die konnten sich in jeder Gegend der Welt sehen lassen. Und sie hatten Methoden entwickelt, um die sie von nicht wenigen Gegenden beneidet wurden. Die Probleme liegen nicht mehr so sehr zwischen den Leuten, dachte Stütz, als zwischen den Leuten und den Dingen: Sie bewegen sich immer weiter hinaus in die Umgebung. Wer wollte, konnte es den Leuten ansehen: Sie stiefelten mit einer Selbstbewußtheit durchs Gelände, wie früher nicht mal durch die neuangeschaffte Zwei-, Dreizimmerwohnung; und etliche von ihnen wollten schon nicht mehr wahrhaben, daß sie einmal ziemlich anders angefangen hatten: dumpf, unentschieden, eigenbrötlerisch, zweifelnd. Es ist gut so, dachte Stütz, aber es ist nicht alles gut. Ignoranz ist nicht gut. Es ist nicht immer gut, zu vergessen.

Er war nun am Gastronom angelangt, er sah nach der Uhr. Wenn er es einrichten konnte, ging er immer um die gleiche Zeit essen. Er war ein bedeutender Esser, nicht nur, weil es Zeiten gegeben hatte, wo er mit weniger als dem Nötigsten hatte auskommen müssen. Er betrat den Gastronom, und er fühlte sich glänzend in Form.

Adele sah er schon von weitem: Sie winkte ihm zu. Adele unter all ihren Haaren. Adele in ihrer kupfernen Haut. Sie saß am Ecktisch an der Fensterreihe, die aber Schattenseite war, und sie saß da wie im Urlaub und nicht etwa wie auf Arbeit. Ein paar Monteure grinsten, als er sich zu ihr setzte, und der Tisch mit den Tiefbauleuten seufzte. Sie war mit irgendeiner Kaltschale beschäftigt und sagte: »Na?«

»Frau«, sagte er, »ich habe Hunger wie ein Bär.«

Er nahm die Karte, die auf ihn eingerichtet war, entdeckte Adeles Kaltschale, die ein Aprikosenauflauf war, aber es gab noch Hühnersuppe und Champignonsuppe und Soljanka, und natürlich gab es Ochenschwanzsuppe nebst Brühe mit und ohne Ei. Die Kellnerin begrüßte ihn, und er bestellte einen Salat und einen Fisch; Rotbarsch zum Beispiel. »Herr Moßmann hat einen gehabt«, sagte die Kellnerin, »und er hat sich jedenfalls nicht beschwert.« Da nahm er also auch einen. Und dann bestellte er noch eine kalte Selters, die es aber nicht gab, dafür gab es lauwarme Brambacher mit einem Lanchid dazu.

»Sag mal«, sagte Adele, »war dein Motorrad vergangene Woche in Reparatur?«

»Nein«, sagte er.

»Wenn es also nicht in Reparatur war, warum bist du da eigentlich immer mit dem Bus gefahren, und seitdem fährst du bloß noch mit diesem Dings?«

»Tja«, sagte er, »du bist doch klug – oder?«

»Hm«, sagte sie.

Und dann kam der Salat, und die Brambacher kam; er begann zu essen, und das beanspruchte ihn ganz. Es dauerte auch nicht lange, bis der Fisch kam. Er beträufelte ihn mit Zitrone und probierte. Es war ein mittelprächtiger Fisch, aber es war möglich, daß es ihm bloß so vorkam: Bei diesen mörderischen

Temperaturen war nichts so, wie es sonst war. Er gab noch etwas Salz zu und fragte: »Was machst du eigentlich übers Wochenende?«

»Hm«, sagte sie, »du bist doch klug oder?«

»Natürlich«, sagte er. »Ich wollte auch bloß wissen, ob es dir zu früh ist, wenn wir um sechs losfahren.«

»Laß mich mal kosten«, sagte sie. Sie nahm ein Stück Fisch von seiner Gabel und probierte, und dann sagte sie zu der Kellnerin, die am Nebentisch zu tun hatte, aber andauernd herübersah: »Ich möchte bitte auch so einen Fisch.« Und als die Kellnerin endlich weg war, wollte sie wissen: »Wohin willst du mich denn verschleppen?«

»Das weißt du ja noch gar nicht«, sagte er und wunderte sich wirklich. »Also: Es waren einmal drei Brüder. Der erste fuhr über alle Meere und an alle Küsten, und überall, wo er auch hinkam, kaufte er eine Ansichtskarte, und er brachte auch sonst allerhand mit: einen Hut aus Kambodscha, eine Wunderlampe aus Tansania und einen Säbel, den ein Beduinenscheich besessen hatte, welcher dreiundsiebzig Frauen besaß. Der zweite Sohn war ein berühmter Baumeister, der zog im Land umher, und überall, wo er eine Weile blieb, baute er gar prächtige Bauwerke, die waren wie Kirchtürme so hoch und obendrein nützlich, worüber sich alle freuten. Schließlich der dritte Sohn...«

»Der blieb zu Hause und hütete die Ziegen und Schafe«, sagte sie, »und er war seines armen alten Vaters einziger Trost.«

»Fast«, sagte er. »Der dritte spielt Handball in der Oberliga, und nebenbei studiert er noch ein bißchen. Die drei kauften sich also eine Hütte an so einem See, und weil die Hütte morsch, die drei aber fleißig waren, ruhten und rasteten sie nicht, bis daß sie das schönste Häuschen weit und breit daraus gefertigt hatten, und eine Zierde war's der ganzen Umgegend. Elektrisches Licht gibt's da natürlich nicht, und Trinkwasser muß aus dem nächsten Dorf geholt werden, aber dafür ist auch schon dreimal eingebrochen worden, von den heiratsfähigen Söhnen und Töchtern der Nachbarschaft vermutlich, denn gefehlt hat nichts. Außerdem kommt der Seefahrer am Sonnabend auf Urlaub. Er kommt aber erst abends, und wir könnten ja schon vormittags hinfahren.«

»Ja«, sagte sie. »Das könnten wir wohl.«

»Um sechs?«

»Um sechs. Falls sich einer findet, der mich weckt.«

»Es wird sich schon einer finden«, sagte er.

Die Tiefbauleute zahlten und gingen, und dort, wo die Monteure gesessen hatten, saßen jetzt welche vom Straßenbau mit den Baggerfahrern der Frühschicht, woraus zu entnehmen war, daß es nach vierzehn Uhr sein mußte. Um vierzehn Uhr gab es an den unteren Wohnblocks die roten Treffs, und anschließend trafen sich diejenigen, denen etwas ein- oder aufgefallen war, bei Wiczorek zur Auswertung. Stütz ging jeden Tag hin. »Also«, sagte er, »ich hole dich dann ab.« Aber Adele wollte auch zu Wiczorek, und außerdem hatte sie erfahren, daß es erst Viertel vor drei anfing. »Es ist wieder mal der Plastputz«, sagte sie. Das kannte er schon. Es war seit einer ganzen Weile der Plastputz. Sobald er trocken war, zeigte er Risse. Es hing mit dem Wasser zusammen, hieß es, und Adele war mit der Analyse betraut worden. Das hing wiederum mit Adeles Diplomarbeit zusammen, welche von einem neuen Material für Innenwände handelte, hergestellt aus Chemierückständen, aber vorerst noch auf dem Papier; solange sie keine Erfolge am Plastputz vorweisen konnte, so lange würde sich auch niemand halbwegs ernsthaft auf ihr Projekt einlassen. Stütz hatte sich die Proben aus dem Institut angesehen, das Projekt leuchtete ihm ein; es gab im Innenbau Beanspruchungen, für die Beton weiß Gott nicht das ideale Material war. Aber er hielt sich heraus. Er wußte, daß sie da durch mußte. Es war ihre erste große Arbeit, und sie durfte nicht das Gefühl haben, geschoben zu werden – schon gar nicht von ihm. Es war auch wichtig für die anderen: Neue Leute werden weniger nach ihren Ideen beurteilt als nach ihrer Fähigkeit, in der Praxis etwas damit anzufangen. Und noch ein drittes spielte mit für Stütz, wenn auch weniger bewußt: der Wunsch nämlich, bestätigt zu sehen, was er sah in ihr und spürte – es gab dafür noch keinen Namen.

Das war also das Ihre und das Seine auch: Hier mußten sie sich treffen. Er war dreiunddreißig, sie war zehn Jahre jünger, sie hatte manches, was er nicht mehr hatte, einiges davon hatte er nie gehabt. Umgekehrt gab es manches, was sie nicht hatte, und es hatte keinen Sinn, so zu tun, als ob sich das nebenher erledigen würde – jedenfalls dann nicht, wenn es einem ernst war um etwas oder jemanden. Vor drei Jahren hatte er gelacht über derlei Anwandlungen und keinen Gedanken daran verschwendet – und eine Liebe war mißglückt auch deshalb. Zeit ist etwas Wirkliches, das wußte er nun. Wer nicht lernt, mit ihr umzugehen, mit dem geht sie um.

Und dann dachte er: Diesmal ist es richtig. Er hätte das keinem erklären können, aber er war ganz und gar sicher. Diesmal ist es das Richtige. Auch er war diesmal der Richtige. Er hatte eine Tür gefunden. Denn auch das gehört dazu. Daß einer weiß, wer er ist. Daß er weiß, wer er sein kann. Daß er unterwegs bleibt zu sich und den anderen.

»Lieber Himmel«, sagte Adele: »Die Lampe!« Stütz war noch mit den Fensterläden beschäftigt. Sie hatten die MZ draußen abgestellt, waren hereingekommen aus der grellen Sonne, sie war genau mit dem Kopf gegen die Lampe gelaufen und sah nun: Es war tatsächlich dieses Monstrum, das er beschrieben hatte. Es war überhaupt alles so. Irgendwelches Angelzeug, gebeiztes Holz, allerhand Kram. Sie sah sich um, während Stütz das zweite Fenster öffnete und den Sonnenschirm auf die Terrasse transportierte, und sie entdeckte den Nebenraum und die Kochecke: Zwiebeln an einer Schnur, Schneidbretter und Pfannen und Töpfe, ein Propangaskocher und ein Wasserkanister, unglaubliche Büchsen und Behältnisse auf dem Wandbrett, dazwischen eine Kaffeemühle aus der Steinzeit; in lederner Scheide ein sagenhafter Krummdolch. Stütz kam mit dem zweiten Wasserkanister herein, den sie im Dorf aufgefüllt hatten, und sie fragte ihn, ob das der Säbel sei von diesem Kerl mit den siebenunddreißig Frauen. »Dreiundsiebzig Frauen«, sagte Stütz. »Den nehmen wir zum Kartoffelschälen.«

»Und das da?« sagte sie und zeigte auf die ramponierte Gitarre über dem Klappbett. »Spielst du auf dem Ding?«

»Der Seefahrer«, sagte Stütz. »Aber auch bloß, wenn er einen gehoben hat.«

Sie half ihm den Klapptisch draußen aufstellen und die Stühle, und als er noch nach irgendeinem Holz suchte für das zu kurze Tischbein, war sie schon im Badeanzug und rannte ins Wasser. Sie gewann rasch einen Vorsprung. Sie schwamm auf die Tonne zu, die den Weg der Fahrgastschiffe markierte, und es war nichts und niemand zu sehen. Sie kam an eine kalte Stelle und dann wieder an eine wärmere; für einen See war es ein sehr klares Wasser, ein bißchen grün und sehr hell, die Sonne reichte weit hinab. Sie sah den Schatten eines Fisches, sie ließ sich treiben und wechselte in die Rückenlage, sie war nun ganz leicht. Der Himmel wurde höher, je länger man in ihn hineinsah; man schwebte auf glückliche Weise in einem Raum, der einen nicht fallen ließ. Dann kam Stütz auf. Sie wendete und tauchte und bespritzte ihn, und als er unter Wasser mußte, schwamm sie schnell weg. Er begann noch ein Wettschwimmen, aber er erreichte sie nicht mehr. Sie lief ans Land und warf sich ins Gras.

Der Geruch des Sommers. Der Geruch mürben Holzes und der Wassergeruch. Der See war da und der Steg und das Haus und überhaupt alles: Sie hatten zwei Tage und eine Nacht, und wenn sie wollten, hatten sie noch viel mehr; das lag bei ihnen. Es war schön hier, und es war schön neben ihm.

Er ging dann ins Haus und kam mit einer Decke zurück, darauf legten sie sich in die Sonne. Zu sagen war da nichts. Noch nie war ihr jemand begegnet, der so selbstverständlich da war und so vollkommen anwesend wie er. »Mann«, sagte sie, »woran denkst du?«

»Keine Ahnung«, sagte er. Und dann: »Also: hier bin ich Stütz, hier darf ich's sein. Gut?«

»Es geht«, sagte sie. Und dann war sie wohl ein bißchen eingeschlafen. Als sie von irgend etwas erwachte, lag ihr Gesicht an seiner Brust; sie sah, daß er ruhig atmete und schlief. Die Sonne war in die Baumkrone gerückt, es mußte eine ganze Weile vergangen sein. Sie stand leise auf und sah, wie er sich im Schlaf bewegte. Dann ging sie ins Haus. Sie machte Feuer auf dem Gasherd und holte die Steaks, die sie mitgebracht hatten.

Aber er mußte wohl bemerkt haben, daß sie nicht mehr da war. Er kam herein und stellte sich hinter sie. Er nahm sie bei den Schultern und zog sie zu sich heran.

»Frau«, sagte er, »ich habe Hunger.«

»Ist gleich fertig«, sagte sie.

Aber das meinte er nicht. Er hielt sie fest, hob sie hoch, trug sie durchs Zimmer.

Beine angezogen, Knie unterm Kinn, saß sie auf den Stufen der Veranda. Sie konnte weit auf den See hinaus sehen. Er saß am Geländer, hatte die Arme aufgestützt, hörte ihr zu. Also sie erzählte ein bißchen. Er wußte eine Menge von ihr, und eine Menge wußte er nicht; solche kleinen Striche, die eine Linie ergeben, eine Kontur, an diesem Abend und an jenem Mittag, immer deutlicher, immer deutbarer. Und keine Korrektur bislang. Und keine Überraschung. Aber dann, auf einmal, jetzt, ein entscheidender Strich, der in Bewegung setzte zu einer Geschichte, was Bild gewesen war, transparenter Entwurf: Plötzlich war Entsprechung da, unvermutet, unverhofft. Das Wort hieß Kossin. Das Wort fügte allerhand.

Kleines Städtchen im Sächsischen also, Weberei, Wirkerei,

klassisches Textilterritorium, und eine Zahnradfabrik eingesprenkelt, hundert Leute vielleicht, vormals Seiferth & Söhne. Er kannte jeden Winkel dieser Gegend, jeden Stein, und einige Dutzend Geschichten. Die Söhne Seiferth beispielsweise, welche irgendwo, aber nicht in Kossin lebten, wurden enteignet neunzehnhundertsechsundvierzig. Abgesetzt ferner wurde ein Ingenieur Noth, welcher den Betrieb für sie geleitet hatte: Kleiner bis mittlerer Nazi ehemals, wurde er entnazifiziert, putzte noch Ziegel auf einer Trümmerstätte, starb aber neunundvierzig – woran noch? Leberzirrhose, wußte man nun. Die Noths aber, soweit erinnerlich, zogen weg in eine andere Gegend. Wer heißt nicht alles Noth. Und es war lange her, nebensächlich, auch wenn einer, der immer Schlosser gewesen war bei besagten Seiferths und damals, na, knapper Vierziger, plötzlich und über Nacht und gegen seinen Widerstand anstelle des Noth zum Betriebsleiter gemacht wurde – was ihm manch schlaflose Nacht bereitet hatte, obschon es mit der Zeit immer besser ging: Er sprach noch heute davon. Damals kam das täglich vor, Geschichten aus der Frühzeit, wer denkt noch daran. Wenn er ein Mädchen findet, das Adele heißt, Adele Noth? Es war umwerfend. Adele aus Kossin. Kleines Städtchen, an das sie sich nicht erinnern konnte, weil sie gerade vier Jahre alt war neunundvierzig, als sie mit ihrer Mutter nach Leipzig zog. »Frau«, sagte er, »das haut mich um.« Und sie verstand natürlich kein Wort. Und sah ihn an, als ob er vielleicht nicht zugehört hätte – denn was sollte schon Umwerfendes sein an ihrer halbvergessenen Kleinmädchenzeit?

»Weil«, sagte er, »weil ich nämlich in diesem Kossin groß geworden bin. Und weil mein Vater... Also weil der Mann, der anstelle deines Vaters damals Betriebsleiter wurde, mein Vater war.«

Das stand nun da.

Und was sagt uns das also?

»Ach«, sagte sie.

Und fand es vorwiegend komisch. Und als sie das eine Weile getan hatte, fand sie es großartig, weil sie doch nun Nachbarskinder wären, uralte Bekannte, die sich wiedergefunden hatten wie im Märchen. Und dann fand sie noch, daß es nirgendwo so ulkig zugehe wie auf der Welt.

Oder hatte er sich das anders gedacht? Kleiner Monolog über stattgehabten Klassenkampf, oder womöglich die bewußten Aha-Effekte: Romeo und Julia, Ferdinand und Luise, was es aber nicht mehr gibt bei uns, und dieses zeigt uns? Da war kein Wasser, schon gar kein zu tiefes. Und sie wußte natürlich, was es damit auf sich hat, schließlich lernt man das in der Schule. »Es waren eben solche Zeiten«, sagte sie. Und daß es die Leute sind, welche die Zeiten machen, und welche Leute zum Beispiel, das mußte nicht extra hinzugesagt werden.

Das war also alles. Oder höchstens, daß genau in diesem Augenblick der Düsenjäger durch die Schallmauer brach, und zwar, wie üblich, genau über ihnen. Sie erschraken beide. Obwohl man es weiß, ist man immer nicht vorbereitet. Dieser jähe, trockene, nachhallende Knall: wer jung ist, faßt sich schneller, denkt vielleicht an Gagarin und an Mondsonden – die Älteren unter uns denken an etwas ziemlich anderes. Die Älteren unter uns haben ihre Erfahrungen mit solchen Detonationen, auch wenn es für diesmal, merkt man dann und wird ruhiger, keine sind. Das Makabre an der Sache, dachte Stütz, ist, daß derjenige, der den Knall erzeugt, selber nichts davon hört. Der Schall bleibt ja hinter ihm. Und das ist zumindest nicht gerade beruhigend. Und es ist leider nicht auf diese Angelegenheit beschränkt.

Er ging aber dann ins Haus, kam mit dem Angelzeug zurück, er sagte, daß er nun doch einmal nachsehen müsse, ob sie beißen. Mitkommen wollte sie nicht, sie wollte lieber ein bißchen lesen. So ging er zum Steg hinunter mit der gleichen ruhigen Bewegung, die er wochentags über die Baustelle trug, ging über den Steg und balancierte dann weiter auf dem schmalen Brett, das weiter hinausreichte, das hinreichte zu dem Platz, den er als den günstigsten ermittelt hatte für ungefähr diese Tageszeit. So einfach war das alles. So beinahe glatt. Er blinzelte geblendet in die Sonne, warf den Haken weit hinaus, er dachte: Es ist also gar nicht so weit her mit unseren komplizierten Vergangenheiten. Da möbeln wir also bloß unnötig hoch auf den einzelnen, was alle vollbracht haben, dachte er ein bißchen schläfrig; und später erst, und viel später, erfuhr er, daß denn doch nicht alles so ganz glatt gegangen war. Aber da wußte er schon beinahe alles über sie, soweit man beinahe alles wissen kann über jemand. Da hatten sie schon mehr miteinander, als sie ohneeinander gehabt hatten. Das braucht also noch ein bißchen Zeit.

Er sah wie ein Admiral aus oder wenigstens wie ein Kapitän, war aber 1. Offizier, wenngleich Inhaber des Patentes A 6, Steuermann auf großer Fahrt: Stütz, Manfred, kam übern Rasen, kam auf sie zu, und sie war tatsächlich ein bißchen befangen.

Er sagte guten Tag – das sagte sie auch. Und dann fiel ihr wirklich nichts mehr ein. Aber Hannes brüllte plötzlich vom Steg herauf: »Sie heißt Adele.« – »So«, sagte der Seefahrer. »Aha.«

Er gefiel ihr also gleich. Er trug seine Sachen ins Haus, kam dann wieder, ohne den Kulani diesmal, oder wie das heißt; er war unverschämt braun. Und tätowiert war er beispielsweise nicht. Und spuckte auch keinen Priem in die Gegend. Er hatte nicht einmal einen Bart. Aber er setzte sich neben sie und tat, als gehöre sie seit dreißig Jahren zur Familie. Bier hatte er mitgebracht und fragte, ob sie auch eine Flasche möchte. Er sagte Prost, und sie tranken aus der Flasche, die wischte er mit der Hand ab. Es waren einfach solche Leute, wissen Sie. Hannes brachte seinen Blecheimer vom See heraufgetragen, er hielt einen ziemlichen Fisch hoch und sagte: »Eine Wucht, was?« Und der Seefahrer sagte nicht etwa: Fangen wir jeden Tag, oder dergleichen. Er sagte: »Na, Alter?«

Und Hannes sagte: »Ihr kennt euch ja nun schon.«

»Längst«, sagte der Seefahrer.

Später saßen sie auf der Veranda. Die Sonne stand tief, die Mücken gleichfalls, aber sie vertrugen den Rauch schlecht von den Zigaretten, die der Seefahrer mitgebracht hatte. Er hatte auch eine kolossale Flasche mitgebracht, darauf stand Père Magloire und ferner Appellation Calvados Réglementée, das war also ein Apfelschnaps. Den hatte er in irgendeinem Hafen gekauft, er behauptete, die Leute dort hielten das für eine ganz billige Angelegenheit. Jenen Calvados tranken sie nun, und der Seefahrer erzählte, was in der Welt so geschah. Und wie es sich ausnahm, wenn man es aus der Nähe sehen konnte.

»Suez«, sagte der Seefahrer.

Und es standen vierzig Grad an der Quecksilbersäule, im Schatten, falls man welchen fand: Die Hitze schlug aus Saudi-Arabien herüber, das ganze Rote Meer herauf, kam nun aus der Wüste Sinai oder aus dem Mantequat el-Bahr el Ahmar, Ofen zweier Kontinente und deren Salzlecke. Auf jenem Berg empfing Moses von Gott dem Herrn die zehn Gebote, heißt es. Und er soll ferner die Kinder Israel, 600000 Mann zu Fuß an der Zahl, trocken durch das Rote Meer gerettet haben, welches nachher Ramses II. nebst Rossen, Wagen und Reitern verschlang; 600000 also, und zwar gerettet, und zwar nach Sinai, und das kann man sich schwer vorstellen, wenn man sieht, was es dort gibt: Wüste. Nichts sonst. Sonst nichts. Jedenfalls heute.

Und das Salz brennt auf der Haut, die Sonne dröhnt im Schädel, man hat das annähernd ein dutzendmal erlebt, aber es haut einen jedesmal wieder um. Soviel Wasser, sagt der Seefahrer, wie man da verliert, kann man einfach nicht zusetzen.

Nacht vor Suez. Wenn die Sonne jäh wegtaucht und die Lichter gesetzt werden in den wartenden großen, den aufgeregten kleinen Schiffen, den Erdölraffinerien und den unbekannten Fenstern. Es gibt die übliche Wartezeit, aber es gibt keinen Landgang. Natürlich hatten sie Radio gehört, waren mit Nachrichten versorgt, das Mittelmeer lag zwanzig Stunden entfernt, und falls etwas geschah, würde es dort geschehen, sagten die meisten – aber die Spannung war da. In allen Gesprächen. In den Funksprüchen und der besonderen Bewegung an Land. Drüben in Port Ibrahim und drüben in Port Tewfik. Im Geschrei der Chinger. In den Gesichtern des Arztes, watch-men, Maklers und all dieser Leute von der Kanalbehörde. Der Doc konnte ein bißchen Arabisch, er erfuhr vom Hafenarzt, der es englisch wohl nicht sagen wollte, daß dennoch kein Grund zur Beunruhigung bestünde, denn: Sie werden es nicht wagen. Je nun, sagte der Doc. Und wenn doch?

Achtzehn Schiffe, die auf den Morgenkonvoi warteten, und zwölf kamen noch hinzu, aber vier davon blieben liegen bis zum Abend. So fuhren sie in den Kanal ein. Hinter einem französischen Frachter, vor einem dänischen. Die Wüste, vom Peildeck aus, im Morgennebel. Kanalentlang der schattenlose Streifen Ufer: Bretterhütten, Zelte, Wasserfässer unter grauem Staub; kein Grashalm, kein Strauch. Ein paar Menschen. Die arabische Wüste. Die Wüste et-Tih. Und dann kamen sie; kündigten sich an im plötzlich hochflackernden Funkverkehr, es wird geschossen, sagt der Funker, es ist Krieg, sagt der Chief, na, sagt der Doc, da habt ihr's. Weiter, in den kleinen Bittersee, den großen, einander widersprechende Meldungen, einander ausschließende und: aus heiterem Himmel eine Kette Jagdbomber, die über den Konvoi hinwegbraust, keiner schießt, nichts auszumachen, aber der Chief will den Stern Israels erkannt haben. Hier doch nicht, sagt der Kapitän, es werden wohl ägyptische gewesen sein. Der Gegenkonvoi aus Port Said. Am linken Ufer ein Strich Häuser, Palmen, Zisternen. Der Kanal nach Kairo. Angriff auf Damaskus, weiß der Funker. Luftkämpfe über Sinai. Straßenkämpfe in Jerusalem. Der Franzose vor ihnen hat einen französischen Sender empfangen und gibt herüber: Port Said soll bombardiert worden sein. Jedenfalls, das weiß jeder, wird der Kanal gesperrt werden. Vielleicht sind sie die letzten, die durchkommen.

»Wir haben dann eine Parteiversammlung gemacht«, sagte der Seefahrer. »Unserer Order nach liefen wir ins Mittelmeer, da lagen die Amerikaner. Aber vorher haben wir noch einiges erlebt. Wir haben welche gesehen, die mit Napalm bombardiert worden waren, und wir haben einen Luftangriff erlebt. In Port Said haben wir Blut gespendet, mehr war ja nicht zu machen. Aber wer das gesehen hat... Wir sind zweimal in Haiphong gewesen, wir haben ja gewußt, was von denen zu erwarten ist. Und trotzdem...«

Trotzdem kein Vergleich zwischen dem Dschungelland hier und der deckungslosen Wüste dort; der andauernden gnadenlosen Erfahrung und der Überraschung in ungenügende Vorbereitung hinein; der unbedingten Einheit unbedingter Bereitschaft und der langwierigen inneren Auseinandersetzung auf größere Einheit hin – auch wenn der Feind der gleiche war. Wenn er vorging, als sei er gerade von dort animiert, honorierte Ablenkung und zweite Front, ein globales Manöver. Und das absolute Massaker als Hintergrund, potentiell anwesend bei jeder Brandlegung und jedem Löscheinsatz, wenn das keine Erfindung aus Dallas, Texas, ist: Der große Knüppel, der alles erschlägt, läßt also immer noch Spielraum für kleineren Totschlag...

Sie hatten dann den Funker belagert, die Radiogeräte, jene 4000 Seemeilen zwischen Alexandria und Warnemünde, jene zwei knappen Wochen, in denen wir alle die Empfangsgeräte belagerten, das wißt ihr ja selber, diese Zeit, in der zum wievielten Male die Welt beschäftigte, was wenige ausgebrütet hatten, das ist ja nun kein Geheimnis mehr, das sieht ja nun jeder, der sieht. Er hatte nichts mehr hinzuzufügen, der Seefahrer. Höchstens, daß er damals, als er noch bei der Fahne war, manchmal die Nase voll gehabt hatte wie viele: die Disziplin, der harte Dienst – aber wenn man das dann sieht, weiß man, wozu es gut war. Und höchstens, daß Hannes jenen Abend erinnerte vor dem Fernsehapparat bei Moßmann: das manipulierte schlechte Gewissen jener Leute: Gedächtniskirche, Wiedergutmachungsoper mit Artilleriebegleitung, eine alleindeutsche Farce in sieben Bildern. Und der Führungskräfteschweiß vor den Kameras, die Sonntagsreden hinter den Mikrofonen eines anderen Landstrichs. Dann die Gespräche auf der Baustelle, diese Fragen und jene Antworten, der hiesige Alltag. Eine

Gegend, in der sich keiner auf die Schenkel schlug angesichts anderer Leute Unglück. Fast keiner. Kaum einer in diesem Land und von denen, die fertig zu werden hatten mit nicht den besten Nachrichten. Von unseren Leuten.

Die Sonne war untergegangen, aber sie saßen noch lange. An diesem Abend. In dieser Runde.

Und nachts noch, als der Seefahrer schlief nebenan, lagen sie lange wach, schweigend. Es war ein besonderer Tag. Alles war wichtig. Adele spürte Hannes' Arm an ihrer Schulter; sie war ganz ruhig. Manchmal, vor vielen Jahren, war sie allein gewesen. Später waren die anderen da, zu denen sie gehörte, mit denen sie in den Hörsälen dieses Landes saß, die Bücher dieses Landes las, mit denen sie sich stritt und manchmal böse war, mit denen sie lernte. Es war nicht immer leicht gewesen, manchmal schwer, manchmal unnötig schwer. Aber es war gut. Es war das Mögliche. Und allein gewesen war sie von da an nicht mehr. Und nun war sie auf eine neue Art nicht allein, nicht zu trennen von jener, aber doch anders. Vielleicht, daß man solche Tage braucht, um es zu verstehen. Vielleicht, daß man sie braucht, es nicht zu vergessen.

Am anderen Morgen fuhr Hannes ins Dorf. Er fuhr gleich nach dem Frühstück, in schnellem Entschluß, allein. Das hatte nichts weiter auf sich, ohnehin mußte Wasser geholt werden, nur, daß der Seefahrer sich eigentlich schon vorher angeboten hatte. Der Seefahrer hatte lange nicht mehr auf solch einem Vehikel gesessen. Er sah Hannes nach und dachte: Er hat das also immer noch. Schon als Kind hatte Hannes manchmal einen Entschluß von einer Minute auf die andere geändert, ohne daß ein Grund zu erkennen gewesen wäre.

Er setzte sich neben Adele in die Sonne. Er fragte sie ein bißchen aus und erkundigte sich nach dem, was sie so erlebten in ihrem Gelände. Er sah auf den See hinaus, Knie an die Brust gezogen, es war nicht mehr so heiß wie am Vortag, aber es war noch heiß genug. Drüben zog das erste Schiff vorbei, weiß gestrichen und mit rotem Ring am Schornstein, der keinen Rauch abgab, weil das Schiff ein Motorschiff war. Was da um die Aufbauten flatterte, waren keine Möwen, aber was es war, konnte er nicht ausmachen. Er konnte aber, ohne den Kopf zu drehen, das Profil dieses Mädchens sehen. Kann sein, er war ein bißchen neidisch. Immer war Hannes ein Glücksmensch gewesen, immer fiel ihm alles zu. Und daß er diesmal wieder ein unanständiges Glück gehabt hatte, das hatte der Seefahrer lange heraus.

Er sagte auf einmal: »Weißt du, du bist in den letzten vier Jahren die dritte, die ich hier getroffen habe, und es wäre schön, wenn du die letzte wärst.«

»Ja«, sagte sie.

Ganz einfach. Als wäre das irgendein Wort. Auch, wenn ihr irgend etwas in die Kehle stieg.

»Es wird nicht leicht sein«, sagte der Seefahrer. »Wir haben nun mal so unseren Rappel.« Sagte er und sagte es nicht ganz ohne Stolz. Jedenfalls: sie würde ihn schon kleinkriegen. Sie wäre da gerade die richtige. Das kam nun auf sie zu, und sie wollte eher das Gegenteil: Kleinkriegen, dachte sie, das nun mal nicht. Er hatte ihr nichts verheimlicht, sie hatte es gewußt oder fast gewußt – und dennoch. Wenn man es so gesagt bekam. In fünf Jahren die vierte vielleicht, nun sieh mal zu. Sie biß sich auf die Unterlippe, sie spürte, wie ihr das Blut erneut in den Kopf stieg. Das werfen sie dir hin mitten in einer Liebeserklärung. Gleich unter der Politur sitzt noch immer der Stammesvater. Sie wußte, daß er es ganz anders gemeint hatte und daß er gar nicht auf den Gedanken kam, es könnte sie verletzen. Oder wußte sie es nicht? Vielleicht, dachte sie, hat er uns in der Nacht gehört. Vielleicht, dachte sie, denkt er sich sonstwas.

»Und du«, sagte sie, »warum heiratest du nicht?«

Da sagte er lange nichts, starrte auf den See hinaus, als ob es dort eine Antwort gäbe. Als ob das einfach abpralle von ihm. Und dann sagte er: »Ich war verheiratet.« Mitten in die Stille hinein. Hannes hatte ihr nichts davon erzählt. »Sie ist in Köln«, sagte er. »Das Kind hat sie mitgenommen. Es war da manches, aber ich habe das alles nicht so ernst genommen. Vielleicht war das mein Fehler. Ich hab' ja gewußt, wie schwer es ihr fällt, wenn ich immer auf See bin. Da ist dann einer gekommen, mit dem ist sie fort.«

Er sah sie nicht an, und sie hätte ihre Frage am liebsten ungesagt gemacht, wenn das gegangen wäre. »Es ist lange her«, sagte er, »ich habe längst einen Strich drunter gezogen, einundsechzig. Damals wäre ich ihr fast nachgefahren, aber es ging ja nicht mehr. Sie hätten mich beinahe vom Kahn genommen deshalb. Ich hab' keinem mehr übern Weg getraut. Wie das eben so ist. Dann hab' ich mir gedacht: Vielleicht ist es besser so. Man sieht so manches in diesem Beruf.«

Es war nicht der Ton, in dem man Vergangenes erzählt als

ein Kapitel, in das nichts mehr nachzutragen ist. Sie war längst wieder verheiratet. Das Leben war weitergegangen, wie es immer weitergeht. Und doch blieb etwas, was nicht aufging, nicht mehr korrigierbar war, aber auch nicht zu tilgen.

Dann hörten sie das Motorrad und sahen die Staubfahne von weitem; sie stand zwischen den Kirschbäumen, unter denen der Sandweg von der alten Asphaltstraße abzweigte. »Na ja«, sagte der Seefahrer. »Gehn wir bißchen schwimmen?«

Vom Wasser aus sahen sie Hannes mit dem Kanister ins Haus gehen, er winkte herüber, rief irgend etwas, verschwand. Sie schwammen weit hinaus, schwammen sich müde, kehrten um. Als sie an Land gingen, machten sie schon wieder ihre Witze. Hannes merkte ihnen nichts an. Nur am Nachmittag, als sie die Regenrinne reparierten, Adele saß unten am See, sagte Manfred: »Der Arsch gehört dir blau gehauen, wenn du es mit ihr machst wie mit den anderen.« Er nahm den Hammer, knallte einen Nagel in die Dachsparren, als ob er einen Zehnzöller vor sich habe, und schlug das bißchen Draht natürlich krumm. Hannes grinste bloß. Den hat es also auch, dachte er. Das kann ja nun heiter werden.

Das war also ein Stück Alltag: fast eine Idylle. Allerdings war es jene Sorte Alltag, die selten vorkommt. Es war schwer genug gewesen, dieses Wochenende frei zu machen, für Hannes besonders, aber für Adele auch. Den Satz, der gesagt werden mußte, zögerte er dennoch hinaus bis zuletzt.

Er fuhr den Seefahrer zum Zug, und Adele wollte zum Abschied wissen, ob der restliche Bruder auch von dieser Bauart wäre, sie wüßten schon. »Hat er dir das nicht gesagt?« sagte der Seefahrer. »Also, der ist ganz aus der Art geschlagen, der studiert Germanistik. Der kann zwar fast alles erklären, aber machen kann er fast nichts.« Er freute sich selber am meisten über seinen Witz. Er winkte noch lange und turnte auf dem Sozius herum, daß Hannes Mühe hatte, die Maschine in der Gewalt zu behalten.

Adele packte ihre und Hannes' Sachen ein, auch sie mußten noch diesen Abend zurück. Es war nicht viel, sie war längst fertig, als er vom Bahnhof zurückkam. Sie gingen, bevor sie fuhren, noch einmal zum See hinunter. Dort saßen sie lange, ließen die Beine im Wasser baumeln, sie wußten beide: Solch ein Wochenende würde sich so schnell nicht wieder finden. Da endlich fragte er sie. Beiläufig. Und weil sie nicht gleich antwortete, sagte er noch, sie könnten auch ein andermal darüber reden, es sei ja wohl alles ein bißchen plötzlich gekommen. Sie sah ihn an, lächelte und sagte: »Ach, Mann.« Und später sagte sie ihm: »Ich wäre gar nicht mitgefahren, wenn ich es nicht gewußt hätte...«

Der Scheinwerfer noch vor ihnen über der Straße; Lichter, die zurückblieben in der Erinnerung; der Fahrtwind. Irgendwann wieder die Stadt. Er brachte sie bis vors Haus, sie sah das Rücklicht verschwinden an der Ecke vor Gressmanns Eiskonditorei, sie stand dann allein in der dunklen Straße und ging in ihr Zimmer hinauf, wie er in das seine ging. Etwas war zu Ende gegangen, etwas anderes fing an.

Sie kehrten zurück in den Rhythmus der Baustelle, der nahm sie auf, als wäre nichts geschehen. Der übliche Montagmorgen, die üblichen Dinge. Alles fing dort wieder an, wo es aufgehört hatte. Die Leute hatten ihre Wochenanfangsgesichter, der Putzerbrigadier renommierte ein bißchen, und Bobach erzählte von einer Kneipe, in der es Aal gegeben hatte, aber als er endlich dran kam, war er alle – schließlich ging alles seinen gewohnten Gang. Diesen Tag und den nächsten. Und die anderen Tage auch.

Aber da war noch die Sache mit dem Wettbewerb, der mußte sich nun entscheiden. Einmal, vor einem halben Jahr, war der Minister auf die Baustelle gekommen mit dem Bezirkssekretär, fünf große Autos voll und lauter wichtige Leute, sie hatten sich alles angesehen, alles erklären lassen und eine Menge aufgeschrieben in ihre Notizbücher, beispielsweise wie Hannes die 120 Tage einsparen wollte von der geplanten Bauzeit und überhaupt – fast alle waren skeptisch geblieben. Netzwerk hin, Netzwerk her, Erfahrungen sind Erfahrungen. Einer, den Hannes kannte vom Studium her – er war jetzt so eine Art Berater von irgend jemand oder für irgend etwas –, hatte sogar freundlich mit den Augen gezwinkert, aber nicht gesagt, was er sicher gedacht hatte: Bist ein kleiner Hochstapler, mein Lieber, ein ganz gewöhnlicher Sensationsbauleiter. Hannes hatte sich nichts anmerken lassen, er hatte zurückgezwinkert: Erfahrungen sind Erfahrungen. Denn er war den Mathematikern schon vorher auf die Bude gerückt, im Rechenzentrum hatten sie ein knappes Dutzend Varianten durchgerechnet, er hatte sich nach bewährtem Muster an alle gewandt, die die Sache anging. Sie kannten die kritischen Wege und konnten voraussagen, was geschehen mußte, wenn etwas erreicht wurde oder nicht erreicht. Ein Hochhaus mit dreihundertsechzig Wohnungen und einem Dienstleistungsbetrieb – es war aufregend genug.

Die Panne mit dem Plattenwerk war ausgebügelt, das Dachgeschoß montiert, es lag jetzt an sieben Betrieben, den Termin zu halten. Der Vorsprung betrug achtzig Tage. Hannes betete immer das gleiche Vaterunser: »Unser täglich Brot ist unser täglich Netzwerk.« Hatte er sich früher am meisten hinter das Vertragsgericht geklemmt, so klemmte er sich jetzt hinter die Parteigruppen der beteiligten Betriebe. Ferner hatte er sich mit dem Schulblock abgestimmt: Er schickte seine besten Monteure, Sandmann schickte Ausbauspezialisten. Denn auch Sandmann wollte vorfristig übergeben, und sie wußten: Es ging nicht gut ohneeinander, gegeneinander ging es manchmal besser, am besten ging es miteinander. Die Amerikaner hatten die Netzwerkmethode erfunden, aber nutzen konnten sie sie nur bis zu ihrem neuralgischen Punkt, dem Privateigentum, dem Konkurrenzkampf. Sandmann sagte: Wir hatten mal diese Geschichte »Vom Ich zum Wir«, da war Ich der Schulze und Wir die Brigade. Heute ist Ich der Betrieb und Wir die Gesellschaft. So hatten sie sich hingesetzt, Sandmann, Stütz, ein Dutzend Ingenieure, Mathematiker, Ökonomen, Leute vom Kombinat und von außerhalb, und hatten das Netzwerk dreimal aktualisiert. Für diesen einen Bauabschnitt an der Magistrale. Das förderte ganz neue Gesichtspunkte zutage für die künftigen Abschnitte. Das alles war ein Exempel, aber noch bevor es statuiert war, sahen sie: Das Höchste war schon wieder ein Stück weiter gerückt. Es gab welche, die kamen da nicht mehr mit, aber es gab hauptsächlich andere, die jetzt erst richtig zum Zug kamen.

An einem dieser Tage stritten sie sich nach dem Rapport über den sechsten Bauabschnitt herum, der in zwei Jahren anlaufen sollte und noch gar nicht projektiert war; es gab nur den Generalplan. Die Arbeitsgruppe hatte eine Variante vorgelegt, die von den bisherigen Vorstellungen beträchtlich abwich. Adele, die wußte, daß Hannes und Sandmann für die neue Variante waren, hatte erwartet, daß sie ihren Standpunkt durchsetzen oder zumindest nachdrücklich darlegen würden. Aber Sandmann sagte gar nichts, und Hannes sagte nur: »Es ist ganz klar, daß das eine brauchbare Lösung ist, aber es kann sein, wir haben in einem Vierteljahr eine bessere.« Die Gegner der Variante blieben in der Überzahl, ihnen war diese Lösung schon abenteuerlich genug, eine noch weiter greifende konnte nur noch abenteuerlicher sein. Adele war enttäuscht, sie hatte sich das ganz anders vorgestellt. Hannes sah ihr die Enttäuschung an. »Frau«, sagte er, »die Sache ist zur Sprache gebracht, was willst du mehr? Entschieden wird erst in einem halben Jahr. Und nicht nur in diesem Kreis. Vorläufig ist es bloß Gerede, der Kampf kommt noch. Man muß sich aus dem Gezänk heraushalten, wenn man kämpfen will. Sonst verplempert man sich. Du wirst schon sehen: Die beste Variante wird durchgesetzt.«

Sie hatte wenig Vertrauen in diese Theorie. Sie hatte endlich Erfolg gehabt im Plastputz, die Risse waren verschwunden, aber ihre Diplomarbeit lag noch immer brach. Hannes kannte ihre Sorgen, er wußte, daß sie gegen eine Wand aus Gummi anlief, aber er konnte ihr nicht helfen, jetzt nicht, das Hochhaus beanspruchte ihn ganz. Der Termin mußte gehalten werden, nicht so sehr, damit er recht behielt, sondern vor allem des günstigen Ausgangspunktes wegen für den VI. Abschnitt. Und auch, aber das sagte er ihr nicht, für ihre Innenwände. Beweise mußten geliefert werden und Positionen geschaffen. Die Gelegenheit der Abnahme mit dem voraussichtlichen Hosianna war der günstigste Moment, die neuen Projekte vorzutragen. Es war nicht die einzige Methode, es war auch nicht die beste, aber sie war effektiv. Der Bezirkssekretär hatte ihm gesagt: »Es steht viel mehr auf dem Spiel, als du jetzt siehst. Ein Haus, das dasteht, kann nicht wegdiskutiert werden.« Bei dieser Gelegenheit hatte er auch Adele zum erstenmal gesehen und hatte gesagt: »Das ist also Frau Stütz.« Adele hatte einigermaßen gelächelt. Dann hatte sie gesagt: »Demnächst.«

Es gab manches Demnächst in diesen Wochen, auch das war Alltag. Sie arbeiteten beide besessen, das Gelände ließ ihnen kaum eine Atempause, und doch gab er sich mehr aus als sie, und doch lebte er das Leben der Baustelle intensiver. Nachts noch gab es einen Stütz, der im Schlaf Koordinaten überprüfte und von kritischen Wegen phantasierte. Adele begriff, daß es noch manches geben würde in ihrem Leben, wovon sie nichts geahnt hatte. Es gab seltene Abende, an denen er sie überschüttete mit seiner Zärtlichkeit, und es gab andere, an denen er sie kaum wahrnahm. Die jähen Umbrüche erschreckten sie – sie wußte nicht, ob es etwas Gutes war oder etwas Schlechtes. Er hatte kluge Verfahren entwickelt und rationelle Gangarten für alles mögliche – für sich selber aber hatte er nur eine einzige Gangart. Manchmal schien es, als ob er eine ganze Baustelle sinnvoll einrichten könne und eine ganze Stadt, aber nicht sein eigenes Leben. Eins aber wußte sie genau: So einer kann umgeworfen werden, aber nicht verbogen. Er kann einen Weg verfehlen, aber nicht die Richtung. Er steht immer wieder auf. So einer bezahlt seine Rechnungen immer aus der eigenen Substanz.

Einmal dachte sie: Vielleicht leben wir einfach davon, daß wir nicht alles wissen können voneinander und nicht alles verstehen. Auch von uns selbst wissen wir nicht alles, und es wäre nicht auszudenken, wenn wir es wüßten. Aber eigentlich hatte sie längst begriffen, daß ein für allemal sie die Stunden würde ordnen müssen und die persönlichen Dinge, sie mußte die Beständigere sein, aufmerksam und behutsam. Es wäre ihr vor kurzem noch undenkbar vorgekommen – jetzt lächelte sie, wenn sie daran dachte. Er gab sich alle Mühe, rebellierte gegen seine eigene Haut, aber sie sah, daß der andere Hannes Stütz der stärkere bleiben würde, der, den ein ungelöstes technisches Problem wochen- und monatelang begeistern konnte, niederschlagen und wieder begeistern – aber ein ungelöstes persönliches nur ganz vorübergehend.

»Frau«, sagte er, »wenn das Haus abgenommen ist, wird geheiratet.« Das war ganz Stütz: Wenn sie sich einig waren, würde sich das übrige schon finden. Sie waren bei Moßmann gewesen, abends, auch Trockenschleifer war da, er grinste und sagte: »Haben Sie einen Augenblick Zeit – es handelt sich um eine Wette. Also wenn ich euch so sehe, dann ist mir der Dank des Vaterlandes gewiß.« – Mit Eva Moßmann verstand sich Adele sofort. Der Brückenbauer und seine Frau lebten mit den beiden Kindern in einer Zweieinhalb-Zimmer-Wohnung, alles war ein bißchen eng, Altbau ohne Bad; es ist bloß vorläufig, sagte Eva Moßmann; aber sie lebten schon seit sechs Jahren so. Sie arbeitete in der Wirtschaftsredaktion der Bezirkszeitung, Moßmann war die Woche über unterwegs, es war wie überall, es blieb wenig Zeit. Adele half ihr, belegte Brote anzurichten, und Eva kündigte an: »Nächste Woche komme ich mal zu euch 'raus. Wir wollen so 'ne kleine Artikelserie machen.« Und später erzählte sie, wie sie damals geheiratet hatten.

Eva war im siebenten Monat gewesen, Moßmann kam übers Wochenende von seiner Baustelle bei Berlin, sie gingen aufs Standesamt, ohne Trauzeugen, Eva im Umstandskleid, und als die Zeremonie vorüber war, holte Moßmann eine Flasche und drei Gläser aus seiner alten Aktentasche, stellte sie auf den Tisch, der Standesbeamte hatte dergleichen noch nie erlebt und fragte, ob das eine spezielle Brückenbauersitte sei. Ach wo, sagte Moßmann, das ist unsere Privatsitte. Dann gingen sie, und der Standesbeamte stürzte hinterher, weil sie die Unterschriften vergessen hatten. Sie fuhren in das Zimmer, in dem sie damals hausten; Eva in ihrem Zustand war erschöpft, legte sich ein bißchen hin, Moßmann wischte inzwischen die Treppe. Abends kamen ein paar Freunde, Moßmanns Schwester kam um Mitternacht, sie hatte einen Anschlußzug verpaßt. Und am anderen Tag fuhr Eva mit Moßmann zu ihren Eltern und sagte: So, das ist mein Mann.

»Jedenfalls«, sagte Eva, »das war die schönste Hochzeit meines Lebens.«

Hannes, als sie heimgingen, erklärte, für ihn wäre das nichts. Man heiratete normalerweise nur ein einziges Mal – das müsse dann auch was Handfestes sein. Sagte er und malte ihr aus, wie sie ihre Hochzeit steigen lassen würden, ein Ereignis erster Güte – aber er kam nicht dazu, irgend etwas vorzubereiten. Der Abnahmetermin rückte immer näher. Hannes kam tagelang nicht von der Baustelle. Je deutlicher sich abzeichnete, daß sie den Termin schaffen würden, um so nervöser wurde er. Dabei lief alles ausgezeichnet, Schwierigkeiten gab es nur im Wirtschaftstrakt der unteren Etage. Die Kombinatsleitung war von Anfang an dafür gewesen, diesen Trakt gesondert zu terminieren, das war das übliche Verfahren – sie ließ sich auch jetzt keine sonderliche Anstrengung anmerken. Hannes zog fluchend übers Gelände, er kreuzte durch alle Leitungsebenen.

In dieser Woche tauchte auch Eva Moßmann auf. Sie kam nachts, kam drei Nächte hintereinander, und sie tat etwas Umwerfendes: zählte die Kräne, die stillstanden. Allen Unterlagen nach arbeitete die Baustelle durchgehend in drei Schichten, die Technik war ausgelastet; nun aber kam zutage, was alle gewußt, aber keiner mehr recht wahrgenommen hatte: Fast die Hälfte der Kräne war nachts nicht besetzt. Eva kam zu Adele, sie war hinreißend wütend. »Ihr Egoisten! Blockiert die Technik! Und so was haben wir als Vorbild hingestellt, dreispaltig mit Bild, es ist zum Auswachsen!«

Der Artikel erschien zwei Tage später, er löste einen Riesenwirbel aus. Der Rat des Bezirkes kam auf die Baustelle und sogar der Staatsanwalt: Das Kombinat mußte ab Monatsende zwei Kräne abgeben für andere Baustellen. Die Kombinatsleitung schäumte aus allen Fugen: Niemand traute der Zeitung zu, von selber hinter die Sache gekommen zu sein. Man wußte, daß Eva

Moßmann bei Adele gewesen war. Der technische Direktor ließ verlauten: »In drei Monaten kriegen wir neue Montagebrigaden. Dann fehlt uns die Technik. Und warum? Weil es Leute gibt, die ihren eigenen Betrieb verpfeifen!« Aber es war etwas in Bewegung geraten. In der Zeitung meldeten sich Monteure, Brigadiere und Meister zu Wort, es hagelte Parteiversammlungen und Gewerkschaftssitzungen, sichtbar wurde: Im Schatten der Renommierobjekte Hochhaus und Schulblock hatte sich allerhand Schlamperei versteckt. Hannes sagte: »Na bitte: Kann sich so was halten? Kann es nicht!«

So standen die Dinge, als der Tag der Abnahme endgültig feststand. Es war die letzte Nacht. Überall wurde letzte Hand angelegt, Handwerksbrigaden halfen sich gegenseitig, viele hatten schon nichts mehr zu tun. Das nächste Haus dieses Typs würde anders übergeben werden, in diese Etage würden schon Familien einziehen, während in jener noch gearbeitet wurde, aber diesmal war es noch ein Großereignis. Hannes blieb die ganze Nacht draußen. Die Stimmung war bemerkenswert. An der Vorderfront legte der Straßenbau die letzten Platten, an der Schlußreihe des Fußsteigs hielten sie sich seit zwei Stunden fest, setzten einen Stein, tranken zwei Bier, boten Hannes auch eins an, der sagte nicht nein und spendierte Zigaretten. Wiczorek tauchte auf, parkte seine Jawa am allerletzten Kalkbottich, sagte: »Ich weiß nicht, was das ist; ich kann nicht schlafen.« Sie gingen durchs Haus, taten sachlich, der Bauleiter und sein Parteisekretär, fanden hier einen Kratzer und da einen Rostfleck, dabei glänzte alles beträchtlich; es war eine großartige Nacht. Hannes sagte schließlich: »Na ja, es geht.«

Das war aber Wiczorek wohl doch zuviel. Er boxte um sich, schnappte nach Luft, schlug sich die Knöchel auf an einer Türkante und flüsterte: »Du gottverdammter blöder Hund!«

Gegen vier schlich Hannes davon. Ging hinüber zur Taktstraße, suchte Adele und fand sie in der Meisterbude, sie kletterten auf einen Rüststapel, rauchten, schwiegen. Die Nacht war klar. Die Sterne fehlten schon, und der Himmel wurde hell. Dann ging die Sonne auf. Da stand das Hochhaus: die HP-Schalen der Dachkonstruktion, die enormen Fensterreihen, die Balkone und Plastreliefs und die Verstrebungen der Antennenanlage, die nun in die Sonne tauchten und reflektierten. Die Stadt lag da mit dem Grün der Anlagen und den Farben der Gebäude, mit der weißen Silhouette nach Osten zu, mit den Kränen und Baggern und Bauplätzen nach Westen. Ein Kran klingelte irgendwo, ein ferner Warnruf, sonst war es still. Das war die Stunde des Aufatmens. Der Morgen war auf der Haut zu spüren und zu schmecken wie nach einem kühlen Regen.

So saßen sie und schwiegen. Was aber denken die Erbauer vor den gelungenen Werken? Dieser hat zu tun, nicht sichtbar werden zu lassen, wie ihm der Kamm schwillt. Dann fällt ihm eine Geschichte ein. Das ist lange her; zweites Studienjahr oder drittes, Dozent Fröbe bei seinen beliebten antiken Exkursen: Die alten Griechen, meine Damen und Herren, hatten den Plan ins Auge gefaßt, einen Felsen, am Meer gelegen, umzugestalten in eine Statue Alexanders des Großen. Es war dies aber ein Berg in den Ausmaßen eines mittleren Mittelgebirgsgipfels, und es war vorgesehen, in seiner Mitte eine echte Stadt zu errichten, hingebaut auf Alexanders linke Hand: ein Symbol der Größe des Städtegründers und Makedoniers. Nun, es kam nicht dazu, wie wir wissen. Heute indes ... Und allen war klar, wer der neue Alexander sein sollte, auf den das Gleichnis abzielte, der größte seiner Zeit und aller Zeiten bei seinen Lebzeiten. Das lag nun hinter ihnen. Sie waren zur Tagesordnung übergegangen. Hatten die Zustände verändert und waren dabei, auch alles andere wohnlich einzurichten. Hier stand nichts da und sah aus. Die Denkmale ihrer Zeit dienten ihren maßvollen Zwecken.

Da stand das Haus, Hochhaus mit dreihundertsechzig Wohnungen, vierzehngeschossig, das erste und noch lange nicht letzte seiner Art, einhundertachtundzwanzig Tage vorfristig fertiggestellt: Ein Fest würde steigen; Reden, Prämien, Auszeichnungen. Auch das Bier würde fließen. Viele Leute würden kommen. Ein Problem war gelöst, hundert andere blieben, auch solche, von denen man weiß und dennoch nicht spricht; Arbeit jedenfalls war genug da.

»Frau«, sagte Hannes, »jetzt möchte ich Urlaub machen.«

»Ja«, sagte sie. »Ich auch.«

Sie ging durch die Straßen, die erkannten sie nicht – aber dann, als Hannes ihr das Haus zeigte, war ihr, als ob doch eine Erinnerung geblieben sei: das rote Ziegeldach, die Obstbäume, der Kirchturm, die steinerne Treppe. Sie waren den dritten Tag in Kossin, den dritten Urlaubstag, alles kam ihnen klein und spielzeughaft vor, sie lebten in anderen Dimensionen. Am letzten Tag hatten die Brigaden noch ein Fest gegeben aus wenigstens zwei Anlässen, der erste stand sichtbar im Gelände, der zweite würde sich begeben hier. Am Ende waren alle blau – Adele hatte

Hannes noch nie so gesehen, sie war erschrocken, hatte sich nicht zu helfen gewußt unter den lärmenden, rotgesichtigen Männern, aber dann war auch ihr diese umwerfende Mischung aus Bier und zweistöckigen Schnäpsen zu Kopf gestiegen, und sie hatte den gleichen Unsinn geredet wie die anderen. »Ich weiß nicht«, sagte Hannes am Morgen, »mir fehlt ein Stück Film.« Aber sie wußte auch nicht mehr alles.

Es war das Ende eines schönen Sommers. Die winkligen Straßen lagen in einem milden Licht; sie waren draußen in den Hügeln gewesen, vor der Stadt, er hatte ihr den Teich gezeigt, in dem er als Kind gebadet hatte, der Teich war beleidigend klein. Dann hatten sie im Garten jener Gaststätte gesessen, die früher Ritternest geheißen haben sollte, hatten mit Strohhalmen Limonade getrunken aus altmodischen Gläsern. Das Gasthaus lag an einem Abhang, vom Geländer aus konnte man die Dächer der Stadt sehen. Er hatte neben ihr gestanden, den Arm um ihre Schultern, und sie hatte irgend etwas Verrücktes sagen wollen. Da hatte er gesagt: »Adele Noth, du riechst nach Kosmetik.«

Also wußte er, wie ihr zumute war. Fast alles war gekommen, wie sie es sich vorgestellt hatte, und doch war sie aufgeregt, wurde mit einer seltsamen Rührung nicht fertig, sie war glücklich und doch ein bißchen wehmütig. Von Hannes' Eltern war sie aufgenommen worden mit jener freundlichen Selbstverständlichkeit, die alles leicht macht. Vor allem sein Vater gefiel ihr sofort: Er sagte Schwiegertochter zu ihr, zwinkerte ihr zu und machte seine Späße; sie spürte, daß er sich freute. Die Mutter war eine stille Frau, sie machte sich den ganzen Tag zu schaffen, und wenn sich beim besten Willen keine Arbeit mehr fand, erfand sie eine – heute buk und briet und kochte sie, als ob sie die halbe Stadt verköstigen wolle. Adele spürte, daß sie sie manchmal beobachtete – aber wer wollte ihr das verübeln.

Sie gingen über den Marktplatz, Hannes zeigte ihr das Rathaus und den alten Brunnen davor; die Leute sahen sich um nach ihnen. Hannes sagte: »Ich gebe zu, sie haben auch allen Grund.« Jemand kam vorbei, grüßte und sagte: »Wieder mal im Lande?« Adele hatte schon bemerkt, daß Hannes fast alle Leute kannte. Er hatte ihr erzählt, welche Namen ihnen die Leute gegeben hatten: Hannes war der große Stütz-Bub, sein Vater der alte Stütz, dann gab es noch den kleinen Stütz und den Stütz-Matrosen, und nur die Mutter war die Seeliger-Anna geblieben seit ihrer Mädchenzeit. Überhaupt hatte sie vieles erfahren in diesen drei Tagen, auch, daß die erwachsenen Söhne immer noch und ganz selbstverständlich zur Familie gehörten; die Eltern wußten, was es gab in ihrem Leben, vor welcher Küste der Seefahrer kreuzte und wieviel Tore der Kleine geschossen hatte im letzten Oberliga-Punktspiel – hierher kam man immer nach Hause. Das alles hatte Adele nicht gekannt. Sie hatte Freundinnen gehabt und deren Familien kennengelernt – diese Art Familie erlebte sie zum erstenmal. Selbst das Häuschen war unverwechselbar mit den Farben der Gegenstände und der Atmosphäre der Dinge; es war nach und nach neu eingerichtet worden, aber überall hatte sich ein altes Stück gehalten – in Hannes' Dachkammer gab es ein ganzes Arsenal von abgenutzten Gegenständen, dann die alte Porzellanuhr in der Küche, das verschnörkelte Vertiko im Flur, der alte Stütz auf einem alten Foto im Dreß des Arbeiter-Turnvereins – überall die Spuren gelebten Lebens. Jedes Ding hier hatte seine Geschichte und seinen dauerhaften Platz.

Da verstand sie auch, woher Hannes die Sicherheit nahm, mit der er einherging und die Dinge, die einfach da waren, abhorchte, ob sich daraus nicht Dinge für uns machen ließen. Es war gerade keine andere Welt, aber sie hatte doch mehr an ihrer Peripherie gelebt. Ihr Zuhause war eintönig gewesen: ein bißchen Hausarbeit, die Gespräche mit der Mutter, die einen genau abgesteckten Kreis nicht überschritten, die Bücher, die ihr gehörten – das Leben war draußen und die Zimmerwände ließen nur schwache Reflexe herein. Die Wohnung ein Ort, an dem man seine Sachen aufbewahrt und sich schlafen legt, wenn nichts anderes bleibt. Höchstens das Radio war ein kleines Fenster zur Welt. Sie hatte ihre Mutter gern und hatte früh schon begriffen, daß das Leben nicht leicht war für sie, aber sie wußte doch genau, wie sie, Adele, damals aufgeatmet hatte, als sie ins Internat zog. Nun waren auch die Freunde aus der Studienzeit übers ganze Land verstreut, sie traf selten einen, es blieben ein paar Erinnerungen. Sie hatte neue Freunde gefunden. Das Leben, das sie jetzt lebte, unterschied sich um einiges von dem, das sie gelebt hatte damals. Sie war ins Wasser gesprungen und siehe: Sie schwamm. Der morgige Tag würde nicht viel ändern daran, und doch war er das endgültige Ende von etwas: Die Kindheit, die Schulzeit und das Studium und das alles, was zu entscheiden war, von ihr allein entschieden wurde und für sie allein – das war vorbei. Es war sicher nur das, was alle Leute eines Tages erleben, so oder so. Und doch war ihr, als finge jetzt alles erst richtig an. Man schreibt seinen Namen auf ein Papier und hat von da an einen andern – das war weiß Gott nicht gerade umwerfend. Es blieb dennoch umwerfend genug.

Am Morgen war sie auf dem Friedhof gewesen, allein, hatte das Grab gesucht – dann stand sie vor dem schwarzen Stein: Alles blieb taub und ohne Entsprechung. Hatte sie erwartet, daß die unerlebte und versunkene Vergangenheit doch noch etwas bewirken würde? Ein dumpfes Gefühl, ein vager Gedanke. Sie stellte die Blumen in einen Tonkrug, dann ging sie. Es war nichts anderes möglich, sie hatte sich das selbst gesagt – das war es also, was ihre Mutter gemeint hatte. Es geht einfach weiter, es bleibt nichts. Sie wußte, das war nicht die ganze Wahrheit, aber es war ein Teil davon. Dann dachte sie daran, daß ihre Mutter am Abend ankommen würde, sie würde sie vom Bahnhof abholen, sie fragte sich: Und wenn doch etwas geblieben ist von damals? Das war denkbar, es war zu verstehen, aber es blieb vergangen. Sie konnte das einfach denken, ohne Erschrecken: Das Leben wird heute gelebt und morgen, nicht gestern. Es waren diese einfachen Wahrheiten, mit denen man sich einrichten mußte. Der alte Stütz hatte eine seiner Geschichten erzählt, dann hatte er gesagt: »Erst haben immer die Alten recht, aber nach und nach haben die Kinder recht, das muß man sich merken, das ist so. Eines Tages wird's euch genauso gehen.«

Das hat also Bestand.

Drüben schlug die Rathausuhr, die Schläge hallten nach in dem stillen Nachmittag, dann folgte die Kirchturmuhr, die ging ein bißchen nach. Hannes blieb auf einmal stehen und sagte: »Frau, das sind alles solche Sachen – kannst du mir folgen?«

»Selbstredend«, sagte sie.

»Also«, sagte er, »dann gehn wir mal da drüben ein Bier trinken. Da hat mir mal jemand die Tonne einhauen wollen, das ist lange her. Da gehn wir jetzt mal hin und trinken ein Bier; in Ordnung?«

»Allemal«, sagte sie.

Und sie rannten über die Straße, weil gerade ein Lieferwagen kam, den hatten sie zu spät gesehen, der hupte beträchtlich. Der Fahrer drohte noch herüber, ein paar Leute blieben stehen, die gingen nun auch weiter. Das war also die ganze Geschichte. Das ist alles.

Jurij Brězan
Krauzezy

Gleich nach dem Kriege oder besser: in den ersten Nachkriegsjahren konnte ein Fremder annehmen, im Dorf gäbe es ausschließlich Krauze.

Nimm das Gemeindeamt: Du klopfst an die Tür, innen ruft man »Bitte«, mit zarter, aber fester oder fester, aber zarter Stimme – ob so oder so, das hängt nicht vom Wetter ab, sondern von den Launen, und das Wetter hat seinen Hundertjährigen Kalender, die Launen aber richten sich nicht einmal nach sich selbst – also von drinnen ruft es: »Bitte.«

Du tritts ein, und hinter dem gemeindeamtlichen Tisch sitzt ein mitteljunges Mädchen, Augen wie Steinkohle, Haare wie Rabengefieder, und wenn sie aufsteht, siehst du, daß sie bei Gott weder ein hungerdürrer Rabe noch ein kantigsteifes Stück Kohle ist.

Wie das mit dir weiter abläuft auf dem Gemeindeamt, hängt davon ab, ob sich das Fräulein Gemeindesekretärin im Augenblick in guter oder unguter Stimmung befindet.

Wenn in guter, so hockt ein Junggeselle eine Stunde dort und weiß nicht, wie ihm die Stunde weggelaufen ist; Verheiratete kleben meistens noch fester und gehen dann heim, als kämen sie aus der Kneipe, wirr im Kopf und verdreht in der Seele.

Ist das Fräulein aber schlecht gestimmt, schwören Junggesellen, nie zu heiraten, und Ehemänner loben sich ihre Ehefrauen.

Zu solchen Zeiten zittert selbst der Bürgermeister vor seiner Sekretärin, und sogar der Landrat, der hergekommen war, um irgendwelcher Dinge wegen Donner und Doria mit dem Bürgermeister zu spielen, soll verdonnert und zerwettert vor der Sekretärin Ursel Krauz aus der Gemeinde geflüchtet sein.

Ursel Krauz also, auf dem Gemeindeamt.

Ein paar Schritt, und du triffst auf die Bäckerei, M. Pech steht schwarz auf orangenem Grund über dem Eingang und, ins Glas geritzt, auf der Tür: Theodor Krauz, Inhaber.

Theodor – oder auf deutsch: Gottesgabe – ist ohne Zweifel ein ausgezeichneter Vorname für einen Bäcker, vor allem in Notzeiten, wenn die Leute einen Laib Brot eine wahre Gottes-

* Im Sorbischen bedeutet Krauzezy sowohl die Familie Schneider als auch einen dementsprechenden Ortsnamen, etwa Schneidersdorf.

gabe nennen und zeitlebens lieber trocken Brot essen wollen statt ... Nun, man kennt das ja oder hat es schon wieder vergessen.

Theodor Krauz verfertigt nicht nur Brotlaibe, fünf Dutzend am Tag, sondern auch aus hundertunddrei verschiedenen Zutaten und Ingredienzien Torten und Törtchen, wie sie vor ihm kein Bäcker im Dorf nicht einmal gekostet hat.

Die Torten und Törtchen natürlich nur auf Bestellung und aus – wie man sagt – Rohstoffen des Bestellers.

Der alte M. Pech war ein gewöhnlicher Brotbäcker gewesen – und auch er hatte sich das Seine zusammengebacken –, aber der junge Theodor, der M. Pechs Tochter zur Frau hatte, buk sich mit seinen sonn- und festtäglichen, ganz und gar unnachkriegsmäßigen Produkten so viel Ruhm, Ansehen und Ehre ins Haus – vom Geld spricht er nicht gern –, daß er an ein und demselben Tag zum Kirchendiener berufen, zum Kassierer der Domowina-Ortsgruppe gewählt und zum Gemeinde-Feuerwehrhauptmann ernannt wurde. Das geschah anläßlich Theodors dreißigstem Geburtstag und bedeutete einen nicht unbeträchtlichen Gewichtszuwachs der Krauze im Dorf. (Letzteres ganz abgesehen davon, daß die Bäckersfrau mit dem fünften Kind schwanger ging, wobei sie noch nicht einmal ganze achtundzwanzig Jahre alt war, was man perspektivisch sehen muß.)

Mitten im Dorf liegt ein irgendwie undörfliches Haus, eine Mini-Villa etwa, im Garten Rosen, Azaleen und Rhododendron, auf dem Dach ein grüner Wetterhahn, an der Tür eine elektrische Klingel, neben der Klingel zwei blecherne Schilder: »Deutsche Post« und »Versicherungsagentur« und ein hölzernes: »Hebamme«.

Der Besitzer der Mini-Villa und Zugehöriger der beiden Blechtafeln ist Cyrill Krauz, dünn, lang, rheumatisch und hartköpfig wie eine Hobelbank. In Kooperation mit seiner Frau macht er die beste Propaganda für deren Beruf: Die Hebamme hat privat sechs Jungen und drei Mädchen zur Welt gebracht, die Kinder sind gesund und munter, in der Schule nicht eben die besten, was aber – wie Cyrill Krauz beim Postaustragen mit austrägt – an der blödsinnigen Schule liegt.

In der Schule gibt es keinen Krauz als Lehrer, aber das soll sich bald ändern, indem nämlich Benno Krauz, der jüngste Sohn, und Hanka Krauz, der Schlußmann der Familie überhaupt, noch in diesem Jahr die Lehrerbildungsanstalt verlassen und man damit rechnen kann, daß der Alte Krauz – der Ahn aller

Krauze – seinen Bäckerssohn nicht erfolglos berät. Der Alte hat seine Erfahrungen und meint, daß es gut und nützlich sei, den Herrn Schulrat nach jedem Besuch der hiesigen Schule in die Bäckerstube zu bitten auf eine Tasse Kaffee, ein abgebliebenes Sondertörtchen, ein Hausmacherschmalzbrot. Für ein solches Schmalzbrot gebe er, so pflegt der Schulrat zu sagen, gern seine letzten Haare her, und der Schmalztopf in der Bäckerei steht niemals leer.

Mag also nun die Rede sein vom Alten Krauz, obwohl man auch noch vom Konsum reden könnte. Der Konsum ist neu im Dorf. Bis zum Kriegsende hat das »Kolonialwarengeschäft« einem gewissen Zakrzeczki gehört, einem Nazi und Sorbenfresser. Der Zakrzeczki ist über die Elbe, das Geschäft ist ein Konsum, und den Konsum leitet Paul Krauz, ihm haben sie den linken Fuß unter dem Knie weggeschossen, aber singen kann er noch wie eine Heidelerche und auf der Geige fiedeln wie Paganini. Er hat eine kleine Musikkapelle gegründet, und Sonntagstanz, Hochzeiten und Begräbnisse mit Kondukt gibt es nicht ohne Paul Krauz.

Soll der Konsum Konsum sein, hier steht der alte Peter Krauz, die Zeitung hat schon über ihn geschrieben und auch der Heimatkalender, und er würde sich sehr wundern, wenn nicht auch hier über ihn geschrieben würde.

Manch einer möchte befürchten, daß einem Schreiber unter die vielen guten Worte auch ein Wörtchen der Kritik hineingeraten könnte, der Alte Krauz fürchtet sich nicht. Er weiß, daß er ein lauteres Gefäß aller Tugenden ist, und er weiß, daß das alle wissen.

Er ist erstens Glöckner.

Der Pfarrer der Kirchengemeinde, Michael Hejduschka, hat ein Gedächtnis wie eine Kräuterfrau, er merkt sich wirklich jede Brennessel und jede Lindenblüte. Er würde es bis zu seinem Tode nicht vergessen, wenn der Alte Krauz – auch damals, als er noch jung war und einfach der Peter Krauz –, wenn der also einmal um eine einzige Minute zu spät geläutet oder zu einer Gesindehochzeit vielleicht an der Bauernglocke gezerrt hätte.

Selbst an jenem schrecklichen Tag, als die Totenkopfleute auf dem Turm hockten und mit dem Maschinengewehr zur Ostluke hinausballerten, selbst an jenem schrecklichen Tag zog der Alte Krauz Punkt zwölf Uhr am Seil der letzten, einzig übriggebliebenen Glocke, der ewig heiseren Sterbeglocke.

Auch alle anderen Glöcknerpflichten hat der Alte Krauz

während seiner fünfzigjährigen Dienstzeit mit gleicher Treue erfüllt; er brüstet sich dessen nicht, er ist demütig und sagt: Mit Gottes Hilfe habe ich das gut besorgt.

Zweitens ist der Alte Krauz Standesbeamter.

Mit akkurater, geschwungener Schrift trägt er die auf die Welt Kommenden und die aus der Welt Scheidenden in seine Folianten ein und schließt mit weichem Bariton im Namen des Staates Ehen. Auch hier braucht man nicht zu befürchten, daß vielleicht einer auf der Welt herumliefe, den der Alte Krauz in sein Totenbuch eingeschrieben hat, oder daß eine Ehe, durch ihn geschlossen, wegen ungenau erfüllter Formalitäten in Scherben gehen könnte.

Gesagt werden muß allerdings, daß der Alte Krauz einem gewissen Glausch – der auf eine mittlere Nazilaufbahn aus war und dazu seine arische Großmutter standesamtlich bescheinigt brauchte – diese Großmutter vorenthielt, obwohl er genau wußte, daß sie als Smola* in seinen Folianten stand und nicht als Pech, wie jener Glausch sie kannte.

Diese Sache rechnet der Alte Krauz allerdings zu seinen guten Taten, und wir haben keinen Grund, hierin anderer Meinung zu sein.

Drittens war der Alte Krauz der Gründer und einzige Vorsitzende eines vor dem Krieg in der ganzen Lausitz bekannten sorbischen Gesangvereins und fungierte vom ersten Friedenstag an als Vorsitzender der Domowina-Ortsgruppe.

Muß man hinzufügen, daß im Gemeindeparlament drei Krauze und eine Krauzin saßen? Daß der Bürgermeister der Bürgermeister war, der Alte Krauz aber der erste und wichtigste Mann im Dorf? Daß man in den Nachbarorten bisweilen, statt das Dorf mit seinem rechten Namen zu nennen, es Krauzezy – Krauzdorf nannte? Und daß das recht und richtig war und daß der Alte Krauz am Tage seines siebzigsten Geburtstags die Seinen zählte und wog und sich in all seiner Bescheidenheit und Demut als Patriarch sah?

Das alles ist weit und breit bekannt, und es ist nicht nötig, auch nur ein Wort darüber zu verlieren.

Vielleicht aber ist es nötig, zu erwähnen, daß von diesem nämlichen Tage an die Krauze einen Mythos neuer Art im Dorf zusammenzubasteln sich anschickten, die Krauzsche Bescheidenheit in ihnen zu bröckeln und zu brücheln begann und sie

* Pech

anfingen, die Krauz-Familie anderen Leuten auf die Schulter zu stellen und sich als Maß und Maßnehmer zu betrachten.

An diesem nämlichen Tage aber begann die Geschichte den Krauzen – wie man sagt – Knüppel zwischen die Beine zu werfen sozusagen. Und zwar auf eine höchst ungehörige Weise, hinter dem Rücken aller nämlich, und nicht etwa, daß die Geschichte mit dem Patriarchen Krauz angebunden hätte, bei Gott nicht, oder mit dem angesehenen Tortenbäcker oder vielleicht mit der Ursel im Gemeindeamt – die hätte der Geschichte schon heimgeleuchtet.

Die Geschichte warf sich auf das schwächste Glied der Krauze, auf Hanka, die Beinahe-Lehrerin.

Die Geschichte tritt verschiedenartig auf: freundlich, grob, komödiantisch, grausam, intrigant, gerecht... In diesem Fall war sie intrigant. Sie schlüpfte in die Gestalt eines jungen Angestellten vom Rat des Kreises, versorgte ihn mit einem Blumentopf und einem offiziellen Glückwunschschreiben des Landrates und schickte ihn auf die Siebzig-Jahr-Feier des Standesbeamten Peter Krauz.

Es war nichts Besonderes an dem Überbringer der landrätlichen Glückwünsche, er war weder klein noch groß, hieß Georg, sprach sorbisch so gut wie irgendein Krauz, war der Sohn eines Steinbrucharbeiters, gelernter Müller, hatte leichte Reiterbeine und lachte gern wie ein Töpfer oder aber: wie ein Weber auf einen Bauernkuchen.

Auf der Geburtstagsfeier – er blieb nur eine anständig kurze Zeit – lachte er weniger den Kuchen als das Mädchen Hanka an. Niemand verübelte ihm das, weswegen sollte auch ein Bursche mit einem Parteiabzeichen nicht Krauzens Jüngste anlachen, wo doch jedermann sie mit Wohlgefallen ansah?

Wenige Monate später aber wurde die Hinterhältigkeit und Heimtücke der Geschichte augenfällig für alle. Das heißt, zunächst nicht *augenfällig* für alle, dem Ahn Krauz kam es vorerst nur zu *Ohren*. Hanka erschien und erklärte ihrem standesbeamteten Vater, daß er seine Feder für sie schon immer ins Tintenfaß stecken dürfe.

Der Alte Krauz hatte die Fülle seiner Lebensweisheit in feste Formeln gegossen und sie so Stück um Stück noch zu Lebzeiten seinen Kindern als Erbe abgelassen. Eine solche gut gegossene und glatt gefeilte Weisheit hieß: »Wenn du viel redest, brauchst du nichts zu sagen.«

An diese Weisheit hielt sich jetzt die Studentin Hanka, doch ihr Vater unterbrach sie sehr bald. »Rede kein Wollknäuel, mein Kind«, sprach er milde, »sondern sag, was du willst.«

Und durch den Kopf ging es ihm, ob er es ihnen denn nicht erklärt habe, daß solcherart Prinzipien nur für den außerfamiliären Verkehr gelten.

Ich bekenne, daß ich mir hier etwas ausdenke: Ich war nicht dabei, und niemand war dabei. Bewiesen ist nur, daß Hanka schließlich aus dem Hause stürzte, rot im Gesicht, die Augen funkelnd – vor Tränen oder vor Zorn, wahrscheinlich beides –, sich aufs Fahrrad schwang, sie hatte einen lindgrünen seidenen Unterrock mit schwarzer Spitze an, jeder konnte das sehen, und niemand kann es irgend jemandem übelnehmen, wenn der sich Gedanken machte, warum wohl Hanka Krauz so in die Pedale trat, daß ihr der Unterrock um die Ohren flog, sozusagen.

Und wer dazu noch den Alten Krauz sah: auf der Schwelle stehend, den Arm ausgestreckt, Hanka nachsehend wie der Engel Gabriel Adam und Eva, den eben aus dem Paradiese Vertriebenen – der also durfte wahrhaftig den Kopf wiegen, und ohne etwas zu erfinden, sagen, daß sich hier etwas tat.

Und wer darüber hinaus noch wußte, daß die Sanftheit der Sanften härter ist als die Festigkeit der Sturköpfe, dem war, als habe die Erde soeben gewackelt und Krauze und Krauzdorf erschüttert.

So arg hinwiederum meinte es die Geschichte nun auch nicht, sie hatte nur Hanka Mitte Juni – jetzt rodete man Kartoffeln – auf einen Feldrain (damals gab es noch genügend Feldraine), sie also auf einen Rain zwischen zwei blühenden Roggenschlägen verführt, nicht das Mädchen allein, sondern samt jenem Georg aus dem Kreisratsamt. Was die beiden jungen Leute dort taten, kann wieder niemand mit Bestimmtheit sagen. Aus Erfahrung freilich darf behauptet werden, daß Ameisen sie dort bissen und Mücken sie stachen.

Jedenfalls, im Oktober war Hochzeit – nicht im Dorf und ohne den Alten Krauz und ohne die Torten und Törtchen des Gottesgab-Theodor –, und die Leute erzählten, daß es hohe Zeit gewesen sei mit der Hochzeit, erzählten sie.

Hier soll nicht gesprochen werden über das, was sich die Leute ausdenken, sondern über das, was passiert. Sonst würde schließlich jeder bloß noch schreiben, was ihm so einfällt, würde pfeifen auf die Wahrheit, und die Leute könnten am Ende nur noch das lesen, was sich die Schreiber gern als Wirklichkeit wünschten, und nichts mehr könnten sie lesen über die Wirklichkeit selbst.

Abgesehen also von dem Geschwätz der Leute, geschah auf jener Hochzeit, daß der Konsum-Krauz – der Einbeinige und gern Singende –, der als einziger von der Familie am Hochzeitstisch saß, mit Mühe aufstand – das eine Bein aus Fleisch und Blut, das andere aus Holz – und zur Braut sprach. Einige Leute behaupten, er habe verdrehtes Zeug geredet, wahr ist, daß er keine Späßchen über Brautbett und Brautglück gemacht hat, sondern erzählt, wie er im Krieg sein eines Bein verloren habe, wie ihn dieses verlorene Bein noch oft schmerze und daß er über sein abgeschossenes Bein häufiger nachdenke als über sein gesundes. An dieser Stelle fingen einige Freundinnen der Braut an, unruhig zu werden, und der Konsum-Krauz kam nicht dazu, den Leuten zu erklären, welche tiefen Gedanken er sich über die Hochzeit seiner Schwester machte. Er geriet ein wenig ins Stottern, setzte sich, und das ist schade, denn er ist der einzige Krauz, der mehr denkt, als er redet.

Möglicherweise hätte wir – wenn jene jungen Dinger ihn nicht aus dem Konzept gebracht hätten –, möglicherweise also hätten wir etwas über das Familientreffen der Krauze, stattgefunden am Sonntag vor der Hochzeit, erfahren. Doch die Gänschen wollten schnattern, und wir müssen uns mit trockenen Fakten von jener Krauzschen Gipfelkonferenz begnügen.

Sonntags nach der Vesper also.

Der Bäcker Theodor trank seine Tasse Kaffee aus, warf einen Blick in die Sparbücher seiner Frau und Kinder – für sich selbst hatte er aus gewissen, nicht unklugen Gründen keines angelegt –, verlor sich ein paar Atemzüge lang in die Betrachtung seiner Feuerwehrhauptmannsuniform und begab sich auf den Weg.

Unterwegs traf er seine Schwester Ursel, die sah aus wie der Himmel vor einem Gewitter.

»Die hat eine Hochzeit nötig, dieses Hosennässerchen!« sagte sie.

»Leider Gottes«, meinte Theodor.

»Verzogen hat sie der Vater, sein Nesthäkchen!« donnerte der Gewitterhimmel.

Theodor verzog den Mund, das konnte *ja* heißen oder auch *nein*, er war es vom Geschäft her gewohnt, den Mund so zu verziehen, daß es jeder nach seinem Belieben für Ja oder Nein nehmen konnte.

Zur gleichen Zeit humpelte, auf seinen Stock gestützt, der rheumatische Cyrill Krauz aus der Tür seiner Mini-Villa. Er war eben wütend – das war er ja meistens –, daß er sich in den Wettbewerb bei der Gewinnung neuer Abonnenten für Parteizeitungen hatte hineinwerben lassen. Schon aus diesem Grund war er ganz entschieden gegen die Hochzeit einer Krauz mit einem mutmaßlichen Leser jener Zeitungen.

Den Cyrill holte Benno, sein jüngster Bruder, mit dem Fahrrad ein. Der Älteste fuhr den Jüngsten an: »Etwas Verrückteres hast du wohl nicht anziehen können!«

Benno Krauz trug einen roten Pullover, er hatte sich wirklich nichts dabei gedacht.

Er entschuldigte sich: »Ich habe ihn aus Prag.«

Cyrill antwortete nicht einmal, und Benno streifte sich im Hausflur den unmöglichen Pullover über den Kopf und begrüßte seinen Vater im reinweißen Hemd.

Sein Vater – der Alte Krauz – saß in seinem hochrückigen Sessel, aufrecht und steif, und der Konsum-Krauz, als letzter eintretend, dachte: Wie Abraham.

Ich meine, ihm wäre es zuzutrauen, daß er so etwas gedacht hätte.

Hanka, der nun auch die Krauze ansahen, was ihr andere Leute schon längst angesehen hatten, war herbestellt als Opferlamm oder etwas Ähnliches. Aber statt demütig zu warten, auf welche Art und Weise sie ihr Vater Abraham opfern würde, wurde sie wütend, als ihr der dauernd wütende Bruder Cyrill nicht einmal die Hand zum Gruß gab.

Sie stellte sich – schamlos, sagte der Alte Krauz später – mitten in die Stube, schüttelte ihre schwarze Mähne zurecht und sprach – ich ging eben draußen vorbei – mit klarer, spröder Stimme und ganz und gar nicht leise: »Am Dienstag – nach altem sorbischem Brauch – habe ich Hochzeit. Mein hochwohllöbliches Gericht ist herzlich dazu eingeladen, bis auf diesen Erzpharisäer hier!«

Sie zeigte auf den Rheumatikus, lächelte dem Bäcker Theodor zu, der eben sein Ja-Nein auf den Lippen hatte, öffnete die Tür, wandte sich noch einmal um, sah die konsternierte Versammlung an, lachte auf, ganz ungemacht, und sagte: »Ihr seid lächerlich. Einfach lächerlich.«

Ich sah ihr hinterdrein, als sie die Dorfstraße hochschritt, und ich muß sagen, ich wundere mich nicht über den Burschen, daß er sie auf jenen versteckten Rain zwischen den zwei Kornfeldern geführt hat. Er wartete halbwegs zwischen Bäckerei und Gemeindeamt mit seinem Motorrad auf sie. Sie knatterten an mir vorüber, und Hanka rief mir zu: »Komm zum Hochzeitstanz!«

Der war am Dienstag, zunächst aber muß über den Sonntag zu Ende berichtet werden. Hierbei bin ich wiederum gezwungen, Mutmaßungen hinzuschreiben: Möglicherweise also hat der Alte Krauz erklärt, daß er aus Protest gegen die Verführung seiner Tochter Hanka durch einen sorbischen Hundsfott – diesen Ausdruck hat er wirklich gebraucht – den Vorsitz in der Domowina-Gruppe niederlege und gleichzeitig aus der Domowina austrete. Er erwarte – so dürfte er fortgefahren sein –, daß die Seinen Mann für Mann sich an seine Seite stellten und ihre Funktionen niederlegten, ausgenommen das Kirchendieneramt des Theodor.

Wie es scheint, hat nur der Konsum-Krauz gewagt, seinem Patriarchen sanft zu widersprechen. Der Bäcker Theodor hat etwas von Törtchen gemurmelt, die er noch heute vorzubereiten habe, durch den Kopf ist ihm geschossen, daß er sein Kassiereramt seiner Frau übertragen könnte, und ist gegangen. Gleich nach ihm ist Benno abgefahren, wieder im roten Pullover, er hatte es eilig auf den Fußballplatz. Unser Vater hat gut reden, hat er abends zu seiner Freundin gesagt, der hat seine Rente, aber ich bin Student.

Am Tage der Hochzeit traten aus der Domowina aus: der Alte Krauz, der rheumatische Posthalter und die Gemeindesekretärin Ursel.

Natürlich war das ein Dorfskandal, aber die Leute hätten ihn bald vergessen, sie hatten andere Sorgen, als sich wochenlang darüber zu wundern, wie wunderlich sich die Krauze zeigten.

Aber gewisse Dinge haben ihren eigenen Mechanismus. Der ausgetretene Posthalter fiel den nicht ausgetretenen Bäcker an, das sei Hundsfötterei, Mißachtung der Familienehre und überhaupt gegen das vierte Gebot: Du sollst deinen Vater... und so weiter.

Der Bäcker war altbacken genug, daß er nicht sich verteidigte, sondern den Bruder angriff: Wie sich das vierte Gebot vertrüge mit der Werbung für jene Zeitungen? Und überhaupt schon mit ihrer Verbreitung?

Der Posthalter machte sein rheumatisches Rückgrat steif, hörte auf, neue Abonnenten zu werben, und weigerte sich endlich, weiterhin jene Zeitungen auszutragen, die er auf der Seite des unerwünschten Schwiegersohnes des Patriarchen Krauz vermutete. Die Post ist verhältnismäßig großzügig, aber daß jeder Postler nach eigenem Gutdünken festlegen dürfte, was er austragen wolle und was nicht, so viel Großzügigkeit kann sich selbst die Post nicht leisten. Cyrill Krauz aber machte sein Rückgrat noch steifer und trat – der Familienehre halber – auch aus der Post aus.

Jedermann weiß, daß eine Versicherungsagentur auf dem Dorf keine Reichtümer einbringt. Das ländliche Hebammengeschäft beginnt ebenfalls schwache Füße zu kriegen, seitdem es Mode geworden ist, daß auch Frau Hinz und Kunz sich ihre Kinder in der Klinik holen. Die Hebamme, Frau Krauz, starkknochiger und fester im Fleich als ihr Mann, grollte und wetterleuchtete ein paar Tage von weitem, dann aber begann sich der Sturm zu heben, er trieb das Himmelsgewitter herbei, Donner und Blitz heizten dem charakterfesten Cyrill so ein, daß er schließlich seine Lade auf den Handwagen setzte, das Hebammen-Himmelsgewitter, die Mini-Villa und seine Mandel Kinder verließ und in das Haus seines Vaters zurückkehrte.

Da lachten die Leute zum ersten Mal – wenigstens in diesem Jahrhundert – über die Krauze. Hinter vorgehaltener Hand zwar, aber immerhin.

Der Alte Krauz, klüger als sein Ältester, fing wieder an, die Versammlungen der Domowina zu besuchen; nicht nur zu besuchen, sondern dort auch in gewohnter Weise zu sprechen, kurz aber kernig: Der Sorbe ist des Sorben Bruder, und wehe uns, wenn wir gestatten, daß unsere Jugend nach dem Fremden Ausschau hält.

Die Leute sagten: Alles, was recht ist, er ist ein Sorbe wie aus Eichenholz, und seine Kinder haben das von ihm.

Niemand, am wenigsten der Alte Krauz, hätte damit rechnen können, daß die Würmer auch schon in diesem Holze bohrten. Der Wurm in diesem Fall hieß Ernst Beimichl, Friseur und Sohn eines Friseurgeschäftes in der Stadt, und das Stück Eiche, in das er sich einbohrte, hieß Ursel, die mitteljunge Gemeindesekretärin.

Sie tobte wie von Sinnen, als der Alte Krauz mit seinem »Wehe!« anhub, sie lasse ihren Beimichl nicht, nicht im Leben und nicht im Tode.

Der junge Beimichl war jünger als sie, und der alte Beimichl wollte zur Schwiegertochter entweder eine mit Geld oder eine mit Friseurdiplom. Der nach dem Mädchen wilde Junge, dessen starrköpfiger Vater, der sein »Wehe!« manchmal seufzende und manchmal rufende Patriarch Krauz, und schließlich die Ursel, die wie eine Strohscheune brannte: es war ein verrücktes

Theater und kreuzteuflischer Krach, und eines Tages waren der junge Beimichl und die nicht ganz so junge Ursel aus der Welt, wenigstens aus unserer Welt.

Auf dem Hochzeitsfoto, das die Ursel heimschickte, war sie eine schöne Braut. Warum die beiden sich ein Jahr später scheiden ließen, weiß niemand, er frisiert irgendwo, sie ist Hausmädchen beim Grafen Lietinghoft, womit die alte Ordnung wiederhergestellt ist. Der Graf schreibt einen Roman, der in der Lausitz spielt, die Heldin des Romans ist Ursel, eine arme, durch die neue Zeit aus der Heimat vertriebene Sorbin. Als die Leute von dem Lietinghoft erfuhren – die Leute erfahren alles –, lachten sie zum zweiten Mal über die Krauze. Laut und nicht hinter der vorgehaltenen Hand.

Am meisten schmerzte das Lachen der Leute den Bäcker Theodor. Auf seinem Gesicht hat sich eine neue Falte gebildet. Manchmal könnte man glauben, er habe schon zum Frühstück Essig oder Rizinus trinken müssen.

Doch er bäckt weiterhin Brot, Semmeln, Kuchen und Torten, er hat dem Sohn seiner Schwester Hanka Pate gestanden, er wechselte eifrig Briefe mit seiner Schwester Ursel, vergißt niemals, einen Gruß an den Grafen hinzuzufügen, erfüllt gewissenhaft seine Kirchendienerpflichten, leitet umsichtig die Feuerwehr, arbeitet fleißig im NAW und hat sich von einem bekannten Bildschnitzer sorbisch in Eiche schnitzen lassen: »Mein Heim ist meine Festung.« Dieses kunstvolle Täfelchen hängt über seinem Sofa, und dort schläft er am liebsten.

Der Lehrer Benno Krauz hat sich in die Niederlausitz versetzen lassen, dort wissen die gewöhnlichen Leute nichts von dem berühmten Alten Krauz, und die anderen sind an einer Hand abzuzählen.

Es bleibt der Konsum-Krauz, der fröhliche Musikant und Sänger. Sein verlorenes Bein gibt ihm keine Ruhe, bei jedem Wetterumschlag tut es ihm weh und zwingt ihn zum Denken. Gedanken stehen auf in Paul Krauz, vor denen er selbst erschrickt. Aber er schreckt nicht zurück vor ihnen, er schaut ihnen ins Gesicht und sieht ihnen hinter den Rücken, was dort dahinter vielleicht stecken möchte. Vieles steckt dahinter, ein verworrenes Knäuel von Ursachen, Beziehungen, Folgen; Paul Krauz zerrt an diesem Faden und an jenem und kauft sich Bücher, der Patriarch Krauz täte sich entsetzen, wüßte er, welcher Art Bücher sein Sohn kauft und liest. Das verworrene Knäuel entwirrt sich, nicht vollständig zwar, aber einen Faden hat der Konsum-Krauz fest in den Fingern, den Faden nämlich, der sein unweit von Paris zerschossenes Bein mit seinen drei Kindern verbindet.

Aber er sieht nicht nur seine Kinder, er schaut sich auch in der Schule um, und der Schulleiter, dick, aber durchaus nicht faul, hilft dem Musikanten Krauz, und bald haben sie eine Schulmusik auf die Beine gebracht, freilich macht sie zunächst nur einen Katzenlärm, aber wer gute Ohren hat, hört hinter dem Lärm schon die Musik.

Im fünften Herbst nach Kriegsende trat die Schulmusik zum ersten Mal öffentlich auf, der noch kleine neue Domowina-Chor sang dazu unter der Leitung eines jungen Lehrers unbekannte Worte und eine unbekannte Melodie, und man hörte den Sängern ein wenig die sorbische Zunge an, als sie sangen: »Auferstanden aus Ruinen...«

An diesem selben Tag kehrte der Alte Krauz zum zweiten Mal – und dieses Mal endgültig – der Domowina den Rücken. Am liebsten hätte er auch nicht einmal mehr das Brot seines Sohnes Theodor gegessen, weil auch des Bäckers Älteste kräftig die Harmonika gezogen hatte für dieses Lied, das – nicht an sich, sondern dadurch, daß auch Krauze es spielten und sangen – die Familienehre der Krauze vollständig zermalmte.

Vollständig zermalmte nach Meinung des Alten Krauz. Er zerfetzte sein Testament und verschrieb alles seiner Tochter Ursel, die ein Dienstmädchen war beim Grafen Lietinghoft und zugleich die Heldin des gräflichen Romans, und seinem Sohn Cyrill, der rheumatisch war und treu der alten Familienehre der Krauze.

Die Leute verloren diese Ehre aus dem Gedächtnis und lernten den Paul Krauz immer mehr schätzen. Er hätte ruhig auch anders heißen können, die Leute sahen nicht auf den Namen, sondern auf die Taten.

Was die Taten anbelangt: die frühere Hanka Krauz gebar im Laufe von einundvierzig Monaten drei Jungen und ein Mädchen. Das Mädchen und der dritte Junge waren Zwillinge.

Und die frühere Ursel Krauz hat durch Vermittlung des Grafen Lietinghoft kürzlich im Rundfunk über die Sorben gesprochen und hat auch ein Lied gesungen: »Hinter Kamenz auf den Höhen...« Sie hat immer noch eine schöne Stimme. Ich kann mich noch gut erinnern, wie sehr schön sie sang: »...die Junker haben wir verjagt und uns gehört die Zeit.«

Mit uns sang. Damals.

Günter Kunert
Kramen in Fächern

In gewissen Stunden, da keine Kraft zu einer nützlichen oder erholsamen Beschäftigung aufgebracht wird, fangen manche an, in Fächern, Kisten, Kasten und Truhen zu kramen, sich einbildend, eine lange geduldete Unordnung beenden zu müssen. Sie wissen selber nicht, was ihre Finger treibt, zwischen halbvollen Tablettenröhrchen herumzutasten, zwischen Briefumschlägen, entleert von jeglicher Botschaft, zwischen Büroklammern, Bleistiftstümpfen, Knöpfen, Schächtelchen, Federn, Rädern, unidentifizierbaren Metallteilchen und Staub. Ist eine Ahnung in ihnen von dem, was sie eigentlich zu finden hoffen, wenn sie mit wachsender Unruhe in den Fächern wühlen?

Ihr ausbrechender Eifer, ihre plötzliche Hemmungslosigkeit während des scheinbar sinnlosen Tuns läßt vermuten, sie versuchten aufzustöbern, was sie verloren wissen: die Vergangenheit. Das ist wie ein Kratzen an Gräbern, gegen alle Vernunft, denn immer wieder kommen nur neue Reste zutage. Nichts weiter.

Dann die Kapitulation: das Fach wird in den Schrank zurückgeschoben. Es ist vorbei.

Johannes Bobrowski
Der Mahner

Es gibt Ortschaften, die schmücken sich, wie manche Leute auch, mit berühmten Verwandten. Sie legen sie sich zu auf Grund von Oberlehrerauskünften, nennen sich auch sogleich entsprechend und wünschen durchaus so angesehen und so angeredet zu werden: Elbflorenz, Spreeathen, Klein-Paris und Groß-Britannien. Letzteres ein Dorf zwischen Heinrichswalde und Linkuhnen.

Diese Stadt hier hätte es so nötig nicht, aber Rom ist auf sieben Hügeln erbaut, sie also auch, denn sie ist im Besitz einer Universität, einer Kunstakademie, mehrerer Gelehrter Gesellschaften, darunter einer Altertumsgesellschaft.

Von den hiesigen sieben Hügeln liegt nur einer im südlichen Stadtdrittel, also südlich des Stromes, der die Stadt teilt: ein Sandberg, früher von Kiefern bestanden, später mit Hafer bebaut, jetzt von einer Kirche, einem längst geschlossenen, jedoch sehenswerten Friedhof und dicht aneinandergedrängten, regelmäßig aufgestellten Mietskasernen zugedeckt. Die übrigen sechs Hügel finden sich auf dem Nordufer. Und weil Erhebungen und Niederungen ziemlich gleichmäßig zugebaut sind, mit kleinen Häusern auf den Bergen und höheren in den Tälern oder Senken, gleichen sich die Unterschiede eigentlich aus, man denkt nicht, daß es wirklich so viele Hügel sein könnten, sieben, nur die Straßen dazwischen führen auf und ab und heißen Rollberg, Altstädtische Bergstraße, Krumme Grube und Schiefer Berg, sind aber eng und kaum erkennbar, selbst von einem der Kirchtürme aus, verborgen im Schatten der Giebel, die sich zueinanderneigen.

Das sind die Giebeldächer. Da unten, im Halbdunkel, gehen die Straßen. Wäre man gerecht, man erwähnte noch einige hübsche Plätze, der eine sogar auf einem schrägen Abhang angelegt.

Dennoch, die Hügel, diese vielbeschrieenen sieben, zählt man leicht ab: von einem der Kirchtürme aus. Man sieht sie, aber nur sechs, denn auf einem befindet man sich dann selber, den vergißt man. Von da oben also erkennt man sie, weil sich auf jedem eine Kirche erhebt: die Löbenichtsche, die eigentlich St. Barbara auf dem Berge heißt, die Schloßkirche, die Neuroßgärtsche, die Altstädtische und so weiter. Nur zum Dom in der Unterstadt gehört kein Hügel, dafür nimmt er beinahe die Hälfte einer ganzen Insel ein.

Am höchsten allerdings ist der Oberteich, höher als alle diese sieben Hügel, ganz oben, und er fängt gleich an, wo die Bodenerhebung ihre volle Höhe erreicht hat und nun so weitergeht, nordwärts, als eine Art Hochebene, aber so hoch denn doch wieder nicht, so ganz wohl nicht.

Auf jeden Fall trifft die Bezeichnung Oberteich zu, er ist oben und ist ein richtiger Teich, nämlich rund und nicht zu klein. Zwei Badeanstalten – eine Zivil, die andere Militär –, am Ufer Parkanlagen mit Sträuchern und Baumgruppen und dann aber Bastionen, Wälle, sogenannte Kavaliere, detachierte Forts, trockene Gräben, Wallgänge, Glacis – soetwas, früher zur Stadtbefestigung gehörig und jetzt mehr zur Ausschmückung, wie eben Historie, und jedenfalls zum Vergnügen der Bürger, in

Charakter und Verwendung von Zeit zu Zeit wechselnd, wie dieses.

Also der Oberteich macht sich oben breit und tiefer, nach Süden, der Schloßteich. Aber der macht sich eher schmal als breit und kriegt ja auch sein Wasser von oben, vom Oberteich, und es kommt gehüpft oder gestürzt, je nachdem wie die Schleuse oben eingestellt worden ist, über eine vielstufige Kaskade hinab, erst aus einem Häuschen, dem runden Becken davor, und dann über immer breitere Stufen hinunter, zuletzt geht es durch ein Eisengitter und in einen kurzen Kanal, schließlich ist es, von Uferwegen begleitet, im Schloßteich angekommen, der stinkt etwas.

Trotzdem, man fährt mit Kähnen dort umher, in hellen Kleidern auf dem schwarzen, moorigen Wasser, denn am Ufer überall sind Gärten angelegt, Biergärten, Kaffeehausterrassen, da macht man abends einen Bootskorso. Am Südende des Schloßteichs erhebt sich das Schloß mit einem achteckigen Eckturm und einem komplizierten Torgebäude nebenan.

Es gibt da noch zwei Türme an diesem Schloß, auch nicht besonders hoch, aber rund, am höchsten ist der Schloßkirchenturm. Man kann, wie gesagt, hinaufsteigen, aber wir tun es nicht, wir stellen uns vor den Turm an der Südwestecke, mit Blick nach Süden, aber noch oben an den Abhang, lehnen uns meinetwegen an die Turmwand. Da stehen schon zwei.

Der eine sagt: Haltet Gottes Gebote. Er ist klein. Der andere ist groß, er sagt nichts. Dafür ist er auch Kaiser und aus Bronce und steht auf einem steinernen Sockel, wo er nicht herunterkann. Der andere kann fortgehn, dorthin wo er benötigt wird, um seinen Spruch aufzusagen. Hier oben sagt er ihn vielleicht bloß in den Wind. Aber er sagt ihn doch hin über die Autos, Wagen, Motorräder, Fahrräder, Straßenbahnen, Gemüsekarren, da unten führt die Hauptstraße vorbei, und das hat alles seine Ermahnung nötig, da unten.

Jetzt geht der Mann weg, die Treppe hinunter, auf den Platz und fort. Und wir gehn ihm, denke ich, nicht nach, wir kennen ihn ja nun. Da unten trifft er den alten Generalsuperintendenten, sie begrüßen sich und sagen sich Aufwiedersehn. Der Mann geht weiter, ein einfacher Mensch, aus dem Litauischen gebürtig.

Da ist schon mal einer aus dem Litauischen gekommen und hat ganz ähnliches gesagt, vor dreihundert Jahren. Doch der hat große Worte gebraucht, sich Adelgreiff und Schmalkilimundis oder Schmalkallaldis genannt und schlankweg einen Sohn des Höchsten – obwohl er das ja nun wirklich gewesen ist, ein Kind Gottes wie jeder –, eine lateinische Bibel in der Hand. Dafür hat man ihn damals, nachdem ihn, wie es heißt, das kurfürstliche Frauenzimmer höchstselbst – und vergeblich – vermahnet, allerdings hingerichtet, hier in der Stadt, mit dem Spektakel seines Todes den Spektakel seines Auftritts auszulöschen.

Hier ist kein Spektakel, mit diesem litauischen Mann nicht. Nur Kindergeschrei tönt ihm nach, und einiges Kopfschütteln bleibt hinter ihm zurück, und eine kräftige Anekdote geht hinterdrein. Aber dieses letzte nur, weil der Mann mit einem anderen verwechselt wird, übrigens sehr gern und mit voller Absicht, denn sonst bliebe man mit dieser kräftigen Anekdote bei einem Säufer hängen, auf den sie sich tatsächlich bezieht, dann wäre sie schon nicht mehr so gut.

Zu dieser Anekdote muß man einiges wissen.

Daß Geheimrat Quint am Dom, unten auf der Insel, noch vor dem richtigen Gottesdienst, frühmorgens seinen Schiffergottesdienst hält, das alte Mannchen, für die Eigner der Zwiebel-, Kohl- und Fischkähne, die nach dem Sonnabendmarkt in der Stadt übernachtet haben und nach dem Gottesdienst früh zurückrudern, stromauf, dann durch den Flußarm zu den Haffdörfern, weil sie dort wohnen. Weiter: daß Motz, der Steindammer Pfarrer, eine Stunde früher als gewöhnlich seine Kirche hält; da kann er ausführlich reden, wie seine Pfarrkinder es mögen, die im Prostituiertenviertel um die nach einem Arzt benannte Wagnerstraße leben, da kommt man trotzdem immer noch gerade zur Zeit bei Pastor von Bahr im Tragheim. Dann geht es ganz schnell zur Altstadt. Herr von Bahr nämlich spricht seine abgemessenen zwölf Minuten, die Leute folgen ja doch nicht länger, Konsistorialrat Claudin aber absolviert elegante fünfundzwanzig Minuten. Pfarrer Schreitberger im Löbenicht kommt stets auf gute vierzig. Am längsten spricht Dompfarrer Käßlau, eine Stunde. Das also muß man wissen.

Der Mann nämlich, den wir jetzt meinen, geht Sonntag für Sonntag von Kirche zu Kirche und kommt überall zum Abendmahl zupaß. Er hat sich das so zurechtgelegt und er hat einen guten Zug. Und wenn der Dompfarrer, jetzt im großen Gottesdienst – denn so schließt sich der Kreis, diese genau berechnete Rundreise –, den Kelch vielleicht schon wegziehen will, besagt jedenfalls die Anekdote, greift unser Mann, der andere wohlgemerkt, zu, sagt laut: Meinen Jesum laß ich nicht, und nimmt noch einen schönen Schluck.

Aber wir wissen ja, es handelt sich nicht um unseren stillen Litauer. Wir reden ihm die Geschichte nicht hinterher. Wir treffen ihn vielleicht wieder, jetzt wo wir ihn kennen.

Es hat so den Eindruck, als wollten wir unsere Stadt mit Skurrilitäten bevölkern, das macht sich so nett. Aber es ist eine große Stadt, von der hier erzählt wird, mit vielen ordentlichen Leuten, mit Industriewerken, Werft und Waggonbau, einem ausgedehnten Hafen und viel Handel, ein Umschlagplatz von Bedeutung. Was sind da schon ein paar Skurrilitäten, sie verschwinden einfach.

Wir wollten dann aber doch noch dem Mann nachgehn, viel zu spät leider, da hatten wir ihn schon aus den Augen verloren, gingen bloß so die Treppe hinunter und über den Platz, an einem Kaufhaus vorbei, über eine Brücke, sahen hinüber zu den Speichern, bei denen Schiffe vor Anker lagen, kamen noch über eine weitere Brücke, zur Vorstadt. Und da wurde im gleichmäßigen Straßenverkehr eine Unruhe bemerkbar, es teilte sich einem gleich mit, es kam da etwas durcheinander, einige Wagen bogen in Seitenstraßen ein, Motorfahrzeuge hielten, und da war eine schneidende Musik zu hören, dahinter Geschrei, Kommandos, da kamen berittene Polizisten und hinter ihnen auch gleich die Nazis, ein ganzer Zug, braun in braun, bis auf die Augen, die blau sein sollten, nach Möglichkeit. Aber wir kommen um die Skurrilitäten, oder wie man es nennen will, nicht herum.

An dem Zug der Braunen rennt Straßenflötist Preuß entlang, schreit ihnen seine Meinung: Tagediebe, Rumtreiber, Liederjane und anderes entgegen und droht mit der Flöte.

Und meint eigentlich die Kommunisten, denn er sagt: Mußt ja der Kaiser den Krieg verspielen, mit euch Ochsen. Er unterscheidet das nicht, Demonstration ist Demonstration, es ist das Jahr 32, keiner der es ihm erklärt. Wer sollte es tun?

Unseren stillen Litauer würde der Preuß auslachen. Das wäre vielleicht nicht schlimm; schlimmer, daß er ihm gar nicht erst zuhören würde, einem solchen Dummkopf. Ach, Preuß.

Ja, aber wer sollte es dann tun? Der Saufkopp aus der Anekdote?

Der sagt bloß verächtlich, und meint die Braunen: Der ihr Führer trinkt nicht.

Oder der Dompfarrer? Aber der ist zu gelehrt, um mit dem

Preuß reden zu können, oder doch vielleicht nicht gelehrt genug.

Womöglich geht er zum Pfarrer Motz am Steindamm. Der sich ja alle seine Gemeindekinder aufpacken und geradewegs in den Himmel tragen möchte. Aber wo wird er denn, der Preuß. Obwohl er dahin gehört, jedenfalls in diese Steindammer Kirche, schon weil er dort wohnt.

Dabei ist es längst Zeit geworden, für alle. In einem halben Jahr sind die Hitlerleute dran. Da werden nicht nur die Kommunisten gejagt, deretwegen der Kaiser den Krieg verlor, nach Ansicht von Preuß, sie zu allererst, sondern sie fangen auch den Preuß ein, in seiner Behausung in dieser Wagnerstraße, die jetzt in Richard-Wagner-Straße umbenannt wird, aber sonst so bleibt, als einen Staatsfeind oder Volksfeind, wie sie sagen, aus dem gleichen Grund also wie die Kommunisten und wenig später den Dompfarrer. Da nehmen sie auch gleich den Sonntagssäufer mit, als asoziales Element, und bald danach unseren stillen Mann, als geistig minderwertig.

Haltet Gottes Gebote, ruft er ihnen entgegen, als sie kommen. Aber das tun die nicht.

Günter de Bruyn
Fedezeen

1

Der Weg zu Großvater war weit, anstrengend und oft gefährlich, die Kekse aus der Blechbüchse schmeckten muffig, und abends fürchtete ich mich in dem alten Mietshaus; trotzdem ging ich gern zu ihm, um von den verzauberten Teichen zu hören.

Immer, wenn ich zu ihm kam, saß er am Fenster neben der Nähmaschine und sah hinaus auf die Brandmauer des zweiten Hinterhauses, deren graues Putzkleid bei jedem Regen mehr zerschliß und die scheußliche Nacktheit nachlässig gemauerter Ziegel sehen ließ. Er hielt den Kopf wie einer, der am fernen Horizont etwas zu erkennen versucht, und erst wenn er mir sein knochiges Gesicht mit den stumpfen, milchigblauen Augen zuwandte, wußte ich wieder, daß er fast blind war.

»Tach ok, min Jung«, sagte er, erhob sich langsam aus dem leise ächzenden Korbstuhl, schlurfte zum Kleiderschrank, nahm die Keksbüchse herunter und trug sie zur Nähmaschine, auf der ich bereits saß und darauf wartete, daß er zu erzählen begann. Meist aber dauerte es lange, bis er sein Schweigen brach. Im Sommer summten Fliegen an der Scheibe auf und ab, im Winter trieben verirrte Windstöße Schneewirbel gegen die Fenster, im Hofschacht unten klapperten Müllkästen, weit entfernt, von der Yorck- oder Belle-Alliance-Straße her, erklangen Marschmusik und Autogehupe. Mein Gesäß schmerzte vom harten Sitzen, manchmal fielen mir, wenn ich auf das eintönige Ticken des Regulators hörte, die Augen zu, aber nicht eine Minute bereute ich es, gekommen zu sein.

»Kannst du schwimmen?« Völlig munter war ich, wenn er mit dieser Frage begann.

»Ja, Großvater, ein bißchen.«

»Dat's gaut; ohne Schwimmen helpt dat nicht so veel!«

Das Stückchen Himmel, das man sehen konnte, wenn man den Kopf auf die Fensterbank legte und steil nach oben blickte, war meist schon grau wie der Mauerputz geworden, wenn Großvater zu sprechen begann. Er redete mit leiser Verschwörerstimme, bei deren Klang sich die Haut auf meinen Armen in angenehmer Erregung zusammenzog.

»Hest du wedder wat?«

»Ja, Großvater«, sagte ich und breitete auf der Fensterbank die Pfennige und Sechser und Groschen aus, um die ich seit Stunden meine Faust gepreßt hatte. Großvater betastete jedes der handwarmen Geldstücke und rechnete leise dabei. Auf einen Wink von ihm lief ich zum Bett und zog unter dem Keilkissen das großkarierte Tuch hervor, in das er die neuerworbenen Schätze einwickelte. Wieder rechnete er mit aufgeregt flatternden Lippen. Ich schlich zur Tür und legte den Riegel um; Großvater öffnete den Nähmaschinenkasten. Unter Lappen und Garnrollen versteckt, lag unsere Kassette, eine Tabakschachtel mit dem knallbunten Bild eines pfeiferauchenden Robinson; trotz der Kratzspuren waren die Felljacke, der Sonnenschirm und der im Hintergrund arbeitende schwarze Freitag noch gut zu erkennen. Verräterisch schepperte das Blech, wenn das Geld hineinfiel. Großvater feuchtete den kurzen Stift mit der Zunge an und gab ihn mir. Vor Aufregung zitternd, trug ich die neue Summe auf der beiliegenden Schreibheftseite ein. Dann wurde Robinson wieder unter Tuch, Zwirn und Stecknadelkissen begraben. Die Tür wurde entriegelt; nun erst konnte ich mich richtig freuen.

»Wie lange noch, Großvater?«

»Iher, as du di denkst, Jung!«

Wir sparten seit Jahren. Ich drängte mich den Nachbarn als Einholer auf; ich hackte beim Kohlenhändler Holz, zählte Briketts in die Kästen; ich bettelte den Jungen aus unserer Straße, die als Lehrlinge ihr erstes Geld verdienten, die Pfennige ab; ich kramte leere Flaschen aus Mülltonnen, hütete gegen Bezahlung Kleinkinder in Buddelkästen, erpreßte meinen älteren Bruder, den ich mit einem Mädchen im Park gesehen hatte; ich hangelte mit Magneten Münzen aus Kellergittern, verkaufte Weihnachts- und Ostersüßigkeiten an Schulkameraden; ich suchte vor Kinokassen, Theken, Ladentischen und auf Rummelplätzen nach heruntergefallenen Geldstücken und versuchte auch manchmal den Bäcker oder Milchhändler zu betrügen. Großvater aber sparte am Essen, an Strom und an Gas. War er allein, ging er mit der Sonne zu Bett, mit mir saß er im Dunkeln, kam meine Mutter, drehte er oft die Sicherungen heraus, und wir aßen das mitgebrachte Abendbrot bei Kerzenschein. Tee brühte er sich für Tage im voraus und trank ihn kalt; zum Mittag aß er nur Gerichte mit kurzer Kochzeit, Haferflocken-, Grieß- und Maggisuppen, Eierkuchen oder Blutwurst. Manchmal ging angeblich sein Kocher entzwei, und er ließ sich Erbswurstsuppen von der mitleidigen Nachbarin kochen. Sein Versuch, den sonntäglich gestimmten Spaziergängern neben dem künstlichen Wasserfall am Kreuzberg mit demütig gezogener Mütze und frisch gewaschener gelbschwarzer Armbinde Groschen zu entlocken, endete zwar schnell auf einer Bank im Polizeirevier, aber auch ohne das füllte sich langsam unsere Kasse, und der ersehnte Tag rückte näher.

Zweimal glaubten wir uns schon nahe am Ziel und wurden enttäuscht. Das war, als Großvater von der Fahrpreiserhöhung erfuhr, die irgendwann in den grauen Jahren seines Stadtlebens einmal erfolgt war, und dann, als ich zehn Jahre alt wurde und damit die Kinderermäßigung für mich wegfiel. Aber wir gaben nicht auf, sparten weiter und hüteten unser Geheimnis.

Die Versuchung, Freunde einzuweihen und zu Großvater mitzunehmen, war groß; denn der Weg war langweilig und manchmal, wenn in den Schluchten der Nebenstraßen uniformierte Jungenhorden lauerten, auch gefährlich; aber obwohl Großvater es mir nicht ausdrücklich verboten hatte, tat ich es nie, weil ich ahnte, daß niemand den Zauber unserer Teiche würde begreifen können, und weil ich Angst vor ihrem Lachen hatte. Schon der Name der Straße, in der Großvater wohnte, reizte sie dazu. Fidizin war für sie ein komisches Wort; ich verstand es nicht, wußte es aber aus bitterer Erfahrung. Es verführte sie zu albernen Witzen; sie machten Medizin daraus oder hängten weitere Silben mit i an. Für mich hatte das Wort einen überaus schönen Klang: So surrten die vielfarbig glitzernden Libellen über die Teiche. Und wenn an den schularbeitsfreien Mittwochnachmittagen, während die anderen ihren »Dienst« hatten, auf dem Weg zu Großvater die ermüdend vielen steinernen Rechtecke des Pflasters, die aussahen wie traumhaft-endlose Hopsefelder, unter meinen schwächer werdenden Schritten vorbeizogen, übte auch ich mich in Fidizin-Wortspielen, aber in ernsten. Fodozoon, das war die Sonne über den Feldern, Fadazaan der Dufthauch des Kalmus, der Flug des Milans, Fuduzuun der Ruf der Unken, das Hämmern des Spechts, der nächtliche Schrei der Eulen. Nur das Fedezeen hielt ich zurück; es erinnerte an das »Nee« des Großvaters, an leere Kassen und trostlose, gelbe Sandberge. Aber auch darüber hätten sie gelacht, die anderen, mehr aber noch, wenn sie nach mühevollem Treppensteigen im Kirchenlicht der buntbemalten Flurfenster den in kunstvoll verschnörkelten Buchstaben auf glänzendes Messing gemalten Namen des Großvaters, Wilhelm Rosinchen, entziffert hätten. Nein, man konnte sie nicht einweihen; man konnte sie nicht mitnehmen.

Daß Großvater schwieg, ist sicher. Großmutter hatte alles gewußt; aber sie lag schon länger, als ich denken konnte, mit ihrem schneeweißen Papierhemd im Sarg und wartete auf ihn, der ihr aber erst folgen wollte, wenn er mir die Teiche gezeigt hatte. Wenn er von ihnen redete und meine Mutter die Stube betrat, schwieg er sofort oder brabbelte sinnloses Zeug vor sich hin. Einmal hatte ich Kitty, das Mädchen mit den vorstehenden Zähnen, das zweimal wöchentlich Brot und Maggisuppen für ihn einkaufte, im Verdacht der Mitwisserei; aber auf meine eifersüchtige Frage erzählte er mir, daß sie ihm vorgeschlagen hatte, die Nähmaschine, Großmutters Nähmaschine, zu verkaufen, und da wußte ich, daß sie unwürdig war.

Unsere Teiche lagen in der Gegend, in der Großmutter geboren war. Sie hatten keinen Namen, da niemand sie kannte; nur ein Köhler hatte von ihnen gewußt und vor seinem Tode Großvater davon erzählt. Vielleicht waren sie auch zu klein für einen richtigen Namen. Großvater nannte sie manchmal Waldaugen, manchmal Glücksteiche, meist aber kamen wir ohne Namen aus.

Sie lagen tief in den Wäldern, die so trocken waren, daß niemand sie in ihnen vermuten konnte. Daß sie auch in den heißesten Sommern nicht austrockneten, daß Fische in ihnen lebten und Laubbäume, die es sonst in der Gegend nirgendwo gab, sie umstanden, konnte Großvater erklären; unerklärlich aber war auch ihm, daß sie im Winter nicht zufroren. Lag es an den Unmengen vielfarbenen Laubs, das im Herbst die winzigen Wasserspiegel wärmend bedeckte? Brachten Quellen aus dem Erdinnern heiße Wasser herauf? Man wußte es nicht, auch wenn man erfuhr, wie die Teiche entstanden waren; aber doch schien einem dann einiges klarer zu sein.

Da stand einmal, vor unvorstellbar vielen Jahren, als Großvater noch nicht lebte und dessen Großvater auch noch nicht, dort, wo unsere Teiche jetzt durch Astgewirr zum Himmel sahen, ein Berg und auf dem Berg ein Schloß von glänzendem Weiß, im Umkreis von vielen Meilen sichtbar, und auf dem Schloß wohnte eine Prinzessin, die schön war wie das erste Schilf im Frühjahr und spröde wie das braune Rohr im Frost. Bewerber strömten aus allen Himmelsrichtungen herbei, füllten Straßen und Wirtshäuser, standen Schlange vor dem Schloß, schöne Jünglinge und weise Greise, von nah und fern, Schwarze, Gelbe selbst dabei, Ritter und Schriftgelehrte, Clowns und andere Künstler, Gnomen und Riesen; jeder wollte sie besitzen, sie aber wollte niemandes Besitz werden, weil sie besessen war vom Traumbild eines Jünglings, der nicht kam. Ein großer Zauberer schließlich, der übers Meer gekommen war, um sie zu freien, und wie die anderen abgeschlagen wurde, verfluchte sie. Ein Erdbeben erschütterte das Land, ein gähnend schwarzer Abgrund tat sich auf, und Berg und Schloß und Jungfrau stürzten in die Tiefe. Von der Tränenflut der Prinzessin aber blieben die Teiche zurück. Einmal in hundert Jahren zur Johannisnacht steigt sie empor. Glühwürmchen umschweben sie, die gelben Mummeln auf den Teichen verneigen sich vor ihr, sie sitzt am Ufer, weint, flicht weiße Seerosen zu einem Kranz und wartet auf den reinen, unbescholtenen Jüngling, das Sonntagskind, das sie erlösen kann.

Immer wieder verlangte ich von Großvater diese Schöpfungsgeschichte zu hören, und er erzählte, und sie wurde immer schöner und länger und detailreicher dabei. Beim Auftritt der Prinzessin in der Johannisnacht spielten bald nicht nur die Seerosen mit, auch die Libellen und Frösche, die Binsen und Enten bekamen ihre Aufgaben. Nie aber versäumte er, Enttäuschungen vorwegnehmend, zu betonen, daß ich an einem Sonnabend geboren und also nicht bestimmt sei, sie zu erlösen. Aber er wußte auch, daß sie sich über jeden freute, der ihre Teiche fand und darin badete, und diese überschüttete sie dann mit Glück, mit größerem die, die bis zur Mitte schwimmen konnten.

Großvater hatte auch gebadet in den Tränen der Prinzessin, aber nur am Rand, da er nicht schwimmen konnte. Trotzdem: kaum war er anderen Tags aus dem Walde heraus, sah er zum erstenmal die Großmutter, sie hütete am Wegrain Ziegen, und sie nur anzusehen schien ihm schon Glück genug. Jedoch der Zauber der Prinzessin wirkte weiter; Großmutter sagte ja auf seine Frage, obwohl er weder Geld noch Arbeit hatte und die Polizei ihn suchte; sie küßte ihn und ging mit ihm nach Berlin. Und nicht genug damit. Als in der fremden, grauen Stadt sich nichts zu beißen und zu brechen für sie fand, nahm eine alte Frau sie auf, die bald darauf verstarb und ihnen die Nähmaschine hinterließ, die sie und meine winzig kleine Mutter, die in der Fidizinstraße, zwei Treppen rechts, zur Welt gekommen war, vorm Hungertod bewahrte. Und dabei hatte Großvater nur am Rand gebadet, nicht einmal sein Kopf war naß geworden dabei.

Ich aber konnte schwimmen und sogar tauchen, was wohl noch mehr bedeuten mußte, doch kümmerte mich die Glücksverheißung erstaunlich wenig. Mir war vorstellbares Glück so eng mit der Fahrt zu den Teichen verbunden; der erste Schritt an ihren Ufern, der erste Blick zu den Ulmen, das erste Bad auch so sehr Endpunkt, so sehr Erfüllung, daß mir zukünftiges Glück ganz und gar unwichtig erschien.

Ich sagte es Großvater, und er freute sich darüber, denn er fühlte ebenso. Glück war das Leben an den Teichen, fern der Stadt, fern ihrem Lärm aus Lautsprechern und Fanfaren, ihren Häuserschluchten mit uniformierten Horden, fern von Schule, Benzingestank und Kommandos. Großvater wußte: Viele litten wie wir, aber keiner außer uns beiden kannte den Ausweg ins Glück, die Wälder, die Teiche.

3

Nicht nur an Fahrgeld war zu denken, auch an das Gepäck. Immer fiel uns zuerst ein, was wir nicht brauchten, Essen zum Beispiel. Auf der Bahnfahrt würde die freudige Erregung jeden Hunger ersticken. In entsetzlicher Ungeduld vergehen die ersten Stunden, ich lese Großvater die Namen der Stationen vor, er schüttelt den Kopf, wieder und wieder, dann aber auf einem elenden Bahnhof, nur Gleis und einsames Wartehäuschen, richtet er sich auf, seine Lippen zittern wie immer vor den ersten Worten, er preßt die Nase an der Scheibe platt, dann brabbelt er los: Hier ist Großmutter mal in Stellung gewesen. Auf der nächsten Station, einer kleinen Stadt mit der einen kopfsteingepflasterten Straße, an deren Anfang der Bahnhof und an deren Ende die Kaserne liegt, hatte Großvater einrücken müssen zur Artillerie, weil er mit Pferden umgehen konnte. Nun brauche ich nicht mehr vorzulesen, Großvater weiß die Reihenfolge der Dörfer. Wir stehen schon auf, schnallen den Rucksack über, nehmen Großmutters Hutschachtel aus dem Gepäcknetz, obwohl wir wissen, daß wir erst auf der vierten Station aussteigen. Dann ist es soweit, wir stehen auf dem Bahnsteig, allein, hoffentlich allein, atmen tief und gehen los, durch blühende Rapsfelder, Großvater frisch wie nie, ohne Rast dem Walde zu. Würden wir bis dahin ans Essen denken können? Und unter den Kiefern dann, zu Beginn der großen Waldtour würden wir finden, was wir brauchten: Beeren, vielleicht auch Kräheneier, bestimmt aber Pilze, die gibt es immer, sogar im Winter den Schneepilz mit weißgrauem Hut, Großvater wußte Bescheid.

Das Geld für Brot und Wurst also konnten wir sparen, aber zu trinken würden wir etwas mitnehmen, Tee am besten, in Großvaters alter Kaffeeflasche; denn der Wald, den wir stundenweit durchqueren würden, war trocken und sandig; Mahlheide nennen ihn die Leute aus Großvaters Dorf. Grau und pulvrig ist der Sand auf den Hügeln, wir stapfen lautlos hindurch; dann geht es über schwärzliches Moos, das knistert, wenn man drauf tritt; Äste knacken unter unseren Stiefeln, heiser krächzend, flattern Eichelhäher vor uns her. Kein Lufthauch lindert die Hitze, die zwischen den dürftigen Kiefernstämmen steht. Selbst wenn es geregnet hat, ist der Wald wieder trocken, bevor der letzte Tropfen von den Ästen gefallen ist. Die Kaffeeflasche wäre leer, ehe Großvater stehenbliebe und aufgeregt die Nase in die Luft streckte. Nun rieche auch ich es. Duft von feuchtem

Moos, von dicksaftigen Blättern, von Wasser weht uns entgegen wie der kühle Atem des Morgens. Noch einen mahlsandigen Hügel müssen wir hinauf, höher und steiler als die zuvor, dann sehen wir unter uns den Teppich der Laubbaumkronen.

Die Frage, ob Decken nötig wären, beschäftigte uns lange. Auch Laub und Moos waren warm und weich, aus Binsen konnte man Matten weben, ein Wetterdach aus jungen Buchenstämmen war schnell errichtet. Und doch entschieden wir uns schließlich für die Decken. Am Spätnachmittag erst könnten wir durch dichte Farne zu den Teichen hinunterlaufen, ich voran bis zu der kleinen, baumlosen Kanzel mit dem Findlingsblock, von dem aus man die Teiche zuerst sieht, vier tellerrunde schwarze Spiegel in schattenüberspieltem Grün. Schwer schnaufend, den schweißnassen Schnurrbart zerzaust, tastet Großvater sich mir nach. Ich schäme mich, ihn vergessen zu haben, und laufe zurück. Dann stehen wir dicht beieinander, das Ziel endlich vor Augen. Seine von Adern überzogene Hand mit den zerstörten Nägeln liegt auf meiner Schulter. Ich will ihm erklären, was alles zu sehen ist, aber er schüttelt den Kopf. Er weiß es auch so. Als wir uns langsam den Teichen nähern, beginnen Bleßhühner zu kreischen. Bei jedem Schritt bergab ändert sich die Färbung des Wassers; aus Schwarz wird blendendes Silber, aus Silber Grün, aus Grün Blau; dann stehen wir am Ufer, beugen uns vor und sehen, daß das Wasser klar und durchsichtig ist wie frisch geputzte Fensterscheiben. Jede Windung des spitzen, gedrehten Hauses einer Wasserschnecke ist deutlich zu erkennen. Schade würde es sein, in diesen ersten Stunden an die Arbeit für ein Nachtlager denken zu müssen. Deshalb ist es gut, Decken zu haben; ich werde Großvater in seine einwickeln, wenn die Dämmerung von den Zweigen fällt; ich schlüpfe in meine, und dann liegen wir im schweren Geruch des Kalmus, der seine schwertartigen Blätter vor uns zum Himmel reckt, und lassen kein Auge von unseren Teichen, die jetzt rosenfarbig geworden sind. Von irgendwoher fällt ein Wind in das Tal und läßt das Rohr sirren und zittern. Sumpfgasblasen perlen empor und zerplatzen lautlos. Zwei Enten erschrecken uns mit hastigen Flügelschlägen, sie fallen ein und reißen die stille Wasserfläche auf. Die Dunkelheit füllt das Tal mit feuchter, kalter Luft.

Die Decken mußten mit wie auch die Werkzeuge und Angelgeräte, die gleich am ersten Morgen ausgepackt werden würden. Von diesem ersten Morgen sprach Großvater am liebsten. Er versuchte das Knarren des Drosselrohrsängers und die Lockrufe der Entenmutter nachzuahmen, beschrieb mir das Flügelknistern der stahlblauen Libellen, die Blütenfarbe der Sumpflilien und das Flugbild des Milans, der vielleicht noch immer in der Eiche nistet. In den Wipfeln ist schon heller Tag. Finster steht das Binsengebüsch vor dem Schilfgürtel. Scharen kleiner Fische beginnen zu springen und bringen das Wasser stellenweise zum Brodeln. Während ich nach dem ersten prickelndkalten Glücksbad die Angel auswerfe, watet Großvater durchs Schilf und bringt eine Handvoll Frühstückseier mit, weiße und graugesprenkelte. Die Fische beißen, als hätten sie seit der Verwünschung der Prinzessin auf unsere Köder gewartet. Silberweiße Plötzen, goldglänzende Rotfedern, bleifarbene Brassen, schwarzstreifige, spitzflossige Barsche, schleimige Schleie fliegen an Land, zappeln zwischen den mit Kuckucksspucke verzierten Lichtnelken. Dann reißt die Schnur unter den wasseraufwirbelnden Schwanzschlägen eines gelbbäuchigen, breitmäuligen Hechts. Großvater lacht so über mein schafsdummes Gesicht, daß ihm der Speichel über das unrasierte Kinn tropft. Angelschnüre wollten wir reichlich mitnehmen. Der Hecht war uns sicher; einmal würde er sich an dem der Länge nach durch ihn getriebenen Spieß über dem Holzfeuer drehen. Auch Zündhölzer mußten wir mitnehmen, mehrere Pakete. Bis der Frost kam, mußten sie reichen; dann würde unser Feuer im Blockhaus nicht mehr ausgehen.

Mehr als das sagte Großvater nie über den Winter. Mich fröstelte manchmal beim Gedanken daran. Auch fragte ich mich, ob es genug Schneepilze geben würde. Aber wir hatten ja die Fische aus den immer offenen Teichen.

Von einer Heimkehr in die Stadt war nie die Rede.

4

In den Wochen vor den Sommerferien lebte ich wie ein gehetztes Wild. Fast täglich klingelte es an unserer Wohnungstür, und vor meiner Mutter strammstehende Jungen brachten Befehle, zum »Dienst« zu kommen. Ich versteckte mich, meine Mutter bot den Boten Bonbons an, die sie stolz ablehnten, und suchte nach Entschuldigungsgründen. Nachdem der Klassenlehrer mich öffentlich gerügt hatte, hielten auch meine Freunde nicht mehr zu mir. Auf einen amtlichen Brief hin ging meine Mutter in das Büro des Stammführers, eines netten jungen Mannes mit Abitur. Er machte einen so guten Eindruck auf sie, daß sie mich danach zum erstenmal scharf verhörte. Auch sie verriet mich, indem sie mein Schweigen nicht verstand. Es hätte auch nichts genutzt, ihr zu sagen, daß ich mich vor dem Sohn unseres Gemüsehändlers, der mittwochnachmittags eine grün-weiße Kordel trug, nicht auf eine Handbewegung hin in den Dreck fallen lassen konnte. Anscheinend konnten es alle außer mir; ich wußte nicht, warum.

Mutter brachte mich zu einem Arzt. Auch er war nett und verständnisvoll, aber auf den Zettel für den Stammführer schrieb er, daß ein Aufenthalt im Zeltlager meiner schwachen Konstitution gut bekommen würde. Dem Zettel glaubte meine Mutter mehr als meinem Schweigen. Am zweiten Ferientag sollte ich fahren. Am ersten machte ich mich auf den Weg zur Fidizinstraße, fünfundneunzig schwerverdiente Pfennige in der Faust. Ich hatte nicht einmal geweint in dieser Zeit. Wie gut, daß ich keinem von unseren Teichen erzählt hatte.

Bei Großvater gingen zwei Männer auf und ab, die aussahen, als ob sie mit zehn Jahren auch Kordel und Koppel getragen hatten. Großvater sollte in ein Veteranenheim umsiedeln. Sie wechselten sich ab im Reden, sprachen von der Bombenverpflegung, dem schneidigen alten Heimvater, der auch eine Stimmungskanone sein konnte, von den Kameraden, die sie Pfundskerle nannten, und von der stolzen Freude an Kriegserinnerungen, und dann sagten sie immer gleichzeitig: »Wahrhaftig ein würdiger Abschluß eines deutschen Frontkämpferlebens!« Sie wollten Großvater aus dem Haus haben, weil seine Einzimmerwohnung vom Blockwart als Lagerraum für Helme, Sandsäcke, Wassertonnen und Feuerpatschen gebraucht wurde.

Großvater hatte sein dämlichstes Gesicht aufgesetzt. Seine halbgeschlossenen Augen blickten blöde ins Leere, und unaufhörlich kaute er sabbernd an seinem schlohweißen Schnurrbart. Wenn nach dem gemeinsamen Spruch über das Frontkämpferleben eine kurze Pause eintrat, brabbelte er nicht zur Sache gehörendes Zeug vor sich hin, das die Männer nicht verstanden. »Koppweih hadd de oll Korporal kregen, as dat Pierd em up den Dez pinkelt hadd.« Schließlich zogen sie ab, nachdem sie ihm ins Ohr gebrüllt hatten, daß sie am Tag drauf mit Möbelwagen und Taxe wiederkommen würden, um ihn im Heim abzuliefern.

Wir lauschten, bis das Poltern der Stiefel auf der Treppe verstummte. Großvater strich den feuchten Schnurrbart glatt und öffnete die Augen wieder.

»Ich nehme dich mit zu uns!« sagte ich.

»Sülwst is de Mann!« knurrte er und deutete zur Tür. Ich legte den Riegel vor, holte das Tuch aus dem Bett, schwang mich auf die Nähmaschine und ließ meine fünfundneunzig Pfennige auf die Fensterbank rollen. Großvater zählte tastend. Dann wurde Robinson herausgeholt, der Stift angefeuchtet. Ich schrieb, Großvater rechnete im Kopf. Dann lehnte er sich in den Korbstuhl zurück. Seine Lippen zitterten kein bißchen, als er sagte: »Morgen früh führen wi, Jung!«

5

Der Morgen hatte die schwülwarme Nacht mit einem kaum merklichen Hauch von Kühle beendet. Als ich auf die Straße trat, stand die Sonne erst fingerbreit über dem Krankenhausdach, aber schon spürte man die Hitze des fernen Mittags. Trotz des Tornisters, der hart auf meinen Rücken schlug, lief ich ein Stück neben einem Sprengwagen her, bis meine Beine pitschnaß waren und das Wasser in meinen Schuhen schmatzte. Erst dann erinnerte ich mich meiner Mutter, die aus dem Fenster lehnte, um ihrem Jungen einen Abschied zuzuwinken. Sicher war neben der Angst auch ein wenig Stolz in ihren Augen. Die Freude am frühen Sommerferientag, die der Sprengwagen gebracht hatte, verging, für einen Moment war Trennungsschmerz da und die Ahnung künftigen Heimwehs, aber dann siegte der Haß wieder, der die erste große Lüge meines Lebens rechtfertigte. Um ihre Ruhe zu haben, schickte sie mich ins Lager, sie sollte für immer ihre Ruhe vor mir haben.

Ich sah alles wie zum letzten Mal: die vertraute Fassade der Mietshäuser mit der winkenden Mutter darin, die Osram-Reklame auf der Brandmauer, die Lastwagen, die zum Güterbahnhof hinauffuhren, die zahme Elster des Zeitungsverkäufers unter der Brücke und die dumm lächelnden Puppen im Schaufenster von Kajot, Uniformen für alle Gliederungen der Partei. Ich sah es genauer als sonst, aber ohne jeden Schmerz. Vielleicht hätte ich ihn empfunden, wenn ich die nach Leder und Imprägnierung riechende Uniform nicht hätte tragen müssen, die mich zu einer dieser Schaufensterpuppen machte. Mutter hatte viel Geld ausgegeben, um ihren Sohn vorschriftsmäßig ins Zeltlager zu schicken. Ich hatte die vergebens vertanen Scheine und Münzen ohne Bedauern in der Kasse des Kaufmanns verschwinden sehen; Geld interessierte mich nicht mehr, seitdem der notwendige Fahrpreis in der Blechbüchse lag.

Selbst der Abschied von Großvaters Wohnung brachte keinen Schmerz, eher ein Gefühl der Erlösung; es war unsere Stube nicht mehr, seitdem die Nähmaschine nicht mehr vor dem Fenster stand. Kitty, das Mädchen von nebenan, hatte sie zur Aufbewahrung bekommen; nur ich hatte das Recht, sie einmal zurückzufordern. Ich sagte: »Ja, Großvater!«, aber ich dachte: Was soll ich an unseren Teichen mit einer Nähmaschine? Felljacken kann man damit doch nicht nähen.

Der Friedhofswärter, der gähnend das Tor an der Bergmannstraße öffnete, sah uns verwundert an, als wir früher als sonst mit Tornister und Hutschachtel an Blumenladen und Gefallenendenkmal vorbei hinter Nummer 231 in den Seitenpfad einbogen. Aber er fragte nichts, sagte nur etwas über die Hitze und ging in sein Häuschen zurück, um den Morgenkaffee zu kochen. An Großmutters Grab war es wie immer, nur erzählten wir ihr diesmal etwas geraffter als üblich, was seit unserem letzten Besuch passiert war. Auf dem Weg zur Gneisenaustraße, wo wir auf die 2 warten mußten, war nur von alltäglichen Dingen die Rede. Ich war enttäuscht, daß außer Gepäck und Uniform nichts anders war als sonst, daß die Freude nur matt in mir glimmte. Sie wurde ganz gelöscht, als ich Großvaters ständig wachsende Furcht bemerkte.

6

Am Bahnhof packte ihn vollends die Angst vor Verfolgern. Er glaubte, daß man hinter ihm her wäre, um ihn in das Heim zu sperren. Als ein Förster mit grünem Hut und Lodenmantel zu uns ins Abteil stieg, begann Großvater zu zittern. Je länger ich den Mann anstarrte, desto sicherer erkannte auch ich hinter dem falschen Schnurrbart das Gesicht eines der Männer vom Vortag. Von den Landschaften, die wir durchfuhren, sah ich kaum etwas. Wir sprachen kein Wort. Der Förster schlief, als wir ausstiegen, und wir hatten das Gefühl, ihn überlistet zu haben.

Bei der hohen Pappel müsse von dem zum Dorf führenden Fahrweg ein Pfad abzweigen, meinte Großvater, als wir auf dem sandigen Bahnsteig standen und mißtrauisch die Leute, die mit uns ausgestiegen waren, an uns vorbeiließen. Aber es gab keine Pappel weit und breit, dafür aber viele Fahrwege, die sich von einer Rampe aus in alle Richtungen verzweigten. Lastwagen zogen Staubwolken hinter sich her. Der Himmel war wolkenlos, aber die Hitze breitete Schleier vor die große, nahe Sonne. Hinter dem Dorf, von dem man nur ein paar flimmernde Dächer und den gedrungenen Kirchturm sah, stand der Wald wie eine niedrige, schwarze Mauer.

In einem der tiefausgefahrenen Wagengeleise umgingen wir das Dorf. Obwohl wir sehr schwitzten und das Atmen in der gnadenlosen Hitze immer schwerer wurde, spürte ich jetzt wieder einen Hauch der erwarteten Freude. Großvaters Aufforderungen, mich nach etwaigen Verfolgern umzusehen, wurden seltener. Ich beschrieb ihm die erkennbaren Häuser des Dorfes, aber er reagierte nicht darauf. Als einzelne Stämme und Wipfel sich aus der dichten Wand des Waldes zu lösen begannen, blieb Großvater stehen, hob die Nase und lächelte. Er roch den Wald.

Der Weg stieg kaum merklich an, er wurde sandiger, das silbergraue Korn daneben kleiner und spärlicher. Vor dem Wald bogen die Fahrspuren nach links ab. Ich ließ Großvater los und rannte über eine von Katzenpfötchen übersäte Brache auf den Wald zu. »Fodozoon!« schrie ich triumphierend, als ich den Tornister in das knisternde Moos fallen ließ. Keuchend und kichernd trippelte Großvater mir nach.

Wir rasteten nicht so lange, wie wir uns vorgenommen hatten. Das Wandern auf festem Waldboden lockte, die Erwartung, unsere Teiche zu sehen und ihre kühle Luft zu atmen, vertrieb jede Müdigkeit. An den steiler werdenden Höhenzügen, die wir überquerten, konnte Großvater sich orientieren. Ich sang ihm alle Lieder vor, die ich kannte. Gegen Mittag erreichten wir einen lichten Hang, von dem aus die Wellentäler der unendlichen Wälder zu übersehen waren. Großvater behauptete, daß man von dieser Stelle aus bei klarer Luft die hellere Färbung der Laubbäume im Tal der Prinzessin erkennen könnte. Es war aber mit der Mittagshitze auch der Dunst stärker geworden, der alle Farbunterschiede weißlich flimmernd ineinander verschmolz. Die schwache Staubwolke, die einige Minuten über den Wald zog und dann verging, war so unwirklich, daß ich sie Großvater verschwieg und auch selbst bald vergaß.

Sie kam mir erst wieder in den Sinn, als wir unversehens einen durch den Wald geschlagenen Weg mit frischen Autospuren kreuzten, über dem sich an Masten befestigte Drähte hinzogen. Großvater erschrak, als er den Abdruck der Profilreifen unter den Füßen spürte, dann aber begann er zu kichern. Die Vorstellung, daß Menschen hier vorbeifuhren, ohne von unserem Paradies hinter dem übernächsten Waldhügel zu wissen, machte ihm Spaß. Ich bemühte mich vergeblich, die Freude festzuhalten und die aufsteigende Angst zu bekämpfen.

Der Wald blieb, wie er war, trocken, nichts als Kiefern und Sand, braune Nadeln am Boden, knackende Äste, unbewegte, heiße, nach Harz duftende Luft. Die Erinnerung an den Weg und die Autos, die Masten und Drähte verging, war aber spürbar als schwache, ungewisse Furcht, die dann plötzlich in der nächsten Senke riesenhaft anschwoll, Kopf und Glieder lähmte, als wir vor dem Zaun standen.

Betonpfähle, höher als Großvater, hielten weitmaschigen Draht; darauf gesetzt waren nach außen geneigte Eisenstangen, zwischen denen sich in fünf gleichlaufenden Linien Stacheldraht spannte. Innen lief ein kaum sichtbarer Trampelpfad entlang, nicht breiter als ein Wildwechsel, sonst war der Wald unberührt, soweit wir sehen konnten.

Wir lehnten am Zaun, die Hände in die Maschen gekrallt, zitternd, plötzlich müde und zu Tode erschöpft, hungrige Häftlinge, die teuflisch genarrt waren. Hatte ich das nicht schon einmal geträumt, das Gitter vor der Freiheit, oder gedacht, wenn ich »Fedezeen« nicht ausgesprochen hatte?

Großvater keuchte und stöhnte, als bliebe der Atem ihm weg; er hing an dem Zaun, wie vom Starkstrom festgehalten, dann stieß er sich zurück, fiel wieder nach vorn und riß an dem Draht. Und dann lief er los, an den Betonpfählen entlang. Ich hob Großmutters Hutschachtel auf und rannte ihm nach.

Der Zaun zog sich in grausamer Gleichförmigkeit dahin, bergauf, bergab durch unseren Wald; alle paar hundert Meter bog er stumpfwinklig nach innen ab. Die Sonne, die vorher rechts vor uns gestanden hatte, wanderte nach links hinüber. Der Wald veränderte sich; Grasbüschel, Farnkraut und Blaubeerstauden bedeckten den Boden, krüpplige Eichen wuchsen zwischen den Kiefernstämmen. Ein Kahlschlag öffnete sich. Einer der fallenden Bäume hatte den Zaun halb umgerissen. Wir kletterten hinüber, Großvater blutete an der Hand, ich am Knie. Hutschachtel und Tornister ließ ich fallen. Wir liefen einen Hang hinauf. Dahinter mußten unsere Teiche liegen. Oben brachen wir durch dichtes Gebüsch und sahen hinunter.

Einige der mächtigen Eichen, Erlen und Ulmen standen noch. Ihre weitausladenden Äste überragten einen Bunker, auf dessen flaches Dach Büsche und junge Bäume gepflanzt waren.

Auf der anderen Seite des einstigen Tales waren gelbe Sandberge aufgeschüttet. Großvater brach, ohne einen Laut von sich zu geben, zusammen. Ich kniete mich neben ihn und schob trockenes Laub unter seinen Kopf. Wortlos bewegten sich seine Lippen.

Ich erschrak kaum, als ich die Schaftstiefel eines Soldaten neben mir sah. Was wir hier suchten, wollte er wissen.

»Unsere Teiche«, sagte ich.

»Die Sumpflöcher sind zugeschüttet«, sagte der Soldat. »Und ihr müßt verschwinden!«

Da hob Großvater mühsam den Kopf und sagte: »Tauschürt? Jih hebben sie tauschürt, die schöne Prinzeß!« Er ließ den Kopf wieder fallen. Das Laub raschelte ein wenig. Er schloß die Augen und öffnete sie auch nicht, als die Soldaten ihn wegtrugen. Auch beim Verhör in der Baracke sagte er nichts. Die Soldaten lachten, als ich Großvaters Namen sagte. Ich sah nur ihre Koppelschlösser, die mich kalt anstarrten, aber ich bin sicher, daß sie auch grinsten, als ich von der Fidizinstraße sprach.

Großvater sagte nur noch einmal etwas, bevor dieses furchtbare Zucken in sein Gesicht kam. Er sagte: »Ik komm all!« Er sagte es leise; Großmutter in ihrem weißen Papierhemd hörte es wohl auch so.

FRANZ FÜHMANN
Die Schöpfung

> Und Gott sprach: Lasset uns Menschen machen, ein Bild, das uns gleich sei, die da herrschen über die Fische im Meer und über die Vögel unter dem Himmel und über das Vieh und über die ganze Erde und über alles Gewürm, das auf Erden kriecht.
>
> Und Gott schuf den Menschen ihm zum Bilde, zum Bilde Gottes schuf er ihn und schuf sie, einen Mann und ein Weib.
>
> Und Gott sah alles an, was er gemacht hatte, und siehe da, es war sehr gut. Da ward aus Abend und Morgen der sechste Tag.
>
> *Das Erste Buch Mose*

Ein junger Soldat, Ferdinand W., der unmittelbar nach seinem mit gut bestandenen, von den Fanfarenstößen der Siege in Griechenland und Jugoslawien überhallten Abitur zu den Waffen (die sich vorerst als Spaten erweisen sollten) gerufen worden war, hatte die harte Lehrzeit des Arbeitsdienstes beim Deichbau in den baltischen Sümpfen und der Rekrutenausbildung in einem Nachrichtenersatzbataillon bei Dresden glücklich hinter sich gebracht und fuhr nun, den Stahlhelmriemen fest angezogen und die Faust um den Karabiner gepreßt, seinem ersten Einsatz entgegen. Er war neunzehn Jahre, mittelgroß, grad gewachsen; sein volles braunes Haar war, wie in der Wehrmacht üblich, kurz und bürstenartig geschoren, was ihm jedoch nicht übel stand; die graublauen Augen blickten frisch, die Stirn war frei, die nach innen gewölbten Schläfen zum Jochbogen kantig geschnitten; das sanfte Kinn und die vollen Lippen jedoch gaben seinem Gesicht selbst unter dem Stahlhelm etwas Weiches und Träumerisches. W.s Vater war Arzt in einem mitteldeutschen Städtchen, und auch der Sohn wollte Arzt werden, allerdings nicht in der väterlichen Praxis, sondern in einer bedeutenden Chirurgie. Er war in Breslau, wo er den berühmten Professor L. wirken wußte, immatrikuliert und hoffte, nach einem Jahr Kriegsdienst zum Antritt des Studiums beurlaubt zu werden. Sein Wahlspruch lautete: Per aspera ad astra; sein Lieblingsheld war der Alte Fritz. Er schrieb sich außer mit seinen Eltern und einem Freund vom Reichsarbeitsdienst, den es nach Nordrußland verschlagen hatte, mit einer

Schulkameradin, die Inge hieß, blonde Zöpfe trug und sich einmal, nach der Abiturfeier, von ihm hatte küssen lassen. Er trieb gern, wenn auch nicht ausschweifend, Sport; am liebsten schwamm oder ruderte er in freien Gewässern; kurz vor dem Abitur hatte er noch seine Prüfung als Rettungsschwimmer abgelegt. Er war geselliger Natur, freigebig, kein Spielverderber und wegen seines gutmütig-naiven, selbst ein grobes Wort nicht verargenden Humors beliebt; er hatte auch leidlich Klavier spielen gelernt und unterhielt, wenn man ihn darum bat, eine fröhliche Runde ohne Sträuben mit dem Spielen von Märschen und Stimmungsliedern. Neben Kriminalromanen und Abenteuergeschichten, die seine Hauptlektüre bildeten, las er Novellen von Binding und Romane von Hans Carossa und, wenn er sich unbeobachtet glaubte, auch ein Gedicht. Zum Theaterbesuch hatte er wenig Gelegenheit gehabt und meist Operetten gesehen; ins Kino ging er ganz gern, Hans Albers fand er prima, Heinz Rühmann zum Schießen, von Brigitte Horney schwärmte er. In der Hitlerjugend hatte er es wegen seines Mutes und seiner Einsatzbereitschaft bei Geländespielen bis zum Kameradschaftsführer gebracht, obwohl er zu anderem Dienst, der ihn langweilte, nur ungern und unregelmäßig erschienen war. Seine weltanschauliche Einstellung und politische Haltung waren in seiner Personalakte als einwandfrei und fanatisch bezeichnet worden, der Nachweis arischer Abstammung war väterlicherseits bis zum Ausgang des achtzehnten, mütterlicherseits gar bis zur Mitte des siebzehnten Jahrhunderts lückenlos erbracht. Er war stolz darauf, Deutscher zu sein. Für den Führer, das Reich und die Rettung Europas vor dem Bolschewismus, den er sich als eine Art Zwangsherrschaft professioneller Verbrecher und arbeitsscheuer, blutgieriger Unmenschen vorstellte, war Ferdinand W. bereit, jederzeit freudig sein Leben hinzugeben, und nun fuhr er, nach dreizehn Jahren Schulbank, einem Jahr Deichbau in den baltischen Sümpfen und einem halben Jahr Hetzens durch Sandwüsten und lange, stets blank gescheuerte, nach Schweiß, Kastanien und Stiefelwichse riechende Korridore und einer Reise über Prag, Wien, Belgrad, Thessaloniki und Athen, seinem ersten Einsatz zu.

Es war der Morgen eines milden Maitages, als sie – drei Züge einer Funkerkompanie – in einem Hafen südlich von Delphi und östlich von Theben auf die Schnellboote zu warten begannen, die sie über den Golf von Korinth nach H., einer kleinen, nur auf Generalstabskarten verzeichneten Fischersiedlung an der Küste Peloponnes, tragen sollten, wo es eine von der taktischen Führung dringend benötigte Funkstation aufzubauen galt. Zwar gab es für diesen Zweck günstiger gelegene Orte, doch H. war schließlich eines festen, kastellartigen Gebäudes wegen gewählt worden, das sich beherrschend über Hafen und Dorf erhob und darum für einen Stützpunkt am Rand eines solch unkontrollierbaren Partisanengebietes wie des Peloponnes besonders geeignet erschien. Natürlich wußte W. ebensowenig wie seine Kameraden von Ort und Art ihres Auftrages; Soldaten dürfen ja nie mehr wissen, als zur Erfüllung ihrer unmittelbaren Aufgabe nötig ist, und ihre unmittelbare Aufgabe lautete, hier im Hafen zu warten, bis Boote kamen. Sie wußten nicht einmal, daß es Schnellboote waren, auf die sie hier warteten. Sie wußten nur, daß sie zu warten hatten, und so saßen sie, rauchend, dösend, skatspielend, ein Stück Brot kauend, auf ihren Tornistern und sahen schon nicht mehr auf die See hinaus. Es waren meist ältere Leute. Sie hatten in langen Dienstjahren warten gelernt, und also warteten sie. Manche schliefen im Sitzen, den Kopf in die Hände gestützt. Es war windstill und warm, und nur am Nordrand des Himmels zeigte sich der Saum einer Wolke, die langsam wuchs. Das Meer lag glatt, bis auf die winzigen Wellen, die unhörbar an den grauen Stein der Mole schaukelten und dort in einem silbernen Glitzern zerschellten.

Der Abend kam, eine Kaltverpflegung wurde ausgegeben und dazu gesüßter Tee. Das Hundegebell, das den Tag durchlärmt hatte, war verstummt; der Horizont, ein Fischernetz, triefend voll Finsternis, schon über das Molenende gezogen, und nur ein kleines unruhiges Feuer brannte fern am Strand, da endlich nahten die Schnellboote. W. war eingenickt; er hatte den langen Tag in fiebernder Erregung verbracht, wenngleich er es sich nicht hatte anmerken lassen und bestrebt gewesen war, gleichgültig und gelassen wie die Kameraden, die ja schon viele Länder gesehen und viele Fahrten erlebt und viele Einsätze durchgestanden hatten, auf seinem Tornister zu hocken, in einer Zeitschrift zu blättern oder bei einer Skatrunde zu kiebitzen und von Zeit zu Zeit einen Witz zu reißen. Er war erregt gewesen, es war ja sein erster Einsatz, seine erste Bewährungsprobe im größten Krieg, den die Menschheit je ausgefochten, im Schicksalskampf, der um Sein oder Nichtsein des Abendlandes ging! Er war erregt gewesen; er hatte auf seinem Tornister gehockt und eine zerfledderte Zeitschrift auf den Knien gehalten, und während er den Anschein, er lese darin, durch gelegentliches Umblättern zu wahren suchte, hatte er sich, die Zeilen mit unaufmerksamen Blicken durchgleitend, ausgemalt, wie sie übers Meer setzen und mit federndem Absprung aus den Schiffen sich schnellend, an Land stürmen würden, hinein in den Feind, der da in den Schründen und Schluchten auf schrecklicher Lauer lag; er hatte an den Feind gedacht und schon den Fels gefühlt, an den er sich schmiegen würde, er hatte heißen Rauch und Staub geschmeckt und Kugeln schwirren und Signalpfeifen gellen hören; er hatte Gefahr und Tod gerochen wie den Dunst von Schierling und sich, wie einst bei den Geländespielen, von Deckung zu Deckung vorwärts dringen sehen, granatenumsaust und von Feuerstößen überflogen; er hatte auf dem Tornister gehockt und blicklos in seiner Zeitschrift geblättert und von Stürmen und Siegen geträumt, und als die Träume sich schließlich erschöpft hatten und schal geworden waren wie das Wasser in der Feldflasche und der junge Soldat gedacht hatte, der Mittag sei nah, da war kaum eine Stunde verstrichen und sein Schatten auf der Kaimauer noch immer lang.

So war denn der Tag qualvoll langsam vergangen, und zum Abend, da die Wolke den Himmel zur Gänze füllte, war der junge Soldat schließlich eingenickt, doch nun, da er im Schnellboot saß und das Klatschen der Bugwellen hörte und das vom Kiel zerschnittene Meer tiefgrün und silbern im Scheinwerferlicht aufwallen sah, als siede die Finsternis, preßte er den Stahlhelm tiefer in die Stirn und nahm das Gewehr, das die Kameraden lässig zwischen die Knie geklemmt hatten, mit festerem Griff. Die Männer neben ihm schliefen; der junge Soldat war hellwach. Um ihn war undurchdringliche Nacht; die Scheinwerfer waren abgeschaltet, und die Wolke verdeckte alle Sterne, so daß der Himmel ungeschieden vom dunklen Wasser lag und das Boot, in gleichmäßiger Schnelle die ungeheure Wüste der Schwärze durchschneidend, zu schweben schien. Das scharfe Brausen des Motors strich, ein gewaltiger Atem, über die Ödnis, und als der junge Soldat so dasaß, erschauernd in sausender Finsternis und träumend dem Einsatz entgegenfiebernd, kam ihm plötzlich ein lang nicht mehr vernommenes Wort ins Gedächtnis: Und die Erde war wüst und leer, und der Geist Gottes schwebte über dem Wasser...

Nicht, daß der junge Soldat sonderlich fromm gewesen wäre... Er glaubte an Gott so, wie es die jungen Menschen seines Alters und Herkommens, die am Koppelschloß das Wort »Gott mit uns« tragen, eben tun: problemlos und gewohnheitsmäßig, und es war kein religiöses Gefühl, das ihm diese Verse in den Sinn gebracht hatte: er entsann sich ihrer, da sie ihm einzig gemäß schienen, das Gefühl auszudrücken, das ihn ganz erfüllte und das sein Herz aufzusprengen drohte: das Gefühl, Herr dieser Erde, ja noch mehr: Erwecker, Erschaffer, Erlöser eines Urlands zu sein, das noch ganz unentmischt, ein Chaos aus Finsternis, Schlaf und trägem Dauern, vor ihnen lag und ihrer harrte, ihrer, ihres Anrufs und Blicks! Er trank die Meerluft wie Wein; ihr jodiges Salz brannte auf seinem Gaumen und in seinen Nüstern; er fühlte das Metall der Waffe in seiner Hand, als ob es ein Zepter der Allmacht wäre, und hörte es über den Wassern brausen, und überwältigt begriff er die Stunde, die ihn trug! Die Zeit, so wußte er jählings, schwang herum; der Lauf der Geschichte wandte sich wieder zum Ursprung; ein neues Jahrzehntausend dämmerte herauf, da ein Schöpfervolk, kühner als Wikinger und Argonauten, endlich seine Ketten gesprengt und, seiner Sendung wie einer Offenbarung inne, angetreten war, die alte Ordnung der Welt mit Waffengewalt zu zerstören und, über ihren Trümmern sein gewaltiges »Werde!« sprechend, das neue, lichte, herrliche Reich zu erbauen, das in die fernste Zukunft ragen sollte, das Reich des Führers, die Trutzburg Europas, die Kaiserkrone des Planeten, in der auch dies dumpfe Land, zu dem sie fuhren, einst als ein Edelstein funkeln sollte! Es war die Schöpfung, zu der sie aufgebrochen waren, die Schöpfung einer neuen Welt und eines neuen Äons, und dies war ihr erster Tag.

Es war die Schöpfung, und sie vollzog sich ganz wie im Heiligen Buch. Himmel und Wasser glitten voneinander, da es Licht ward; das feste Blau des Gewölbes schied Wolke und Meer, und als das letzte Nachtgrau verweht war, dämmerte, blaß zwischen Himmel und See, das Land herauf. Es war ungestaltet, das Land, das vom Wasser sich abhob, erst Hauch, dann gerinnende Feste, und schließlich Stein. Ein steinernes Land, Urgestein, aus Stein Kai und Mole, und grober Stein auch der schräg ansteigende Markt; Stein die Gassen und Stein die Katen, Stein das Kastell auf dem Hügel und Stein der Karst. Es war nackt und wüst, dieses Land, das nun schnell emporwuchs; nicht Baum noch Strauch war zu sehen, kein Hund, keine streunende Katze, nicht einmal ein Geier. Licht, Himmel, Wasser,

Stein und Schweigen: da ward aus Abend und Morgen der andere Tag...

Die Soldaten sammelten sich vor dem Hafen, die Schnellboote brausten zurück, und die Soldaten marschierten über den Markt zum Kastell. Sie marschierten durch leere Straßen; kein Laut, kein Gruß, nicht Brot noch Salz, nicht einmal Haß empfing sie: das Dorf lag verlassen, als hätte es nie einen Menschen beherbergt, und auch das Kastell, ein Würfel mit flachem Dach, gezinnter Hofmauer und schmalen Fensterschlitzen, war unbehaust. Das Tor stand flügellos mit leeren Angeln; die kahlen Räume ohne jedes Möbelstück; kein Nagel stak zwischen den Fugen, und durch die offenen Fensterscharten scholl das Klatschen des nahen, nun ein wenig vom Wind gestachelten Meeres. So schritten die Soldaten denn, gereiht, wie es sich gehörte, durch leere Gänge und blickten ins Leere kellerähnlicher Gemächer und Gewölbe und freuten sich, je weiter sie schritten, immer mehr dieses so trotzigen und sicher bald auch wohnlich anmutenden Quartiers, doch als sie den größten Raum, eine Art Kasematte im Zentrum des Baus, die zum Massenquartier vorbestimmt war, betreten wollten, schraken sie entsetzt zurück. Unflätiger Gestank schlug ihnen entgegen: offenbar waren sämtliche Dungfässer und Senkgruben des Dorfes von den geflohenen Fischern, die vom Nahen der Soldaten unterrichtet sein mußten, hier ausgeleert worden, um unmißverständlich zu bekunden, welcher Willkomm den Eindringlingen zugedacht war. Die flachen Mulden des Mergelbodens – denn der Boden der alten Festung war gefurcht und zermuldet –, sie schwappten vor Unrat, so daß ein kleines Kommando zunächst darangehen mußte, die Kasematte auszuspülen, just so, als solle sich der Schöpfungsbericht der Bibel exakt erfüllen, der in seinem anderen, älteren Quellen entstammenden Kapitel von einem unentbehrlichen Regen auf die nackte steinharte Erde spricht, oder besser noch: als sollten die Erbauer des Reiches mit eigener Hand wiederholen, was im Morgengrauen ohne ihr Zutun geschehen war: die Scheidung des Trocknen von dem Nassen, die Schöpfung bewohnbaren festen Landes. Es waren fünf Mann, die zu dieser Arbeit bestimmt wurden, und Ferdinand W. gehörte zu ihnen; er war als künftiger Student der Medizin, obwohl er von dieser Wissenschaft durchaus nicht mehr verstand als irgendeiner seiner Kameraden, zu einer Art Sanitätshelfer der Funkstation ernannt worden, und so begann denn der Einsatz, den er sich in so glühenden Farben als stürmendes

Heldentum ausgemalt hatte, mit einer widrigen Arbeit, und das verdroß ihn. Wie die Tiere, dachte er angeekelt, wie die Tiere, nein, schlimmer als Vieh führt sich das auf! Auch kam er, da das Ausräumen der Kloake Stunden erforderte, nicht mehr dazu, mit den anderen, glücklicheren Kameraden das verlassene Dorf nach Einrichtungsgegenständen und Schlachtvieh zu durchstreifen und sich dabei wenigstens eine Trophäe als Andenken an den ersten Einsatz in die Tasche zu stecken, und das steigerte seinen Verdruß dermaßen, daß er gar nicht wahrnahm, wie seine nächtliche Vision von der Schöpfung getreu nach der Schrift sich verwirklichte. Das öde Kastell füllte sich mit dem Holz von Bänken, Stühlen, Tischen und Truhen; das Farngrün, Weinrot, Nußbraun und Moosgrau der Zeltplanen überwucherte wie Gras und Kraut und Frucht den kahlen Boden, und wilde Blumen auf Teppichen und Tüchern lohten von den Wänden, eine jegliche nach ihrer Art. Indes war auch ein Dynamo im Hof aufgestellt; Kabel zogen sich lianengleich die Mauern empor und verzweigten sich in alle Gemächer; Lichter wurden an die Decken gehängt und zwei Scheinwerfer, ein großer und ein kleiner, auf das flache Dach montiert; der Dynamo schnurrte zur Probe, und Sterne blitzten von den Gewölben, und die Scheinwerferscheiben sandten, blendend die große und in mildem Silber die kleine, ihre Lichter nach den Bergen, um Zeichen und Zeugnis zu geben vom Werden der neuen Welt. Der Wind erregte das Meer; vom Hafen herauf kam ein Korb voll schuppiger Leiber, in deren Gewimmel ein schwarzblauer Thun, wie ein Walfisch groß, lag; Hühner erschienen im Hof, gefiederte Wesen, und nun führte man auch Vieh herein, einen Hammel, Schafe, Lämmer, zwei Ziegen, und so ward zwischen Morgen und Abend der fünfte Tag!

Es war die Schöpfung: das Trockene war von dem Nassen geschieden, die Lichter gesetzt, die Pflanzen erkeimt und die Tiere erschienen; der fünfte Tag war vollendet, und die Schöpfer sahen voll Stolz, daß es gut war. Da endlich war auch W. mit seiner hygienischen Aufgabe fertig geworden und bekam, nachdem er sich mit Seife und Sand den Kotgestank vom Leibe geschrubbt und sich so wieder menschlich gemacht hatte, den Befehl, sich einem Trupp einzureihen, der das Dorf, das sich beim ersten flüchtigen Streif- und Raubzug als gänzlich entvölkert erwiesen hatte, noch einmal Haus um Haus durchzukämmen und ausnahmslos jede dort aufgefundene Person als partisanenverdächtig ins Kastell zu führen hatte, denn wer, so sagte der Kommandant, ein gutes Gewissen habe, brauche sich nicht zu verstecken, und gar vor seinem Beschützer und Freund! Das hätte uns auch eher einfallen sollen, dann hätten diese Kerle mit eigenen Händen ihren Mist ausräumen können! dachte W. und trat auf die Straße, nach Menschen zu suchen. Er blinzelte; es war Mittag geworden, und das Sonnenlicht, vom Glimmer und Granit der Straßen und Häuser vieltausendfach gespiegelt und gebrochen, lag tastend und flirrend zugleich auf dem Land, ein ungeheurer Glasberg aus greller, blitzender Hitze, deren Anhauch und Glanz so stechend war, daß er selbst durchs geschlossene Augenlid drang. W. blinzelte und beschattete die Augen mit der flach gestreckten Linken; der Truppführer, ein Unteroffizier, wies ihm ein einzeln stehendes, ein wenig abseits gelegenes Haus zu; W. nahm sein Gewehr von der Schulter, kniff die nunmehr schutzlosen Augen zu einem schmalen Spalt zusammen, lud, sicherte, wollte das Gewehr wieder um die Schulter hängen, behielt es aber, da seine Augen das Licht zu ertragen begannen, im Griff der Rechten, rückte mit der Linken die Patronentaschen zurecht, verließ die Straße, stieß mit dem Knie die angelehnte, schloßlose, langsam hinter ihm wieder zurückschwingende Tür auf und betrat, alle Fibern vor Erwartung spannend, das Haus, das nicht größer als eine Stallung war. Er mußte sich bücken, die Tür war niedrig, und der Raum, in den sie führte, erlaubte ihm gerade, aufrecht zu stehen. Es war wohl der einzige Raum des Hauses; die Wand war roh behauener Felsstein; die lukenartige, rahmenlose Fensterhöhle mit einer Bocksblase abgedichtet; die Decke rauchgeschwärzt. Es war düster in diesem Verlies, und es dauerte eine Weile, bis W. erkennen konnte, daß sich im Hintergrund eine offene Feuerstelle und seitlich von ihr etwas Dunkles, Niedriges, wohl eine flache Nische befand. Sonst schien der Raum leer, am Boden verstreut lagen Hühnerfedern; es roch nach Zwiebeln, Ziegen und Rauch. Der junge Soldat schüttelte sich. Wie die Tiere! so dachte er ein zweites Mal, wie können Menschen denn bloß so hausen! Er mußte an die hellen, sauberen Häuser in Deutschland denken; er sah sein Vaterhaus, Parkett und Teppich, den Blüthnerflügel, die Klubsessel und alle Fensterscheiben blinkend und blitzend hinter Gardinen und Stores; er dachte an die anheimelnden, von roten Rosen umsäumten und mit Schnitzereien an Giebel und First verzierten Fischerhäuser an Deutschlands Küste, die er gesehen hatte, als er zum Arbeitsdienst an die Memel gefahren war; er dachte daran, wie schmuck und wohnlich sie sogar ihre Baracken dort eingerichtet hatten, ein Flecken deutschen Gemüts in Heide und Sumpf wie hier bald das Kastell im roten Karst; er dachte an das strahlende Reich, das sie schufen, und stand in dem Steingemach, das zugleich ein Stall war, und starrte die schwarzgerußte Decke und die Hühnerfedern und die Bocksblase an und schüttelte in verständnisloser Verachtung den Kopf und wollte gerade den Boden mit dem Gewehrkolben abklopfen, um ein mögliches Kellerversteck zu erkunden, da hörte er von der Feuerstelle her einen dumpfen, trockenen Laut. Er sprang an die Tür zurück, riß das Gewehr an die Hüfte und schlug den Sicherungshebel herum, da sah er, daß neben der Herdstelle, dort, wo er eine Nische vermutet hatte, eine schwarze Gestalt am Boden lag. Der Laut erscholl ein zweites Mal, es war ein kurzer, gepreßter, ein wenig ächzender Hustenstoß, und nun, da sich die Augen des jungen Soldaten wieder an das Dämmerlicht gewöhnt hatten, erkannten sie nahe dem Herd eine alte Frau. Sie lag, als ob sie friere, dergestalt in ein schwarzes Gewand oder Tuch gehüllt, daß nur die Mundpartie zu sehen war, und rührte sich nicht und hustete ein drittes Mal. Der junge Soldat drehte, beruhigt und enttäuscht zugleich, den Sicherungsflügel wieder nach rechts, ließ den Arm mit dem Gewehr ein wenig sinken, hielt aber den Finger am Abzug und ging auf die Liegende zu. »He, Alte, aufstehn, zum Kommandanten!« rief er beinah freundlich, da sah er, daß sie mit Lippen und Kinn in einem Fladen des eigenen Auswurfs lag. Unwillkürlich fuhr er zurück und rief, die Mundwinkel verziehend und die Oberlippe schürzend: »Pfui Teufel!«, dann wiederholte er, etwas barscher, seine Aufforderung und wies mit einer heftigen Kopfbewegung nach der Tür. Die alte Frau rührte sich nicht; sie hustete auch nicht mehr. Der junge Soldat wurde ärgerlich; er hatte keine Lust, sich lang mit einem alten Weib aufzuhalten; er wollte weiter, und auch kam ihm der Gedanke von einer Falle, die man ihm da gestellt haben könnte; es war ihm nicht ganz geheuer in der Höhle, und so schrie er denn heftig: »He, Alte, auf!«, und er stampfte mit dem Stiefel auf den Stein. Die alte Frau drehte mühsam den Kopf hoch; sie stützte, da sie ihn hochdrehte, die rechte Wange mit den spitzen Fingern der Linken, und sie mußte wohl erraten haben, was der junge Soldat von ihr wollte, denn sie wies mit dem Kinn und dem Blick der wasserhellen Augen auf den Auswurffladen und sprach mit zitternden Lippen ein Wort, das unhörbar blieb, das aber der junge Soldat ohnehin nicht verstanden hätte, dann ließ sie den

Kopf wieder sinken, versuchte, ihn – was der junge Soldat nicht wahrnahm – mit den Fingern der linken Hand ein wenig zur Seite zu drücken, vermochte es aber nicht und lag wie zuvor. Wie ein Tier! dachte der junge Soldat ein drittes Mal, und er hätte zu anderer Zeit und an anderem Ort wohl zuerst gedacht, daß die alte Frau krank sei und deshalb nicht aufstehen könne, doch da er ja endlich den Befehl des Kommandanten, der keine Ausnahme gelten ließ, vollstrecken mußte und ihm doch ein Anflug von Scham kam, dachte der junge Soldat mit wachsendem Grimm, daß die Alte ihr Leiden ausnütze und übertreibe, doch er sie durchschaue; er dachte, daß es seine soldatische Pflicht sei, ihren Ungehorsam zu brechen und ihr zu zeigen, wer hier der Herr war, und da er die Alte so widersetzlich fand und da ihr ein Speichelfaden über das Kinn lief und da der Ärger ob der stinkenden Arbeit, die er doch einzig den Bewohnern solcher Ställe verdankt hatte, noch nicht verwunden war und weil doch das Reich geschaffen werden mußte und weil ihm schließlich zu dem Gefühl, es sei hier nicht geheuer, auch noch eine Ahnung aufstieg, daß er, was immer er tue und was immer geschehe, sich mehr und mehr in eine seltsam klägliche und unrühmliche Lage verstricke, fuhr es ihm siedeheiß durchs Hirn, eine wilde Wut packte ihn, und während er donnernd mit seiner sich schnell überschlagenden, noch nicht zur völligen Mannesreife gediehenen Stimme »Raus!« brüllte und mit dem jäh ausgestreckten linken Arm zur Tür wies, trat er, eigentlich wider Willen, mit dem gestiefelten Fuß nach der alten Frau, doch die Scham, die nun riesengroß wuchs, und ein Ekel, der gleichzeitig sich mit ihr mischte, waren schneller als seine Wut und überwältigten sie derart rasch, daß er den Fuß, kaum daß das schwarze Gewand der Greisin berührt war, wieder zurückzog und mit der Stiefelspitze über die Steinfliesen wischte, als ob er sie säubern wollte. In diesem Augenblick tat ihm die alte Frau beinah leid. »Na mach schon!« sagte er gutmütig drängend, und er fügte, erklärend, ja beinah sich entschuldigend, hinzu: »Befehl vom Kommandanten, verstehen?«, und da ihm einfiel, in der Schule gelernt zu haben, daß Griechenland seit seiner Befreiung vom türkischen Joch unter starkem Einfluß Frankreichs gestanden habe, wiederholte er die Erklärung in seinem Schulfranzösisch: »Monsieur le capitan a donné l'ordre, compris?« Er lächelte, da er »compris« sagte, und hob die Augenbrauen; er war stolz, daß er, obwohl er doch anderthalb Jahre kein Wort Französisch mehr gesprochen, den Satz so fehlerlos zustande gebracht hatte, und er lächelte, da er, noch während er das letzte Wort des Satzes geformt, hatte denken müssen, wie unendlich weit er doch der Schulbank entrückt war, und er sah lächelnd fern über Meer und Gebirge die messerzerkerbte, tintenbekleckste, schiefernde, von vieltausend Hosenböden abgewetzte, vieltausendmal verfluchte und nun fast wie eine Wiege anmutende braungrüne Schulbank mit Pult und Sitz und rippenförmig geschwungener Lehne und sah die Gesichter der Professoren und hörte sie von verschollenen Kriegen schwärmen und hörte den flachbrüstigen Französischprofessor, der nie im Feld gestanden, mit seiner brüchigen Fistelstimme von den Stahlgewittern bei Douaumont reden, und Ferdinand W. dachte, daß nun *er* eine Uniform trug und die Pauker alle nur Zivilisten waren und also minder als er und eigentlich seine Untergebenen, und er lächelte wieder, und seine vollen Lippen waren weit auseinandergezogen, und seine graublauen Augen strahlten zufrieden hell. Die alte Frau hatte wieder den Kopf hochgedreht, und wieder stützte sie die rechte Wange mit den Fingern der Linken; die Bewegung löste das Tuch und ließ es von ihrem Scheitel gleiten, so daß ihr Haupt nun weiß vom Haar umwallt war und ihr edles, von härtester Arbeit wie eine Kupferplatte vom Griffel Rembrandts durchwirktes Antlitz sich hell und frei aus dem Dämmerlicht hob. Sie hielt den Kopf auf die Finger gestützt und sah den jungen Menschen, der über sie hinwegblickte, durchdringend an; sie sah den Fuß, der nach ihr getreten, und die Hand, in der lässig die Waffe pendelte, und den Mund, der ihr mit herrischer Stimme befohlen, und die Augen, die ihrer schon nicht mehr achteten; sie sah die Gestalt des Soldaten, der da in den Frieden des Dorfes und die heilige Ruh ihres Sterbens gedrungen war, als ob Land und Mensch und Leben und Tod sein Eigentum wäre; sie sah den jungen Soldaten an und sah ihn lächeln, und sie dachte daran, daß eine Mutter auch diesen Sohn empfangen und geboren, und flüsterte einen Fluch, der einen unbekannten fernen Schoß verdorren lassen sollte, dann drückte sie mit der rechten Schulter und Hüfte ihren gekrümmten Leib zur Seite, so daß sie fast bäuchlings lag, und versuchte, von unaufhörlichem Husten gepeinigt, sich auf die Ellenbogen und Knie zu erheben, vermochte aber nicht das Kreuz hochzuziehen und schob schließlich mit einer letzten, fast knirschenden Anspannung ihrer Kräfte die Unterarme nach vorn, so daß sie, wenn auch nicht auf den Knien, so doch auf den Ellenbogen und also aufgerichtet lag. Einen Augenblick verharrte sie in dieser Stellung, dann schüttelte sie mit deutlicher Gebärde den Kopf, daß die Haare im Sonnenlicht, das durch den Türspalt fiel, golden leuchteten, dann kroch sie, sich mit dem ganzen Leib vorwärts schiebend und einen schneidenden Schmerz, der ihr Inneres zerriß, mißachtend, stumm und ohne den Soldaten noch eines Blickes zu würdigen, der Tür zu, den Raum zu fliehen, in dem jener stand. Der junge Soldat hatte, als sie sich aufzurichten versuchte, befreit ein »Na also!« gedacht und aufgeatmet und zugleich mit einem Gefühl tiefer Befriedigung festgestellt, daß es wirklich rührend sei, wie die Alte sich mühe, seinen Befehlen nachzukommen, und da er sie so beflissen fand und da ihr weißes Haar in der Sonne leuchtete und da auch für einen flüchtigen Augenblick das Angesicht seiner Mutter an seinem Auge vorüberhuschte, bedauerte er, nach der alten Frau getreten zu haben, und wollte, von Mitleid und sogar von Reue ergriffen, ihr schon bedeuten, liegenzubleiben und neue Weisungen abzuwarten, die einzuholen er bei diesem besonderen Fall verantworten zu können glaubte, doch da er sich anzuschicken begann, ihr, die sein Wort ja doch nicht verstehen würde, ein entsprechendes Zeichen zu geben, und er also den linken Unterarm hob, um die flach und gespreizt ausgestreckte Hand mehrmals, als senke er sie in ein luftiges Kissen, zum Boden hin niederzudrücken, um solcherart ein Halten und Hinlegen anzudeuten –: da er also anheben wollte, kam ihm in den Sinn, daß der Kommandant ihm vorwerfen könne, einer lumpigen Eingeborenen wegen seinen Posten verlassen und damit sträflich gegen die erste Pflicht eines Soldaten im Einsatz verstoßen zu haben – und so, den Unterarm halb erhoben und zwischen dem Willen zu menschlichem Tun und der Unerbittlichkeit des nun einmal erteilten Befehls ganz unentschieden schwankend, hoffte der junge Soldat schließlich, die Alte werde zusammenbrechen, ehe sie die Tür erreicht habe, und ihn auf diese Art aus seinem Zwiespalt erlösen, und er glaubte auch schon, sie innehalten und ihren Kopf langsam niedersinken zu sehen, die alte Frau aber kroch nach einer winzigen Pause des Ausruhens weiter der Tür zu, und es schien, als beschleunige sie ihre Bewegung noch. Aber ich kann sie doch nicht so vor mir durch das Dorf treiben! dachte der junge Soldat bestürzt, und er sah schon die alte Frau über die Straße sich schleppen und sah sich mit angelegtem Gewehr hinter der Todkranken dreingehn, und wieder fuhr es ihm siedeheiß durchs Blut, doch diesmal aus einem Gefühl des Abscheus gegen sich selbst; er rief, ohne noch an den Kommandanten zu denken, der alten Frau beschwörend zu, doch liegenzubleiben, und stampfte, da sie nicht hörte, voll Ungeduld erneut mit dem Fuß auf, doch ehe er noch auf den Gedanken kam, sich vor ihr in den Weg zu stellen, hatte die Greisin die Tür schon erreicht und lag, zusammengekrümmt wie einst hinterm Herd, auf den Steinen vor der Schwelle ihres Hauses, und um ihr Haupt lohte, eine Cherubimskrone, das reine weiße Mittagslicht. Der junge Soldat sah sie liegen und stand vollkommen gelähmt; es war ihm, als wachse mit rasender Schnelle eine schwarze wirbelnde Leere in ihm und höhle ihn aus; einen Augenblick stand er so, ganz starr und ohne einen anderen Gedanken fassen zu können als den einer stumpfen Erwartung eines ungeheuren Schlages, der ihn im nächsten Moment zerschmettern würde, dann fühlte er von der Magengrube her ein Würgen in die Kehle steigen; zwei Fäuste, riesig und unwiderstehlich wie Eisenbahnpuffer, preßten seine Schläfen zusammen und hielten den Kopf zur alten Frau niedergerichtet, die Muskeln seiner Augenlider, Lippen und Wangen verkrampften sich entsetzt, Kinn und Hals begannen zu zittern, und der junge Mensch fühlte, so dumpf und fern, wie mancher dann hämmernde und schließlich allgewaltige Schmerz beginnt, das langsam sich nahende Wissen, einen anderen gezwungen zu haben, kriechend zu sterben, und er dachte mit der letzten, äußersten Abwehr, daß alles nur ein Traum sei, da war es ihm, als höre er seinen Namen, und zugleich hörte er, und er hörte es wie im Traum, die Stimmen der sich nähernden Kameraden. Er lauschte, er hörte sie durcheinanderschrein und einem offenbar gefangengenommenen Wesen, das sie »Schwein!«, »Bandit!« und »Dreckskerl!« nannten, bedeuten, schneller und ohne sich umzublicken, weiterzugehen; er lauschte und hörte die Stimmen der Kameraden und hörte Tumult und Geschrei und Getrampel von Schritten, und da war es ihm, als erwache er aus einer unbegreiflichen Betäubung. Er schrak zusammen und schüttelte sich und klappte mit den Augendeckeln und sah die alte Frau liegen und dachte, halb benommen und halb erstaunt: Da liegt sie, und eilte zur Tür und sah durch den Türspalt zur Straße hinüber und sah, daß die Kameraden einen hochgewachsenen schwarzbärtigen Mann vor sich her stießen, dessen Arme mit groben Stricken so fest an den Leib geschnürt waren, daß sich die Hände schon blau verfärbten, und über dessen von Haß und Schmerz gleichermaßen verzerrtes, wettergebräuntes, von Narben und Falten zerklüftetes Gesicht das Blut in großen, schon stockenden

Tropfen rann. Der junge Soldat blickte voll unverhohlenem Schauder auf den Gefangenen, den ersten leibhaftigen Feind, den er zu Gesicht bekam; er schaute auf die Hände, die sich krümmten wie Krallen, und auf die großen Zähne, die er zwischen den aufgeworfenen Lippen bleckte, und auf den rotdurchwirkten schwarzen Bart, und als er sah, daß auch einem der Kameraden, wohl durch einen Schlag mit einem stumpfen Ding, die Stirn aufgeplatzt war, dachte er voll Neid, daß die Langgedienten wieder einmal die Glücklicheren gewesen waren und im Kampf gestanden und einen leibhaftigen Partisanen zur Strecke gebracht hatten, während er eine ster... – doch er dachte dieses Wort und diesen Satz nicht zu Ende und wußte, da er diesen Gedanken so plötzlich mitten im Worte abbrach, daß sich in seinem Leben etwas ereignet hatte, an das er nicht mehr rühren durfte, daß fortan in seinem Hirn, zwischen den dünnen Wänden des Vergessenwollens, ein vampirhaftes Wesen, ein Bild, ein Alp hausen würde, der Nacht für Nacht ausbrechen und sich auf das Herz des wehrlosen Schläfers werfen konnte, und der junge Mensch wußte, nein, er empfand mit allen Zellen seines Leibes und Geistes, daß es furchtbar war, was er getan hatte. Da hörte er, und diesmal laut und deutlich, den Unteroffizier seinen Namen rufen. »Schütze Wildenberg!« rief der Unteroffizier, und der junge Mensch hörte den Ruf und hörte vor seinem Namen jenes zweisilbige magische Wort, das ihn einreihte in die auserwählte, hoch über alle anderen Wesen erhobene Schar, die im Kampf für Deutschlands Sein oder Nichtsein stand und die das Reich des Führers noch im fernsten Winkel der Welt errichtet: »Schütze Wildenberg!« hatte der Unteroffizier mit seiner harten, hallenden Stimme gerufen, und da plötzlich, so wie ein Taifun, der noch eben verheerend getobt hat, mit einem Pulsschlag verwirbelt sein kann, war die schwarze höhlende Leere, die sich in seiner Seele gedreht hatte, geschwunden, der Angsttraum zerstoben, der Alp zerronnen, das Herz wieder heil und der Geist wieder klar; der junge Soldat stand in Feindesland, im Haus, das durchzukämmen ihm zugewiesen worden war und das er auftragsgemäß durchgekämmt hatte, und er hielt das Gewehr, wie die Vorschrift es wollte, und wußte ganz genau und sicher, daß er gar keinen Grund habe, sich seiner Handlungen zu schämen, und daß er genauso wie die Kameraden seine Pflicht getan. Ich habe einen Befehl erhalten und habe ihn ausgeführt! so dachte er, und er richtete sich auf und blickte, während er »Hier, Herr Unteroffizier!« rief, über die alte Frau hinweg zum hohen Himmel und dachte, daß es mitunter viel schwerer und härter und also auch ungleich soldatischer, ja ungleich heldischer sei, einen gegebenen Befehl in eiserner Strenge auch dann zu vollziehen, wenn man zugleich den Schweinehund in der eigenen Brust, der da von Mitleid und Milde und Menschlichkeit faselt, erbarmungslos niederringen und also sich selbst besiegen müsse, und er dachte voll Stolz, daß er den Schweinehund in der eigenen Brust niedergerungen und damit den schönsten aller Siege erfochten habe. Er hatte seine Pflicht getan und stand nun, nachdem er »Hier, Herr Unteroffizier!« gerufen und mit schnellem Griff Koppel und Stahlhelm zurechtgerückt hatte, ganz ruhig unter der Tür und hielt das Gewehr in der Hand, und die alte Frau lag leblos vor seinen Füßen, und da, in diesem Moment, da die alte Frau für ihn nichts weiter war als ein häßlicher schwarzer Fleck in der strahlenden Sonne, häßlich und schwarz wie der innere Schweinehund, den er soeben glänzend besiegt hatte, da wurde er wieder von dem Gefühl überwältigt, das sein Herz hatte sprengen wollen, da sie über die schwarze See gebraust waren, und das Bild der Schöpfung kam ihm wieder in den Sinn. Er stellte das Gewehr auf die Stiefelkappe und sah, die Augen geschützt vom Dunkel des Steinbaus, das erhabene Rund der Gebirge rostrot unterm Enzianblau des Himmels, in dem ein Geier schwamm, ohne die Flügel zu rühren, und der Geier kreiste zwischen den Gipfeln, und der junge Soldat sah das Kastell, über dem nun die Flagge des Reiches knatternd sich bauschte, und er hörte durchs Brausen des Meeres und des Windes Marschmusik schmettern und schmeckte mit der salzigen Seeluft den beizenden Rauch der Lagerfeuer, der vom Kastell her wehte, und er dachte an den nackten Stein, der das Land gewesen, da sie es betraten, und sah verzückt, wie es schon verwandelt war und wie weit ihre Schöpfung schon gediehen, und er sah auf die zusammengekrümmte, von ihrem eigenen Auswurf besudelte Frau vor der Schwelle und auf den schwarzbärtigen, wild die Augäpfel rollenden Mann, der es gewagt hatte, seine Hand wider die Schöpfer des Reichs zu erheben, und da dachte er, daß man sie ausrotten müsse. Man muß sie ausrotten! dachte er, diese –! und da fand er das Wort nicht, das er suchte, und er nahm das Gewehr vom Fuß und dachte, daß in dem lichten, herrlichen, strahlenden, sauberen Reich, das sie bauten, einfach kein Platz sein konnte für solches Menschengeziefer, das Wohnungen mit Kot besudelte und nicht einmal Fensterglas kannte und mit Hühnern und Ziegen in einem rauchgeschwärzten Stall hauste und durch seinen eigenen Auswurf kroch, um sich auf der Straße zum Sterben zu strecken wie irgendein Vieh, und das denen, die kamen, ihm Gesittung zu lehren, aus dem Hinterhalt tückisch entgegenschoß. Man muß sie ausrotten, dachte er, so wie man einen Eiterherd ausräumt zum Wohle der gesunden, lebenstüchtigen Zellen; ausrotten müsse man sie, dachte er, so wie man Wanzen vertilgt und Läuse und Schaben, entlausen müßte man das neue Europa, bis in die entferntesten Winkel mit irgendeinem wohltätigen Gas überziehn, daß all dies Geziefer schnell und schmerzlos verderbe, auf daß endlich Platz sei für den wahren Menschen, den Menschen des sechsten Schöpfungstages! Er hatte das Koppel zurechtgerückt, so daß sich, wie vorgeschrieben, das Schloß mit der Aufschrift »Gott mit uns« genau zwischen dem vierten und fünften Uniformknopf befand und sein linker Rand mit der Kante der von rechts nach links geknöpften Feldbluse abschloß, und schickte sich an, zur Meldung vor das Haus zu treten, und dachte noch einmal, daß man sie austreten müßte, und wußte zugleich, daß es ein Wunschtraum sei, all das Geziefer zu vertilgen, doch daß es, wenn auch ein unerfüllbarer, so doch ein kühner, ein gigantischer, ein prometheischer Traum sei, das reine Reich, die vollkommene Schöpfung, die Vernichtung des unwerten Lebens zu denken, ein Traum, so faustisch, daß ihn wohl nur das Herrenvolk der Erde träumen könne, und nun, da die Kameraden schon vor der Tür standen und der junge Soldat das verzerrte Gesicht des Partisanen über den zusammengekrümmten Leib des alten Weibes gebeugt sah, fiel ihm plötzlich das Wort ein, das er gesucht und nicht gefunden hatte. Untermenschen! dachte er, das war es, Untermenschen, das war das richtige Wort. Man muß sie ausrotten, diese Untermenschen! dachte er noch einmal, und eine Rede kam ihm in den Sinn, die ihnen der Kreisleiter zur letzten Johannisnacht vor dem lohenden Sonnwendfeuer gehalten und wo er von den Untermenschen gesprochen hatte, die sich wie Schimmel und Krätze in den gesunden Volkskörper nisten und die man gnadenlos vertilgen werde, und hatte sich Ferdinand W. bislang nichts Rechtes bei diesem Wort vorstellen können, so hatte er nun mit eigenen Augen gesehen, was der Untermensch war, und er war einverstanden mit dem Gedanken, ihn auszurotten, wenn er auch wußte, daß es utopisch war. Dann brach der junge Soldat diesen Gedanken ab, da es jetzt galt, dem Unteroffizier Meldung zu machen, und er war, die vorgeschriebenen sechs Fragewörter, die in jeder ordentlichen Meldung beantwortet werden mußten, nämlich: wer, wem, wann, wo, wie und warum, überdenkend und aus ihrer Beantwortung den vorgeschriebenen exakten und ganzen Satz bauend und ihn memorierend, einen Augenblick versucht, den Arm der Alten mit der Stiefelspitze anzuheben (Ich kann sie doch nicht anfassen! dachte er), um zu überprüfen, ob sie schon tot sei und er den eingetretenen Tod in die Meldung aufnehmen könne, doch er zögerte, das zu tun, und so schrie er statt dessen, scharf, aber nicht grob, und so, als wisse er, daß dieses Schreien nur eine Formalität war und keine Wirkung mehr zeitigen könne, noch einmal mit aller Kraft ein »Aufstehn!« und wandte sich, über die alte Frau hinwegtretend, achselzuckend dem Unteroffizier zu, doch da, aus dem Nichts, aus dem Ungewissen, aus Gott weiß welchem Nebel aufgestiegen, stand plötzlich ein Mensch vor ihm. Der junge Soldat war zu verblüfft und, da er im vollen Licht des Mittags stand, auch zu geblendet, um mehr zu sehen, als daß da plötzlich ein Unbekannter vor ihm stand; es war die Schöpfung, und ihr sechster Tag war angebrochen, der Mensch war aus dem Nichts erschienen, und der junge Soldat, seine Waffe hochreißend, sah nur zwei brennende Augen und eine hochfahrende Hand, und in seinem Hirn war es wüst und leer und Finsternis, und er sah der Hand einen Blitz entfahren, ein ungeheures Licht zersprengte ihn und alle andern, und dann war nichts mehr als die große heilige Ruhe des siebenten Tages.

ROLF SCHNEIDER
Literatur

Manchmal, in meinen seltenen Ruhestunden, krame ich aus meinem Schreibtisch eine Mappe hervor, öffne sie und blättere in den gesammelten Zeitungsausschnitten, die sie enthält. Meine Lektüre geht dabei langsam voran. Mit Befriedigung erkenne ich, daß ich das Lesen nicht mehr gewöhnt bin, fast Mühe damit habe; aber außer einigen Handbüchern, Hilfsmitteln meines Berufs, besitze ich keinerlei Druckerzeugnis mehr, und die Abonnentenwerber der Zeitschriften pochen vergeblich an meine Tür. Mein Umgang mit Schriftlichem beschränkt sich auf das Lesen und Ausstellen von Rechnungen. Die Mappe mit den Zeitungsausschnitten stellt das letzte und einzige, sozusagen zweckfreie Schrifttum dar in meiner Umgebung.

Das Papier dieser Ausschnitte ist übrigens vergilbt und verrät deren Alter. Text und Überschriften berichten von jenen geheimnisvollen Brandstiftungen, welche unvermutet in einer Großstadt unseres Landes auftraten, um sich griffen und ebenso unvermutet wieder endeten. Ich lese Überschriften wie diese: *Neuerlicher Akt des Feuerteufels* oder *Millionenwert in Flammen*. Ein Foto zeigt, vor nächtlichem Hintergrund, ein hohes Gebäude, das in Rauch und Feuer steht. Sieben Brände in sieben Tagen, so erzählen die Artikel in meiner Mappe; drei rußgeschwärzte Feuerwehrleute brachen bei den Einsätzen zusammen; in bissigen Kommentaren wird die allgemeine Ohnmacht der Polizei verhöhnt. Die Feuerakte waren damals in aller Munde; jedoch, unser Jahrhundert ist kurzlebig; kaum jemand außer mir dürfte sich heute noch dieser Ereignisse erinnern. Die geschmähte Polizei war ihrerseits bestrebt, alles Mißtrauen rasch zu beenden und den eigenen Ruf wiederherzustellen. Acht Wochen nach der letzten großen Brandstiftung arretierte sie einen »Zundelkurt« genannten pyromanen Strolch, da er der Brandstiftung an einer Dorfscheune überführt war. Ohne Umschweife wurden ihm auch die vorerwähnten Handlungen zur Last gelegt: *Zundelkurt war der Feuerteufel* verkündet demgemäß die Überschrift des vorletzten Zeitungsausschnittes, den ich bewahre, während der letzte über das Urteil gegen den Brandstifter berichtet: er wurde in eine geschlossene Anstalt eingewiesen. Ungerührt lese ich diese Mitteilung, denn krankhafte Feuermacher, das ist meine feste Überzeugung, gehören unter strengste Kontrolle. Dennoch hat Zundelkurt mit den sieben Bränden der sieben Tage nichts zu schaffen. Aus guten Gründen versichere ich dies.

Allein, wer ist heute noch bereit, dieser Versicherung Glauben zu schenken? Wem wäre damit genützt? Seufzend schließe ich nach beendeter Lektüre meine Mappe, um sie wieder in den Schreibtisch zu versenken. Meine Augen jucken nach der seit langem ungewohnten Tätigkeit, und ich habe Gelegenheit, an Zeiten zu denken, in denen ich Gedrucktem gegenüber noch heiße Liebe statt kalter Verachtung empfand.

Ich bin von Hause aus Philologe, Schüler von Hanfried Spohlworm, der seinerseits Schüler von Erich Schmidt und ein bekannter Lessingforscher war, darin die verdienstvolle Arbeit des

Meisters fortsetzend. Bei Spohlworm promovierte ich auch, mit einer Arbeit über die literarische Kontroverse zwischen Wolfgang Menzel und Karl Gutzkow. Das ehrenvolle Angebot Spohlworms, als Assistent in seinem Institut zu verbleiben, mußte ich freilich ablehnen; ich war mittellos und bedurfte eines raschen Broterwerbs.

So brachte ich die erforderlichen Prüfungen für das Staatsexamen hinter mich und trat als Referendar in den Lehrkörper eines Realgymnasiums ein: keineswegs begierig nach pädagogischem Tun, da ich mich für die philologische Forschung sehr viel geeigneter fühlte, es wohl auch war; dennoch mit kühner Hoffnung im Herzen und einem puren Goldkorn im Hosensack.

Man sehe mir diese poetische Übertreibung nach. Damals hätte ich sie als Übertreibung kaum gelten lassen. Tatsächlich besaß ich etwas, einen Brocken, ein Korn vom edelsten Stoff, der mir in jener Zeit bekannt war: zur Dichtung geformter Sprache. Ich war während der Vorarbeiten zu meiner Dissertation in der dritten Nummer von Gutzkows ›Telegraph‹, Jahrgang 1836, auf ein Gedicht getroffen: nur aus Zufall, doch ich pries ihn; voller Betroffenheit las ich diese Verse:

Wie streng ihr mich fesselt, Stunden! wie
Ohn Mitleid ihr eure Bewegung entsendet!
Zur Gnade nicht, ach! kaum
Zum Vergessen geht matter mein Herzschlag.
Träg rinnt der Tag gleich
Dem Saft, austropfend aus dem Leib
Der Pinien Hymettos'.

Noch wird Erlösung.
Oder wolltet ihr, Stunden, ewig
Im Mittag kreisen fortab?

Zeit, Verdammnis des Sterblichen, ist doch
Seine Begnadung zugleich. So
Mit müderem Lidschlag mich peitschend,
Harr ich entgegen dir, daß dein bleicher Fuß
Mich anstößt liebkosend,
Harr ich deiner,
Bräutliche Schwester
Mond.

Diese Verse waren überschrieben ›Elegie auf die Zeit‹; ihr Verfasser hieß Carl Theodor Seippelt. Versteht man meine Betroffenheit? War hier nicht das Erbe Hölderlins lebendig geworden in einer Epoche, die sich in süßen Reimereien gefiel nach dem Bilde des Volkslieds? Und so unüberhörbar der große Odenton des Hyperion-Verfassers in diesen Versen war, so wenig war auch das andere zu verkennen. »Mit müderem Lidschlag mich peitschend.« Kühne Metaphorik, wie sie zur gleichen Zeit nur Büchner besaß, bei ihm freilich eingeschmolzen in plebejische Prosa. Doch ich war Schüler Hanfried Spohlworms und hielt mich in meiner Bewunderung vorerst zurück. Spohlworm lehrt kritische Gelassenheit gegenüber jedem Dichtertext. Konnte nicht sein, daß ich auf eine geschickte Fälschung gestoßen war, apokryphe Hölderlin-Verse, die ein Krämergeist unter anderem Namen auf den Markt warf? Ich betrieb Nachforschungen; konnte mir dabei meinen Verdacht nicht widerlegen noch bestätigen; vorerst blieb mir ohnehin nicht viel Zeit für solche Arbeit. Ich hatte meine Examina zu bestehen. Die Entdeckung der Seippelt-Elegie nahm ich mit in die neue Berufswelt.

Dort versah ich stumpfsinnige Tertianer mit der erforderlichen Kenntnis des Minnesangs, während ich jede freie Stunde außerhalb des Realgymnasiums darauf verwandte, meine Nachforschungen betreffend, ›Elegie auf die Zeit‹, voranzutreiben. Ich durchwühlte den Hölderlin und vergrub mich in Nachschlagwerken. Als ich zum Assessor befördert wurde, konnte ich, unter Berufung auf Hanfried Spohlworms strenge Methode der Textkritik, mit gutem Gewissen behaupten: die Elegie des Seippelt war noch nirgends wieder gedruckt worden, nicht vorher, nicht später.

Blieb mir der Nachweis, daß es Seippelt als lebendigen Dichter gegeben habe, unter diesem oder anderem Namen. Die Verse der Elegie, längst konnte ich sie auswendig hersagen, waren mir das unwiderlegliche Zeugnis eines großen Talents mit tragischer Seele. Wie auch Hanfried Spohlworm lehrt: »Verse sind Spiegelungen eines Charakters.« Ich verglich Pathos und Sprachwahl der Elegie mit anderen Versen aus Vormärz nebst Jungem Deutschland. Ich fand nirgendwo Ähnlichkeit: kein Freiligrath, keine Droste konnte sich hinter Carl Theodor Seippelt verbergen. Doch Kürschner verschwieg den Namen, und Goedeke verweigerte Auskunft. Stöhnend begann ich andere Zeugnisse des zeitgenössischen Geistes zu befragen. Annalen der Naturwissenschaft, Belege der politischen Historie. In einem medizinischen Journal fand ich, in einer Anmerkung, den Hinweis auf einen lateinisch abgefaßten Traktat über die Behandlung der Lues mit Hydrargyrum, erschienen im Jahr 1808, geschrieben von Heinrich Eduard Seippelt, Arzt in Oberkochem. Ich atmete auf, vorsichtig frohlockend: ein Weg schien sich aufzutun.

Inzwischen war ich zum Studienrat befördert.

Ich benutzte die nächsten Ferien vom Schuldienst, um südöstlich zu reisen. Das Dampfroß trug mich zu sanften Hängen mit Weingärten; Kirchtürme, Domportale ragten hin über sanfte Flußufer; die Luft großer deutscher Kultur war ahnungsvoll um mich. Im Adreßbuch der Stadt Oberkochem indessen fand ich den Namen Seippelt nicht mehr verzeichnet. Ich beschaffte mir die Erlaubnis zum Studium der Kirchenbücher in den einzelnen Gemeinden und fand schließlich, in einem von ihnen, die Eintragung, daß dem Heinrich Eduard Seippelt, Medicus zu Oberkochem, und seinem Eheweib Clara Magdalena ein zweiter Sohn geboren worden sei den 4ten Octobris A. D. 1812 und getauft auf den Namen Carl Theodor den 22ten Octobris dortselbst; folgten die Taufpaten. Wie verzückt starrte ich auf den steilen Duktus des längst verrotteten Federkiels. Ich wollte nicht glauben, daß ich des Ziels meiner Mühen endlich ansichtig geworden, mußte es dennoch, hatte es vor mir und unwiderleglich. Bunt lief das Licht durch die Fenster der Sakristei, darin ich saß. Wie selbstverständlich formte mein Mund die Verse der Elegie: »Zur Gnade nicht, ach!«, wobei im benachbarten Kirchlein, dem uralten, der Kantor in die Register der Blasebalgorgel griff und über Bach präludierte zur Ehre Gottes.

Ich blieb für mehrere Tage in Oberkochem, fuhr fort in meiner Lektüre der Kirchenbücher und erfuhr so, daß der Medicus Seippelt insgesamt sieben Kinder gezeugt hatte; davon waren zwei im Säuglingsalter, eines dreijährig, eines zwölfjährig und eines im Alter von siebzehn von vorschnellem Tode dem Leben entrissen worden. Eine Tochter, Carla Charlotte, vier Jahre später geboren als Carl Theodor, hatte im Jahr 1841 den Advokaten Friedrich Senkbeil geehelicht. Der Name Senkbeil war noch verzeichnet im Adreßbuch der Stadt; ich brach auf, dieser späten Spur Seippeltschen Blutes nachzugehen.

Ich geriet in das Dunkel eines alten Bürgerhauses, in dem es nach feuchtem Mehl und Zwiebeln roch. Eine rotgesichtige Frau, in schmutziger Kittelschürze, in der Hand eine Flasche mit schlechtem Kornbrand, öffnete mir. Sie sagte, als ich den Namen Senkbeil nannte, wann denn das nun ein Ende habe, der Alte sei doch schon längst verknurzt. Danach setzte sie ungerührt die Flasche an den Mund und goß Fusel hinters gelbe Gebiß. Erst nach Minuten begriff ich, daß sie mich für einen Kriminalbeamten hielt. In einer nahen Weinstube erfuhr ich, Senkbeil, ihr Mann, sitze im Zuchthaus wegen mehrfachen Trickbetruges. Ein Glas mit Landwein gegen das Licht haltend und hindurchblickend durchs Glas, hatte ich Muße, darüber nachzudenken, wie traurig Größe und Talent vergangener Generationen zu Schanden kommen in unserer Zeit.

Doch was scherte mich Senkbeil, der Kriminelle? Ich wußte mehr von Carl Theodor Seippelt, wußte von seiner Geburt, seinen Anfängen; insgesamt befriedigt zahlte ich meine Pensionsrechnung und verließ Oberkochem. Die ›Elegie auf die Zeit‹ gab deutlich Auskunft, daß ihr Verfasser eine überaus gründliche Kenntnis des Humanistischen und der Poesie besaß; ich schloß daraus, sein Bildungsweg müsse ihn auch durch eine Universität geführt haben. Derart verwendete ich meine nächsten Ferien darauf, die Matrikeln deutscher Universitäten nach ihm zu durchforschen. Auch hier wurde mir Aufschluß zuteil. Carl Theodor Seippelt hatte im Jahre 1830 an der Universität Göttingen Theologie belegt, 1831 und 1832 an der Universität Bonn Philosophie und Recht, in den Jahren 1833 bis 1835 an der Berliner Universität alte Sprachen. Einem glücklichen Einfall folgend überprüfte ich die Handschriftenabteilung der Preußischen Staatsbibliothek und stieß auf ein Manuskriptbündel, dem Dichter Adelbert von Chamisso zugeordnet, abgefaßt in einer Handschrift, die der Chamissos ähnlich war, doch enthaltend Oden und Hymnen eines Stils, der sich von jenem Chamissos beträchtlich unterschied.

Und auf einer der Seiten, jener mit den kostbaren Strophen der ›Apollonischen Ode‹, fand sich, von heftiger Hand ausgestrichen, dennoch lesbar und deutlich die gleiche Handschrift aufweisend, wie die ›Apollinische Ode‹, es fand sich die Verszeile: »Zeit, Verdammnis des Sterblichen, ist doch«; es fand sich der Hinweis auf die mir schon bekannte Elegie, meine Entdeckung, meinen Ariadnefaden, dem ich nachgegangen war, den ich abgehaspelt durch Bereiche von Mühe, Enttäuschung hindurch und der mich nun geführt hatte hierher.

Das Glück machte mich zittern. Besudelt vom jahrzehntealten Staub der Papiere, umgeben von krächzenden Archivaren, selber hockend in der bleichsüchtigen Ausdünstung alter Möbel und Wände, fühlte ich mich erhoben über mich selbst, zu plötzlicher Bedeutung emporgeschleudert: ein seltener Augenblick, der köstlichste eines Forscherlebens! Es bedurfte mehrerer Stunden, ehe ich wieder zu kühler Besinnung fand. Ich maß vorausschauend die Arbeit, die noch vor mir lag. Sie war beträchtlich. Ich mußte mit großem Bedacht vorgehen, haushalten mit meiner Entdeckung, den Lohn für meine Geduld durch umsichtiges Wuchern hochtreiben.

So veröffentlichte ich zunächst in der ›Deutschen Vierteljahresschrift für Literaturwissenschaft und Geistesgeschichte‹ den Aufsatz ›Ein vergessener Erbe Hölderlins‹, in dem ich einige Daten aus dem Leben Carl Theodor Seippelts vortrug und dem vollständigen Abdruck von ›Elegie auf die Zeit‹ eine kurze literaturgeschichtliche Einordnung beifügte. »Sollten«, so schloß ich meinen Aufsatz, »diese ungewöhnlichen, ein so reifes Talent verheißenden Strophen die einzigen unseres Dichters gewesen sein? Oder sind sie nur der Anfang zu einer ungewöhnlichen Entdeckung?« Vieldeutig stand diese Frage im Raum der Literaturwissenschaft. Ich harrte des Echos. Es kam alsbald. Deutungen und Spekulationen wurden laut. Ich erhielt Briefe von Germanisten, welche mir zu meinem Aufsatz gratulierten. Der greise Spohlworm, mein Lehrer, sandte mir einen in zitteriger Altmännerschrift verfaßten Brief der Anerkennung, den er mit der Verszeile »Zeit, Verdammnis des Sterblichen« geschlossen und nach Altmännerart besabbert hatte. Ein Studienrat aus Oberkochem schickte mir einen langen, begeisterten Aufsatz, den er in einem Lokalblatt von Oberkochem hatte drucken lassen; die Elegie wurde darin zitiert, meine Entdeckung gerühmt und Seippelt als großer Sohn der Stadt Oberkochem gepriesen. Offenbar war das Lokalblatt weitverbreitet. Nach kurzer Zeit trug man mir einen Brief des Trickdiebes Senkbeil ins Haus mit der lakonischen Mitteilung: »Schätze, Kleiner, wir haben noch Schriftkram von diesem Seibel, haste Zaster?« Ich bot ihm einen ansehnlichen Geldbetrag, worauf aus Oberkochem, offenbar abgeschickt von Senkbeils Frau, ein in Illustriertenpapier eingeschlagenes Päckchen bei mir eintraf, das heftig nach Zwiebel roch. Als ich es aber enthüllte, traten die wohlbekannten Schriftzüge des Dichters ans Licht: zweiundzwanzig Briefe Carl Theodor Seippelts, gerichtet an die Schwester Carla Charlotte. Ich wurde fast übermütig vor Entdeckerglück.

Nunmehr verwendete ich die Abende und Sonntage eines Jahres darauf, sämtliche Handschriften Carl Theodor Seippelts zu entziffern und in die Maschine zu schreiben, einen kritischen Anmerkungsapparat zu entwerfen und meine Erkenntnisse in einer großangelegten Arbeit zusammenzufassen. Carl Theodor Seippelt ›Gedichte und Briefe‹ sowie ›Seippelt – Leben, Werk, Wirkung‹, meine Monographie, erschienen beide und gleichzeitig bei Niemeyer in Halle. Die Wirkung in Fachkreisen und darüber hinaus war außerordentlich. Den Deutschen war ein Dichter wiedergegeben – nein: er war ihnen geschenkt worden, und zwar durch mich und meine Arbeit.

In der Tat: diese Poesie enthielt Kostbarstes. Das Leben ihres Schöpfers war von geheimer Tragik beschattet. Jeder, der Augen hatte zu lesen, erkannte schon in ›Elegie auf die Zeit‹ jene tiefinnerliche Trauer, welche unmöglich angenommene, bloß angelesene Haltung eines empfindsamen Jünglings war; eigene Erfahrung und persönliches Leid sprachen aus diesen Versen. Noch unverwechselbarer klingt es in jenen berühmten Versen der ›Apollinischen Ode‹:

Gleichmut allein
Entströmt deines Profils schimmerndem Marmor,
Neige dich, Gott, doch
Daß
Im Geschenk deines Schattens
Mich befalle
Der Wahnsinn.

Ein Schrei. Der große, erschütternde Wunsch nach Erlösung. Seippelt war nicht älter als fünfundzwanzig, da er dies schrieb. Auch die Briefe an die Schwester verkünden die gleiche Stimmung. »Alle Mauern der Stadt bringen mir Gleichgiltigkeit entgegen. Ich sitze in der Collegia und suche mich mit Gelahrtheit zu betäuben. Doch ein stärkeres Gift müßte gefunden werden für mich als christlicher Traktat, selbst als die Heilsgeschichte. In den Kirchen friere ich nur.« (Brief vom 12. 11. 1830) Mühelos konnte ich in meiner Monographie auf das Moderne in Empfindung und Sprache dieses Briefes hinweisen: Rilke in Paris schrieb kaum anders, und Malte Laurids Brigges Befremden vor der Umwelt besaß in Seippelt ein frühes Gegenbild. Wie überhaupt die unverhofften Modernismen (Bilder, wie sie die Surrealisten wiederfanden, Gedanken, die unserem Jahrhundert angehörten, doch dem vergangenen entstammten) großen Anteil hatten an der Wirkung dieser Poesie.

Eine Leidenschaft, jäh und gebändigt zugleich, offenbarte sich derart als das Grundgefühl des Dichters Carl Theodor Seippelt. Das Intellektuelle trat dahinter zurück, war indessen stets vorhanden. Spontan, unterm Drang der Stunde, schienen die großen Gedichte entstanden. Doch das Bewußtsein, eine Überlieferung fortzusetzen, behauptete sich. »Die großen Dichtungen des Hölderlin, manches vom frühen Goethe, das getragenere, auch etwas Klopstock...machen mein Vorbild aus...Ich brauche, wie jeder Dichter, eine Form, drein ich meine Empfindung gieße, und ich muß sie allzeit zur Hand haben.« (Brief an die Schwester vom 3. 4. 1835) Seippelt hatte ein gutes Gefühl dafür, daß die Formsprache seiner Vorbilder nicht irgendwie, sondern als Entsprechung einer bestimmten Haltung wirkte. »...und der Geist, der aus diesen antiken Formen kommt – wie frei sie immer abgehandelt seien – ist ein Ernst, der sich vom täglichen Gewimmel nicht fortwendet, aber in Abstand hält davon.« (Brief vom 3. 4. 1835) Aus solchem Mitweltsbezug erklären sich auch die politischen und philosophischen Einsichten Seippelts.

Seine Abneigung gegen die deutschen Zustände der Zeit war beträchtlich. »Welchen Mangels an Würde bedarf es, sich der Neugier der Zöllner zu unterwerfen! Der Wunsch auf Weitläufigkeit ist mit Grenzsteinen bezäunt.« (Brief vom 18. 5. 1833) Er wünschte eine Änderung, war zugleich mißtrauisch, was die Mittel und Ergebnisse betraf.

Sein Urteil über die Regierenden und die Parteiungen in Deutschland insgesamt war hart. »Scheiße.« (Brief vom 18. 2. 1835) Er litt unter den Zuständen der Zeit, aber sie waren nicht der tiefste Urgrund seiner Trauer.

Der lag ausschließlich in persönlichem Erleben. Gab nicht schon ›Elegie auf die Zeit‹ darüber Aufschluß mit jener bezwingenden letzten Strophe, endend in dem Anruf der »bräutlichen Schwester Mond«? Das Dichterbild hatte freilich noch Vieldeutigkeit. Die Briefe lieferten den Schlüssel: die »bräutliche Schwester« war wörtlich zu nehmen, war die eigene Schwester, die zärtlich geliebte, entsagungsvoll verehrte, Empfängerin dieser Briefe, war Carla Charlotte Seippelt; und jene acht unter den zweiundzwanzig Briefen, in denen die große und tragische Zuneigung unverhüllt ausgesprochen und leidend einbekannt wird, gehören zu den bedeutenden Liebeszeugnissen der Literatur, gemahnend an die Briefe Abaelards, gemahnend an die Briefe der portugiesischen Nonne Marianna Alcoforado – Vergleiche, die andere fanden, nicht ich, Vergleiche, denen ich aber zustimmte, denn auch hier war das Sittengesetz stärker gewesen als die Leidenschaft. Denkwürdig vor allem jener letzte Brief an die Schwester, in welchem alle schmerzliche Neigung noch einmal aufflammt, noch einmal in lauterstes Wort gebannt wird. »Ich nehme Abschied von dir, Schwester, kleine Geliebte, Gefährtin von frühester Kindheit an, ich nehme Abschied. Ich will in ein neues Leben hinein. Alle Jahre bisher waren aber schon Flucht. So weiß ich nicht, ob die neue Flucht mich von dir trennen kann. Die Mühen bisher, du weißt es wie ich, vermochten es nirgends. Es war in den Studien nicht die erhoffte Erlösung, was sind Philosophie, Jus, selbst die Religion gegen die Glut meiner Nerven? Was raten sie mir denn außer Begriffen von Sitte, Sühne, Gebot, Strafe? Ich nehme Abschied von dir, zarte Geliebte. Ich möchte deinen Leib küssen wie einst, als es noch unschuldig geschah, oder war es das schon nicht mehr? Unsere gemeinsamen Gärten sind welk geworden. Nebel quillt aus den Brunnen. Lebe wohl, Schwester, denk an mich, einmal noch, zum letzten. Dann vergiß.« Dieser Brief ist datiert auf den 2. 4. 1838. Er ist das letzte Zeugnis von Seippelts Hand; was aus ihm wurde, war ungewiß. Ich selbst neigte der Deutung zu, die eines der Gedichte aussprach:

> Laßt mich
> Die Grenzen doch sprengen, Götter, die
> Irdischen. Wildere
> Horizonte dehnen sich jenseits, kaum betretne.
> Arkadien!
> Find ich dich endlich
> In den Savannen hinter den
> Meeren?

Dieses Gedicht, ›Exodus‹ überschrieben, war als einziges unter den von mir gefundenen Lyrikmanuskripten Seippelts mit einem Datum versehen (Januar 1838). Kaum ein Zweifel: Seippelt floh vor seiner tragischen Neigung, vor der Enge Deutschlands; er folgte seinem Drange nach Freiheit, Gleichheit, nach einer Gemeinschaft, in der persönliche Leistung die Stufen der Ordnung ausmachte: der erste Amerikafahrer unter den deutschen Schriftstellern, eher noch ein früher

Rimbaud, der das wilde Abenteuer, die harte Bewährung des unwirtlichen Exils suchte, um das frühere Ich hinter sich zu lassen.

So entstand aus den Versen und Briefen wie auch aus meiner Monographie das Bild eines tragisch Frühvollendeten. Die Fachwelt, zugleich das breite Publikum griffen mit Begeisterung nach seinem Werk. Mein Entdeckerglück und meine Sorgfalt als Herausgeber wurden gerühmt. Seippelts Verse fanden Eingang in die Schullesebücher. Dissertationen über ihn wurden vergeben. Deutungen aus geistesgeschichtlicher, soziologischer und psychoanalytischer Sicht wurden über ihn verfaßt. In Fachkreisen entstand ein hitziger Streit über den Sinn bestimmter Schlüsselworte in Seippelts Dichtung. Die Stadt Oberkochem stiftete einen Lyrikpreis, der Seippelts Namen trug. Die edelsten Vertreter der heranwachsenden Generation erhoben Seippelt zu ihrem poetischen Helden, führten seine Strophen im Munde, schlossen sich in Kreise und Bünde zu gemeinsamer Verehrung.

Ich selbst, wen will es verwundern, hatte mich ihm völlig angewöhnt. Ich dachte in seinen Ideen, und seine Anschauungen zur Welt waren mir selbstverständliches Gebot. Freilich besaß ich keine Schwester. Ich bin der jüngste von fünf Brüdern, die außer mir sämtlich in der Metallbranche beschäftigt sind. Hingabe und Entsagung Seippelts konnte ich aber nachvollziehen, und der Gegenstand meiner Verehrung blieb er selbst: der Dichter.

Ich entschloß mich zu neuen Plänen. In einer überarbeiteten Fassung meiner Monographie, zugleich gedacht als Habilitationsschrift, wollte ich meine Erläuterungen weiter fassen, die bisherigen Ergebnisse der Seippelt-Forschung anderer Wissenschaftler berücksichtigen und vor allem neue Einzelheiten zu Leben und Werk Seippelts beifügen. Vorausgesetzt, ich würde sie finden, doch ich hatte Anlaß zur Zuversicht. Durch den Erfolg meiner Entdeckungen war mir ein bescheidenes Vermögen zuteil geworden. Ich gab meine Stellung im Lehrkörper des Realgymnasiums auf und zog in eine größere Stadt, wo ich mich völlig meiner Lebensaufgabe zu widmen gedachte.

Ich mietete ein bescheidenes Zimmer mit alten Möbeln, besorgt von einer halbblinden Wirtin. Unter den Fenstern meines Zimmers waren noch die ausgewaschenen Riesenbuchstaben einer Inschrift, *Homanns wildes Ballhaus*, zu erkennen, während die Säle des ehemaligen Etablissements inzwischen zu einer Automobilreparaturwerkstatt gehörten. Im Hofe des Grundstücks aber standen die Säulen einer Tankstelle und schickten heftigen Gasolin-Atem in die Luft. Geruch und Geräusch der neuen Zeit umgaben mich derart, während meine Hingabe einer Erscheinung des vergangenen Jahrhunderts galt.

Ich sprach vom Anlaß auf Zuversicht. Seit längerem kreisten meine Überlegungen um die Frage, wieso Seippelt seine Lyrik niemals einem Verleger angeboten hatte. Hielt er sie selbst für minderwertig? Fehlten ihm Mut oder innerer Drang? Die Veröffentlichung der ›Elegie auf die Zeit‹ hätte ihn ermuntern müssen; dennoch entschied er sich für die Zurückhaltung. Einer der Briefe an seine Schwester schien geeignet, Antwort auf solche Fragen zu geben. Man muß dazu wissen, daß Seippelt höchst geizig mit dem Papiere umging; einige der Briefseiten hatten zuvor als Rechnungen gedient; andere zeigten Gedichtanfänge, welche hernach ausgestrichen waren. Am Rande des Briefes an Carla Charlotte Seippelt vom 25. 5. 1836 fand sich eine Notiz, die nicht zum Briefe selbst gehörte, keinerlei Bezug zu seinem Inhalt aufwies und die folgende, höchst eigentümliche Reihung zeigte:

Hoffmann & Campe
Cotta
Göschen
Reclam
Spatoledo & Lieprecht

Die ersten vier Namen waren solche von bekannten Verlagsbuchhandlungen. Es lag nahe, auch den letzten Namen für den eines Verlegers zu halten. Er war mir freilich unbekannt. Ich stellte Nachforschungen an, die lange Zeit kein Ergebnis brachten. Erst ein kurzer Hinweis in der ›Vossischen Zeitung‹ aus dem Jahre 1867 nannte den Namen: in Zusammenhang mit verbotenen und von der Polizei verfolgten Druckschriften. Abenteuerliche Ahnungen beschlichen mich: war Spatoledo & Lieprecht ein Druckhaus des politischen Untergrunds? Würde ich Seippelt wiederbegegnen als Pamphletisten wider die preußischen Zustände? Ich korrespondierte mit Sammlern von Inkunabeln, mit Bibliophilen und Bibliomanen, besuchte auch einige von ihnen, hatte endlich Glück: ein siezigjähriger Jurist besaß Druckerzeugnisse der Firma Spatoledo & Lieprecht.

Krumm und gelbhäutig empfing er mich. Reckte mir schwerhörig sein linkes Ohr entgegen. Rollte wollüstig mit den lebergelben Augäpfeln, als ich »Spatoledo und Lieprecht« sagte, führte mich in das Innere seiner Wohnung. Dort stand allerlei bildnerische Unanständigkeit umher. Pronographische Kartenspiele lagen aufgeschlagen unter Glas, während von den Wänden, sofern die nicht durch Bückerregale verdeckt waren, weibliche Akte von haarsträubender Deutlichkeit dem Besucher entgegenblickten. »Spatoledo und Lieprecht«, murmelte der Greis; die Begeisterung machte, daß in Fäden der Saft aus seinem zahnarmen Munde lief; er schob mich vor ein Regal und wies auf ein Dutzend lederner Buchrücken. Ich konnte danach greifen und mich bedienen.

Es wurde ein ärgerlicher und enttäuschender Tag. Nur schwer konnte ich den Alten davon überzeugen, daß ich nicht der Erotica wegen bei ihm war, sondern auf der Suche nach dem Schicksal Carl Theodor Seippelts, welcher Name ihm aber nichts bedeutete. Unentwegt forderte er mich auf, die anderen Räume seiner Sammlung zu besichtigen; blubbernd stand er dort neben mir und erklärte mir die allerschärfsten Sachen. Was ich als Erkenntnis mitnahm von diesem Besuch und in den folgenden Wochen durch eingehende Nachforschung noch ergänzen konnte, war aber dies: Spatoledo & Lieprecht war eine Verlagsbuchhandlung für obszöne Literatur gewesen. Ständig auf der Flucht vor der Zensur, gab sie ihre Produkte nur numeriert und in Subskription ab, woraus sich die allgemeine Anonymität des Unternehmens erklärt. Sie vertrieb die Liebeskunde des Kāmasūtra und die tollsten Geschichten aus Tausendundeiner Nacht; sie veranstaltete eine deutsche Ausgabe der Schriften des Marquis de Sade und eine Bild-Enzyklopädie der Erotik. Die Herren Spatoledo und Lieprecht, wiewohl ständig im Geschäft mit Verbotenem, müssen ein hübsches Stück Geld verdient haben. In der ›Vossischen Zeitung‹ von 1874 nannten die Gesellschaftsnachrichten unter den neuernannten Kommerzienräten einen Herrn Lieprecht, Verlagsbuchhändler; ich zweifelte keinen Augenblick, daß es sich dabei um den Kompagnon des Herrn Spatoledo handelte.

Was aber hatte Seippelt mit dieser Firma zu schaffen? War er vielleicht Bezieher von deren Produkten gewesen? Hatte er die tragische Neigung zu seiner Schwester mit angelesenen

Orgien betäuben wollen? Letztere Deutung bot einige Wahrscheinlichkeit; dennoch: konnte er im Ernst glauben, daß diese Firma an seiner Lyrik Gefallen fand? Fragen über Fragen. Erzogen in der wissenschaftlichen Systematik meines Lehrers Hanfried Spohlworm, mußte ich mich weiter mit der Arbeit dieses Verlagshauses beschäftigen, um eine Antwort von annähernder Sicherheit zu finden.

Spatoledo & Lieprecht vertrieb neben erprobter Ferkelei aus aller Welt auch zwei Autoren offenbar deutscher Zunge. Der eine war Heliodor, ein Versemacher, Verfasser des Bandes ›Die Luderwiese‹. Kennzeichnend für ihn waren Strophen wie diese:

> Alma, mach die Schenkel weit.
> Zur Begegnung sind bereit
> Extubus und Intubus.
> Hocus, pocus, fidibus.

Solcherart reimte es sich dummdreist durch hundertachtundachtzig Seiten; der Band schien ein großer Erfolg gewesen zu sein. Als noch unappetitlicher aber erwies sich der zweite deutsche Autor des Verlagshauses Spatoledo & Lieprecht, der unter dem Namen Uwe Frenssen die zwölfbändige Romangeschichte ›Wulfger unter Römern‹ verfaßt hatte.

Wulfger war darin als gefangener Suebenfürst und blondhaariger Übermensch beschrieben, als Mitglied der Prätorianergarde und solcherart als Zeuge des Lebens und Treibens in den höchsten Gesellschaftskreisen Roms zur Zeit des Kaisers Diokletian. Wulfger bestand Unmengen von Abenteuern und nahm schließlich germanische Rache an der römischen Unmoral. Dies war aber bloß der Anlaß zu einer umfänglichen Schilderung eben jener Unmoral, darin die physiologischen Einzelheiten jeglicher Art von Eros, des heterosexuellen wie des homosexuellen, großen Raum einnahmen. Ich las über Masochisten, Sodomiten, Kindschänder und Fetischisten; ihrer Neigungen wurde in großer epischer Ausführlichkeit gedacht; hoch ging es her in den zwölf Bänden von ›Wulfger unter Römern‹. Wulfger selbst, der Held, schien gleich seinem Verfasser eine eindeutige sadistische Veranlagung zu besitzen. Er quälte und schlachtete Römer mit exzessiver Gründlichkeit. Wie meine Nachforschungen ergaben, war ›Wulfger unter Römern‹ äußerlich den Romanen Sues, Sienkiewiczs und Dahns nachempfunden, im Gefolge des deutsch-französischen Krieges von 1870/71 gedruckt worden. Derart bot sich der Roman als eine perverse Huldigung an den deutschen Nationalismus.

Es blieb die Frage: was hatte Carl Theodor Seippelt, der tragische und empfindsame Lyriker, mit diesem Verlagsunternehmen zu schaffen?

Die Antwort kam unverhofft. Auf einer Buchversteigerung wurde ein Exemplar von Heliodors ›Luderwiese‹ angeboten: es trug auf dem Titelblatt die handschriftliche Widmung: »Meiner erfolgreichsten Freundin mein erfolgreichstes Buch. C. Th. Seippelt.« Und die Handschrift war unzweifelhaft die meines Dichters. Da brach freilich eine Welt für mich zusammen. Seippelt war Heliodor. Seippelt war nicht nach Amerika gegangen, sondern hatte sich zum reimenden Schmutzfinken fortentwickelt. Ich erstand das Buchexemplar zu beträchtlichem Preis und aus dem einzigen Grund, der literarischen Welt diese Enttäuschung zunächst zu ersparen.

Es kostete mich viel Mühe und mein gesamtes Toleranzvermögen, die überraschende Entdeckung einzuordnen. Seippelt hatte kapituliert. Er hatte sich den deutschen Zuständen angepaßt. Sein späteres Leben warf traurige Schatten auf seine Jugendleistung, aber wurde die dichterische Größe der frühen Verse denn völlig verdrängt dadurch? Auch Heine schrieb zweideutige Strophen, und die Dafnislieder waren des Arno Holz größter Bucherfolg; die Bedeutung beider für die Literaturgeschichte ist dennoch unbestritten. Ich gewöhnte mich an die Vorstellung, daß Seippelt unter einem drängenden Triebleben und unter materieller Not gelitten habe; was anderes blieb mir? Die Wissenschaft hat die strenge Verpflichtung darzulegen, was ist. Kummer im Herzen, schrieb ich an der erweiterten Fassung meiner Monographie.

Blieb freilich die Frage, was denn nun aus Seippelt, dem nicht nach Amerika Ausgewanderten, dem vielmehr in Deutschland Verbliebenen, weiter geworden war. Der sicherste Weg, dies zu erfahren, schien weiterhin über die Firma Spatoledo & Lieprecht zu führen, ihre Geschäfte und Verbindungen; allein, es war immer noch müselig, hier Einzelheiten in Erfahrung zu bringen. Fast zwei Jahre bemühte ich mich darum, mit überaus mageren Ergebnissen. Dann kam jener Tag.

Es war ein furchtbarer Tag. In mein Zimmer, das von der halbblinden Wirtin versorgte, mit alten Möbeln ausgerüstete, über einer Automobilreparaturwerkstatt nebst Tankstelle gelegene, in das Zimmer, darin ich den Forschungen über Seippelt oblag, Erwartungen, Hoffnungen, Enttäuschungen in mein Seelenleben einordnete, in dieses Zimmer trat an einem Novemberspätnachmittag ein Subjekt, grüßte nicht, fragte mich unumwunden, ob ich der Seippelt-Spezialist sei, bot mir sein ungesundes, mit Pusteln bedecktes Gesicht und zwinkerte mit frechem Auge. Ich sagte ja. Das Subjekt sagte, es habe da etwas; es koste aber eine Kleinigkeit. Was, fragte ich. Das Subjekt wedelte antwortlos mit einem Stück Papier und grinste. Ich sagte, ich verstünde nicht. Das Subjekt sagte, es habe Germanistik studiert, sei aber zur Zeit ohne Studium und Beschäftigung; früher habe es einmal einem der Seippelt-Bünde angehört; deshalb. Ich war neugierig geworden und sagte, ich sei bereit, gut zu zahlen, vorausgesetzt, der Handel sei ergiebig für mich.

Man erinnere sich des sogenannten Drei-Sprachen-Steines aus Rosette, mit dessen Hilfe es gelang, die altägyptischen Hieroglyphen zu entziffern. Hier erstand ich gegen sehr viel gutes Geld einen Brief, dessen Handschrift mir sofort als die von Carl Theodor Seippelt auffällig war und den folgenden für mich wichtigen Kernsatz enthielt: »Nachdem ich nun als Heliodor und Uwe Frenssen einen feinen Batzen Geld gemacht habe, will ich meinen Verlag verkloppen und ein Amüsiergeschäft eröffnen.« Späterhin berichtete er noch über eine Immobilienerwerbung: jenes Grundstücks, das früher *Homanns wildes Ballhaus* hieß und in dessen Oberstock ich meine Wohnstatt hatte.

Ich will nur kurz erwähnen, daß ich, Spohlworm-Schüler bis zuletzt, mir durch einen Graphologen gegen gutes Honorar die Sicherheit verschaffte, die Handschrift jenes Briefes sei identisch mit der Handschrift auf den Lyrikmanuskripten Seippelts. Spatoledo & Lieprecht erwies sich als Anagramm des Namens Carl Theodor Seippelt, und mir gelang auch der Nachweis, daß ein Herr Seippelt im Jahre 1854 die Umwandlung seines ursprünglichen Namens in den Namen Lieprecht bei den Behörden beantragt und durchgesetzt hatte. Wäre ich in meinen Nachforschungen noch weiter gegangen, wäre mir Seippelt vielleicht wiederbegegnet als Spion in englischen Diensten oder als der Großadmiral Tirpitz. Aber ich wollte nicht mehr. Mit Hilfe eines einfachen Streichholzes setzte ich meine Wohnstatt samt den alten Möbeln und den vielen Papieren in

Brand; die Tankstellen im Hof explodierten unter majestätischem Donner. Die Großstadt, in der ich zu jener Zeit lebte, beherbergte sechs Verlagshäuser. Ich erstand, in Erinnerung an das prächtige Flammenspiel des Hauses, das einstmals *Homanns wildes Ballhaus* war, sechs Benzinkanister und setzte in den folgenden sechs Nächten die sechs Verlagshäuser in Brand. Man errät es unschwer: der Feuerteufel in jener Großstadt war ich.

Seither bin ich Besitzer einer Tankstelle. Ich habe sie mit dem Rest meiner Barschaft erworben, versehe die Limousinen und Lastkraftwagen an der Kreuzung zweier Fernverkehrsstraßen mit Diesel und Gemisch und habe mein Auskommen. Gelegentlich geschieht es, daß ich auf dem Rücksitz eines der Wagen, die ich zu bedienen habe, eine Druckschrift erblicke, eine Zeitung mit bunten Bildern oder die Taschenbuchausgabe eines Unterhaltungsromans; ich entdecke dann, daß kalter Schweiß auf meine Stirn tritt, aber ich bezwinge mich, nehme höflich Benzinschecks oder Bargeld in Zahlung und sehe, wie die Wagen mit dem Anlaß meiner Erregung das Weite suchen. Abends, wenn der stärkste Verkehr vorüber ist, zünde ich mir vorsichtig eine Zigarette an und denke darüber nach, daß Benzin nicht nur besser brennt als bedrucktes Papier, sondern daß es auch keinerlei geistige Enttäuschung zu bereiten vermag. Ich preise mein Glück, in einem technisierten Zeitalter zu leben, und vergesse dann völlig, daß hinter uns Jahrhunderte liegen, deren Erben wir sind.

IRMTRAUD MORGNER

Drei Variationen über meine Großmutter

1
Wie meine Großmutter starb

Ich hatte mal eine Großmutter. Die war kurz von Statur und hatte einen langen Schrank. Drei Meter lang war er. Und zwei Meter hoch und einen Meter tief. Er nahm ein Drittel des Zimmers ein, in dem sie wohnte. In den anderen zwei Dritteln standen Bett, Tisch, Stuhl und Ofen. Aber das bemerkte man erst, nachdem man Platz genommen hatte. Wenn man eintrat, sah man nur den Schrank, ein blaugestrichenes Gehäuse mit messingbeschlagenen Türen und Schubladen. Auch die Großmutter fiel zunächst nicht ins Auge. Selbst wenn sie vor dem Schrank stand. Sie trug sommers wie winters ein blaues Kleid und darüber eine blumenbedruckte Trägerschürze. Wenn Besuch kam, stemmte sie sich mit dem Stock hoch vom Stuhl, hängte den Stock an der Krücke auf am Tisch und strich mit beiden Händen mehrmals über die steifgestärkte Schürze. Dann humpelte sie schnurstracks zum Schrank, wenn sie nicht zufällig schon davorstand, was nicht selten geschah, denn sie hatte oft drin zu tun, sie humpelte also ächzend und auf dem kürzesten Wege zum Schrank, manchmal noch, bevor der Besuch Gelegenheit hatte, ihr die Hand zu geben, öffnete eine von den mit Blumen und Früchten bemalten Türen und holte das Kaffeegeschirr raus.

Nun kam es natürlich vor, daß der Besuch keinen Kaffee wollte. Ich zum Beispiel wollte nie Kaffee. Aber die Großmutter wollte, daß ich wollte. Die Großmutter hatte einen starken Willen. Ich trank also Kaffee. Und sie sah mir zu dabei und freute sich. Und fragte ab und zu, wie er schmeckte. »Gut«, sagte ich ab und zu, und er schmeckte auch gut, nicht nach Kaffee, denn er war mal ein Geburtstags- oder ein Weihnachtsgeschenk gewesen und mindestens ein halbes Jahr alt. Er schmeckte nach dem buntbemalten Schrank. Nach den wundersamen Gerüchen des Riesenschranks, in dem die Großmutter ihre Vorräte unterbrachte: Wäsche, Strickwolle, Arznei, Geschirr, Kleider, Mehl, Zucker, Salz, Leinöl, Tee. Eine Schublade war ausschließlich mit verschiedenen Tees gefüllt, die die Großmutter selbst gesammelt hatte, früher verfügte sie über zwei Schubladen voll Tee, seit elf Jahren jedoch war sie ans Zimmer gefesselt. Auch Beifuß zum Würzen von zehn bis fünfzehn Weihnachtsgänsen hatte die Großmutter in der verschlossenen Teeschublade vorrätig. Der Schrank hatte fünf Schubladen und fünf Türen, und die waren alle verschlossen. Mit verschiedenen Schlüsseln, die die Großmutter gebündelt in der Schürzentasche trug. An der rechten Schrankwand lehnte eine Setztreppe. Die bestieg die Großmutter, wenn sie in den oberen Fächern oder hinter dem Aufsatz zu tun hatte. Hinter dem Aufsatz bewahrte sie ihre Weckgläser auf. Jedes mit einem Etikett versehen, auf dem das Erntejahr der eingekochten Früchte verzeichnet war. Da standen dreiundfünfziger Erdbeeren, fünfundfünfziger Birnen und sechziger Johannisbeeren. Weil die Großmutter keine Johannisbeeren mehr aß – ihrem alten Gaumen waren sie zu sauer –, hatte sie die sechziger ohne Zucker eingekocht; die einundfünfziger, die unmittelbar am Gesims standen, waren noch gezuckert. Die Großmutter bot ihren Gästen nur gezuckertes Kompott an. Als ich an jenem verhängnisvollen Abend bei ihr war, bot sie mir nach dem Kaffee sechsundfünfziger Pflaumenkompott an. Das Glas stand hinter dem letzten linken Schnörkel des Aufsatzes. Neben einem großen Gurkenglas. Das hatte die Großmutter schon abgestaubt, als sie noch Tee und Pilze und Reisig sammeln gehen konnte. Auch an jenem Abend staubte sie es ab, rückte es zur Seite, um den Weg zu den Pflaumen freizulegen, schob es dann zurück an seinen Platz, ächzend, denn es war ein großes Glas, und die Großmutter hatte kranke Beine und stand auf der Setztreppe, und ich sah schon kommen, daß sie sich zu Tode stürzen würde. Alle ihre Kinder und Enkel weissagten, daß sie sich eines Tages mit der Setztreppe zu Tode stürzen würde, wenn sie nicht Vernunft annähme. Aber die Großmutter dachte nicht daran, solche Vernunft anzunehmen. Sie hatte ihre eigene. Mit der balancierte sie sicher auf ihren Vorräten. So sicher wie ein Somnambuler auf dem Dach balanciert. Sie schob also das Fünfliterglas mit den längs geschichteten Gurken wieder an seinen Platz, energisch, so daß die Senfkörner aufwirbelten und die Meerrettichscheiben und die Silberzwiebeln zwischen den Gewürzstengeln in Bewegung gerieten, drehte es so, daß der Mittelpunkt des Etiketts auf der gleichen gedachten Geraden lag wie die Stelle, wo das Glas das Schrankgesims berührte, die Schrift auf dem Etikett war längst verblichen, aber alle Kinder und Enkelkinder wußten, daß da achtunddreißig gestanden hatte, die Zahl des Jahres, in dem die Großmutter ihren Garten hatte aufgeben müssen, weil das Gelände zur Vergrößerung des Exerzierplatzes benötigt wurde. In dem Glas schwammen die letzten selbstgeernteten Gurken. Zuerst sollten sie zur Taufe meines Cousins gegessen werden. Die fiel aber aus, weil dessen Vater, ihr Sohn, mein Onkel, eingezogen wurde. Dann wollte meine Großmutter die Gewürzgurken spendieren, wenn mein Onkel wiederkäme. Er kam aber nicht wieder. Dann sollten sie zu ihrer goldenen Hochzeit auf den Tisch. Mein Großvater starb aber zwei Jahre vorher an Hungerwassersucht. Dann sollten sie meine Hochzeitstafel bereichern. Ich tafelte aber nicht, ich wollte eine schöne Hochzeit und ging nur mit dem Herrn aufs Standesamt und dann auf eine Segeljolle. Mit der segelten wir rund um die

Stadt. Dann schrieben wir der Großmutter eine Karte, auf der wir als Verheiratete grüßten. Daraufhin behielt die Großmutter die Gurken ein und teilte mit, sie würden zu ihrem neunzigsten Geburtstag gegessen. Seitdem teilte sie das oft mit. Sie stand jetzt auf der vorletzten Stufe der Setztreppe, ihre Röcke bauschten sich über den schienengestützten gichtigen Beinen, der Rücken war verschnürt von kreuzweise verlaufenden Schürzenbändern, die etwas unterhalb der Taille zu einer steifen Schleife gebunden waren, die Großmutter griff mit dem linken Arm nach der Schleife, um sich zu vergewissern, ob die noch in der Mitte säße, dann griff sie nach dem weißen, nadelgespickten Haarnest, alles in Ordnung, sie drehte sich ein wenig um, auf der vorletzten Stufe der Setztreppe, so weit, daß sie mich sehen konnte, musterte mich über die auf den Wangen aufsitzenden Brillengläser hinweg, lächelte pfiffig, aber nicht viel, und sagte: »Die Gurken essen wir zu meinem fünfundneunzigsten Geburtstag.« Ich verhehlte mein Erstaunen nicht. Die Großmutter stieg ächzend ab und stellte die Setztreppe wieder an ihren Platz. Dann räumte sie: Geschirr vom Tisch in die Abwaschschüssel, Stock von der Tischplatte an die Stuhllehne, Strickjacke von der Stuhllehne auf den Bettpfosten. Wenn sie räumte, hieß das: basta. Sieben Monate vor ihrem neunzigsten Geburtstag widerrief sie den Öffnungstermin, basta. Zuerst dachte ich, sie hätte es getan, weil sie an die Konserve liebe Erinnerungen knüpfte. Gurkeneinlegen gehörte zu ihren liebsten Erinnerungen. Sie erzählte oft von dieser köstlichen Tätigkeit, sie schilderte, wie die Küche nach billigen Gurken duftete – früher gab es nur billige, schlanke, frische Gurken –, sie wurden in einem Zinkasch gewaschen, mit einer Bürste, mehrmals, dann wurden sie auf dem schönen großen Tisch sortiert – früher gab es nur schöne, große Tische –, darauf ließ sich wirtschaften, du liebe Zeit, Estragon, Basilikum, Pfefferkraut, Silberzwiebeln, Meerrettich, Lorbeerblätter, Senfkörner, Weinessig, abgekochtes Wasser, alles auf dem Tisch, es war eine Lust, zu leben. Leben hieß für die Großmutter: Vorräte anlegen. Da die Höhe ihrer Rente und der Umstand, daß sie nur noch für sich zu sorgen brauchte, ihre Lebensintensität beschränkten und nach der Opferung des Gurkenglases womöglich die Erinnerung an eine köstliche, vielleicht sogar die köstlichste Tätigkeit schwand, erschien mir der Widerruf irgendwie verständlich oder doch jedenfalls erklärbar. Die Großmutter hatte das Zimmer vor elf Jahren zum letztenmal verlassen, sie lebte, indem sie sich erinnerte, so etwa erklärte ich mir ihr merkwürdiges Verhalten. Natürlich war es für ihre Kinder und Enkel nicht angenehm, sich immer und immer wieder die gleichen Geschichten erzählen zu lassen. Die Gurkeneinlegegeschichte hatte ich mindestens schon dreidutzendmal anhören müssen, aber an jenem Abend begriff ich, daß nicht nur der Anstand oder die Achtung vor dem Alter erforderten, sich mit Langmut zu wappnen. Ich wappnete mich also, aß sechsundfünfziger Pflaumenkompott, ließ mir den angeschlagenen Kaffeekannendeckel zeigen und hörte mir an, wie es zu dem Unfall gekommen war. Die Großmutter hatte die Kanne mitsamt den übrigen Serviceteilen in Seidenpapier eingewickelt und in einem Wäschekorb, der mit Holzwolle ausgepolstert war, verstaut. Während des Umzugs behielt sie den Geschirrkorb ständig im Auge. Als sie das Stein- und Porzellanzeug in der neuen Wohnung auspackte, fand sie es wohlbehalten. Und räumte es in die hinter der mittleren Tür liegenden Fächer des großen blauen Schrankes, wo es auch heute noch seinen Platz hatte. Als die Arbeit beinahe geschafft war, verwechselte sie den Kannendeckel mit dem Zuckerdosendeckel, der Kannendeckel fiel in die Zuckerdose und verlor dabei ein daumengroßes Stück, »ich könnte mich schwarz ärgern«, sagte die Großmutter, »ich denk auch noch, der Deckel ist so klein, aber da war es auch schon passiert, ich altes, dummes Mensch.« Sie ist wütend, daß sie so ein altes, dummes Mensch ist, sie schlägt die gichtige Hand auf den Tisch, sie schüttelt den kleinen verrunzelten Kopf, den das Gewicht der großen Brille nach vorn zu ziehen scheint. Ich versuchte die Großmutter zu trösten, indem ich ihr versicherte, daß das Pflaumenkompott vorzüglich schmeckte, und sagte: »Lange her.«

»Du verwechselst was. Den Kannendeckel hab ich nicht beim ersten, sondern beim zweiten Umzug zerkracht.«

»Ich weiß.«

»Na also.«

»Und wann fand der zweite Umzug statt? Vor fünfzig Jahren? Vor vierzig Jahren?«

Die Großmutter protestierte. Sie stellte sich vor den wunderbunten Schrank und rechnete mir vor, daß der zweite Umzug vor siebenundzwanzig Jahren stattgefunden hatte. Ihr Kleid war von ähnlich grünblauer Farbe wie der Grundanstrich des Schrankes, auch etwas verblichen wie dieser, seitdem sie ans Zimmer gefesselt war, trug sie sommers und winters dasselbe Kleid. Die Jahreszeiten hingen im Schrank. Im Frühling bürstete die Großmutter den Sommermantel aus und hängte ihn griffbereit. Im Herbst stopfte sie die Löcher, die die Motten inzwischen in den Wintermantel gefressen hatten, und schüttelte den Pfeffer aus dem Pelzkragen. Als ich sie das letztemal besuchte, war Herbst. Der Wintermantel hing am Schrank. Die Großmutter nahm ihn ab vom Bügel, holte Stopfzeug und machte sich an die Arbeit. Ich sah ihr zu und aß sechsundfünfziger Pflaumenkompott. Sie stichelte, schimpfte auf die Motten und lamentierte über den verdammten Mantel, mit dem sie sich Jahr für Jahr abplagen müßte.

»Du mußt nicht.«

»Ich muß.«

»Wozu brauchst du einen Mantel?«

»Wozu, wozu, wenn ich mal ins Dorf geh, frag nicht so dumm.«

»Du warst doch schon elf Jahre nicht im Dorf.«

»Aber wenn ich mal geh, brauch ich einen Mantel.«

Mir tat die Großmutter leid. Ich wollte nicht, daß sie sich länger sinnlos abmühte. Ich überlegte. Da ich wußte, daß sie ihren Enkeln schwer etwas abschlagen konnte, fragte ich schließlich, ob sie mir nicht den Pelzkragen ihres Wintermantels schenken würde. Er stäche mir schon von Kindheit an in die Augen, und ich würde mir gern eine Pelzmütze daraus nähen, so eine große, wie sie gegenwärtig modern wären. Wenn die Großmutter mich fragen würde, was ich mir zu Weihnachten wünschte, würde ich sagen, eine Mütze aus diesem Bärenfellkragen. Die Großmutter fragte mich nicht. Sie sagte überhaupt nicht mehr viel an jenem Abend. Aber das fiel mir nicht sonderlich auf, manchmal sprach sie tagelang nicht, sie hatte einen schwierigen Charakter. Einen sehr schwierigen Charakter hatte sie und eine eiserne Gesundheit. Sie strickte für die gesamte Verwandtschaft Socken und Pulswärmer und Bettschuhe und konnte zum Abendbrot ein Pfund Sülze essen und trank jeden Sonntag einen Korn. Nur gehen konnte sie kaum noch. Schon die wenigen Schritte zum Schrank fielen ihr schwer. Daß sie die Setztreppe fast ohne Mühe bestieg, war freilich merkwürdig. Nachdem ich meinen Weihnachtswunsch geäußert hatte, bestieg sie die Setztreppe wieder. Ohne ersichtlichen Grund übrigens. Keine Schranktür war geöffnet. Die Weckgläser waren abgestaubt. Ich hatte Kaffee getrunken. Auf der vorletzten Stufe drehte sie sich um, die Setztreppe schwankte, aber die Großmutter störte das nicht, sie drehte die in Walkfilzpantoffeln steckenden Füße auf der vorletzten Stufe um hundertachtzig Grad und setzte sich auf die letzte Stufe. Und lehnte den Rücken an den hohen Aufsatz des langen wunderbunten Schrankes, so, daß der Kopf auf das kartuscheartige Zierwerk zu liegen kam. Die gedrechselten Schnörkel, blau und rot gestrichen, rahmten den Maskaron. Als ich vorsichtig fragte, ob die Großmutter sich nicht lieber auf einen Stuhl setzen wollte, und ihr meine Hilfe beim Abstieg anbot, drohte sie mir mit der Faust, ich durfte mich dem Schrank nicht einmal nähern. Ich stand ratlos vor dem schürzenbewehrten Mittelrisalit des Schrankes. Ich suchte nach etwas, das ich mir hätte vorwerfen können. Ich fand nichts. Mich befiel die Ahnung, daß es der Großmutter nie Ernst gewesen sein konnte mit dem Entschluß, das Gurkenglas zu öffnen.

Die Großmutter saß vielleicht eine halbe Stunde auf der Leiter. Als der Regulator sechs schlug, strich sie sich mit beiden Händen mehrmals über die blumenbedruckte Schürze, um sechs war Abendbrotzeit, sie versuchte sich zu erheben. Vergebens. Sie versuchte es wieder und wieder. Vergebens. Schließlich gestattete sie mir, daß ich sie herunterhob. Sie war kurz von Statur, aber schwer. Ich setzte sie auf den Stuhl und fragte sie, ob ich ihr eine Einreibung aus dem Schrank holen sollte oder etwas zu essen. Sie verlangte den Wintermantel. Ich reichte ihr Stopfgarn, Nadel, Schere und Wintermantel. Sie ergriff die Schere, trennte den Pelzkragen ab und schenkte ihn mir. Dann begab sie sich zu Bett. Ich nahm den nächsten Zug.

Zwei Tage später war meine Großmutter tot.

2
Wie meine Großmutter lebte

Im ersten Jahr nach dem Tod erzählten sich die Verwandten, wenn sie anläßlich eines Geburts- oder Feiertags zusammenkamen, verschiedene Geschichten über die Weisheit und Güte der Großmutter, ein halbes Dutzend insgesamt. Man strickte dabei, aß, trank, es vergingen keine sechs Monate, da war die Großmutter ein Topf voll Asche. Der stand eingegraben auf dem Friedhof und wurde regelmäßig bepflanzt und begossen. Um Ungerechtigkeiten, wie sie sich etwa bei der Verteilung des Nachlasses ereignet hatten, zu vermeiden, wechselten sich die

Erben bei den Grabpflegearbeiten wöchentlich ab. Jedesmal, wenn Anton an der Reihe war, verdorrten die Blumen. Die Verwandtschaft unterrichtete ihre Mitglieder zunächst nur davon. Als Anton, einer der drei Söhne der Großmutter, mein Onkel, jedoch am Totensonntag beim Kaffeetrinken etwas erzählte, das dem halben Dutzend auch nicht entfernt entsprach, wurde ihm die Grabpflegelizenz entzogen. Anton erzählte mit ähnlichen Worten folgende Geschichte:

Meine Großmutter, seine Mutter, hatte eine Vorliebe für billige Gerichte. Dazu gehörten die meisten Kartoffelgerichte, neben Eintöpfen und Klößen vorzugsweise Puffer, von ihr »Klitscher« genannt, Rauchemat und Getzen. Die Großmutter buk zwei Arten von Getzen: Heidelbeergetzen und Buttermilchgetzen. Anton aß am liebsten Buttermilchgetzen. Der wurde in einer rechteckigen schwarzen Pfanne gebacken; an Tagen, da der Großvater frei oder Spätdienst hatte. Mein Großvater, Antons Vater, arbeitete damals als Weichensteller. Die übrige Zeit, sechs Stunden Schlaf abgerechnet, verbrachte er im Wald oder auf dem Holzplatz. Wenn die Großmutter sagte: »Morgen gibt es Getzen«, verfügte sich der Großvater auf den hinter dem Haus gelegenen Holzplatz. Dort hackten und lagerten die Hausbewohner ihre Holzvorräte. Wurzelstock- und Scheitholz wurde in Mieten, Reisig in Schobern gelagert. Je höher die Mieten und Schober, desto größer das Ansehen. Die Großmutter hielt auf Ansehen. Bis zu ihrer Erkrankung, elf Jahre vor ihrem Tode, besaß sie nie weniger als drei Stockholz- und zwei Scheitholzmieten, mannshoch, alle mit von Steinen beschwerter Dachpappe abgedeckt, und etliche Reisigschober. Einen Schober mußte der Großvater am Getzenvortag hacken und zu Bündeln portionieren. Als Junge mußte Anton bündeln helfen und, war der Schober gehackt, die abgefallenen Fichtennadeln mit einem Rutenbesen zusammenkehren und in eine Metze füllen. Der Holzplatz war stets gekehrt. Damals, vor dem ersten Weltkrieg, aber auch später, immer am Getzentag stand die Großmutter zeitig auf und kaufte Buttermilch ein – wer zuerst kam, hatte größere Chancen, einige von den obenauf schwimmenden Butterklümpchen zu bekommen. Im Laufe des Vormittags dann holte der Großvater einen Eimer voll große Kartoffeln aus dem Keller. Die schälte die Großmutter und rieb sie auf dem Reibeisen. Anton erinnerte sich noch genau, daß sich die Wölbungen von Reibeisen unter den Händen der Großmutter schnell abplatteten, der Großvater behauptete, sie wäre ein »Umbringer«. »Imbränger«, sagte Anton, Großvaters Dialekt nachahmend, seine Kaffeegäste warfen sich mit dem Rücken gegen die Stuhllehnen und lachten. Anton strich sich den kahlen Schädel und schilderte den angedeuteten Vorgang genauer, er beschrieb, mit welcher Intensität die Großmutter das Unterkinn herausdrückte und daß er am liebsten ganz dicht neben der großen, außen blau, innen weiß emaillierten Schüssel gesessen hätte, um zuzusehen, wie eimerweis Kartoffeln zu Mus gerieben wurden. Das Mus schüttete die Großmutter auf ein feines Sieb. Darin verlor es Wasser, das in einer Schüssel aufgefangen wurde. Die Schüssel durfte nicht gekippt oder sonst irgendwie bewegt werden, damit sich das Kartoffelmehl ablagern konnte. Nach einer Weile wurde das braune Wasser abgegossen, in einen emaillierten Krug, die Großmutter hatte verschiedene Krüge auf dem Abwaschtisch stehen, aus denen sie abwechselnd trank; auch Bohnenwasser, übriggebliebenen Zichorienkaffee oder Teeneigen schüttete sie ihr Lebtag nicht weg, bevor die Flüssigkeiten ihren Magen passiert hatten. Nun durfte Anton, als er noch ein Junge war, frisches Wasser in die Schüssel schütten und den grauen Kartoffelmehlgrund mit den Fingern aufbohren. Diese angenehme Beschäftigung wiederholte er etwa in Stundenabständen so lange, bis das Mehl ausgewaschen, weiß war und auf der links im Herd eingebauten Wasserpfanne getrocknet werden konnte. Das dauerte Tage. Getzenbacken selbst dauerte jedoch nur Stunden. Während nämlich die Großmutter Buttermilch unter das verdickte Mus rührte und es mit Salz und Kümmel würzte, saß der Großvater bereits vor der Herdtür und schob Reisig in die Feuerung. Der gemauerte Herd war groß und die Küche schmal, zwischen ihm und dem Tisch maß der Abstand nicht viel mehr als einen Meter, in diesem Gang stand eingekeilt die Großmutter mit ihrem Neigenbauch und war achtern schon halb geröstet, bevor die Herdplatten noch die richtige Farbe hatten. Wenn man einen Getzen in die Röhre schieben will, müssen die vorderen Herdplatten rot glühen. Großvater putzte deshalb vor jedem Getzenbacken den Ofen aus. Jetzt saß er auf einer Fußbank vor dem Feuerloch, neben sich einen großen Spankorb mit Reisigbündeln, die er jeweils öffnen und halbieren mußte, ehe er sie feuerte, er kam nicht mehr dazu, die Herdtür zu schließen, erst sperrte das Reisig aus dem Loch, wenn er nachschieben konnte, war es fast schon verbrannt, der Großvater schob und schob, die Großmutter schwitzte und riß das Fenster auf. Die Küche hatte zwei Fenster, ein großes, auf die Straße hinaus, und ein kleines rundes, eine Art Bullauge, von dem aus man den Holzplatz sehen konnte. Wenn die Großmutter Kartoffeln rieb, konnte sie den Holzplatz übersehen. Bereitete sie Getzen, konnte sie beobachten, wie der zu Bündeln portionierte Reisigschober dahinschwand. Das wurde Anton von allen Anwesenden entsprechenden Alters bestätigt, sie begannen sogleich, sich gegenseitig Einzelheiten aus Großmutters Küche zu schildern, das hölzerne Löffelbrett, das Sofa mit den Häkeldeckchen auf der hohen Lehne, die rotgestickten Sprüche auf den Wandschonern, sie überboten einander in der Genauigkeit der Schilderung, der Kaffee wurde kalt in den Tassen, Anton hatte Mühe, wieder zu Wort zu kommen. Er ergänzte das Bild der Küche dadurch, daß er ihre Größe mit der der Großmutter ins Verhältnis setzte. Ferner erinnerte er an die bedauerliche Tatsache, daß die Großmutter, seitdem sie krankheitshalber kein Reisig mehr sammeln konnte – der Großvater war inzwischen längst gestorben –, auch keine Getzen mehr buk. Mit teuren Briketts war kein billiges Gericht zu schaffen. An dieses elegische Moment seiner Geschichte schloß Anton sofort eine intensive Schilderung vom Vorgang des Reisigfeuerns an; die bot ihm Gelegenheit, seine Fähigkeit, Geräusche nachzuahmen, zur Geltung zu bringen. Wir hörten das Fichtenreisig im Herd zischen, knistern, knattern, wir hörten so lange kleine und große Verpuffungsexplosionen, bis wir den Harzduft zu riechen und die Großmutter in der Küche zu sehen vermeinten. Sie paßte auf, daß die Speckwürfel in der rechteckigen schwarzen Pfanne, die sie inzwischen in die Röhre geschoben hatte, nicht zu stark ausbrieten und die Zwiebelringe nicht zu braun wurden. Wenn die Würfel zu glasigen Grieben gediehen und die vorderen Ofenplatten hellrot waren, goß die Großmutter Leinöl zu und füllte die Pfanne mit Hilfe einer Aluminiumkelle. Die Maße der Pfanne entsprachen der Größe der Ofenröhre. Der hellgraue Teig war etwa drei Zentimeter dick, auf den Oberflächenrändern standen Leinölpfützen. In der Zeit, da der Großvater mit dem leeren Korb zwei Treppen hinunter und hinüber zum Holzplatz rannte, um neues Ofenfutter zu holen, feuerte die Großmutter. Der ständige Temperaturwechsel und die Zugluft in der Küche bewirkten, daß der Großvater regelmäßig, manchmal bereits während des Getzenbackens, zu niesen begann und bald darauf einen Schnupfen bekam. In diesem Zustand benutzte er abwechselnd zwei quadratmetergroße orangegelbe Satintaschentücher, deren schwarzweißer orientalischer Blattmusterdruck noch stellenweise erkennbar war – mit einem Taschentuch wischte er ständig Nase und Augen, das andere hing an der Herdstange zum Trocknen. Bisweilen dauerte so ein Schnupfen von einem Getzenbacken bis zum anderen. Die Großmutter war auch immer sehr ungehalten darüber. In den zwanziger Jahren pachtete sie einen Garten und riet dem Großvater, den Schnupfen mit Äpfeln zu bekämpfen. Aber der Großvater verschmähte Äpfel, er nahm sich vor dem Essen das Gebiß heraus. Die Großmutter aß einen Apfel erst, wenn er einen Fleck hatte. Erd- oder Himbeeren, die sie in runden Henkelkörben aus dem Garten schleppte, durften nicht frisch, sondern höchstens eingekocht verzehrt werden. Zu Buttermilchgetzen reichte sie kein Kompott, um sich den Genuß an dem Gericht nicht zu verderben. O köstlicher Genuß, sich etwas nicht zu leisten! Großmutter ging mit Großvater, auch als die Kinder bereits verheiratet waren, während seines Jahresurlaubs täglich in den Wald Wurzelstöcke ausgraben oder Reisig sammeln oder Pilze suchen. Sie rissen viel Schuhwerk und Kleidung ab im Urlaub. Die Großmutter hatte bis ins hohe Alter die Fähigkeit, stundenlang mit durchgegedrückten Knien in gebückter Stellung zu arbeiten. Anton behauptete, daß sie sich nur in dieser Stellung, den Kopf dicht über der Erde, die Hände in ihr, wirklich wohl fühlte. Er war einundzwanzig Jahre jünger als die Großmutter. Ich war Anton mehr als dreißig Jahre überlegen. Ich hörte ihm mit großem Vergnügen zu. Ich, die jüngste am Tisch. Das schien ihn zu beflügeln, er sagte sogar verschiedene Namen von Einreibungen auf, mit denen die Großmutter, nachdem die Waldarbeit beendet war, ihre gichtigen Glieder einrieb. Füße und Knie und Hände rieb sie ein, schimpfte dabei, daß die Einreibung nur stinke und nicht hülfe, und rechnete in Fudern. Ein Fuder – eine Pfanne Getzen. Wenn der Großvater das letzte Reisigbündel und die dazugehörigen, in der Metze gesammelten Nadeln verfeuert hatte, zog die Großmutter die Blechpfanne mit dicken Topflappen aus der Röhre, stach mit einem Holzspan verschiedenenorts in das inzwischen an der Oberfläche durch öfteres Hinundherschieben gelbbraun, an den Rändern schwärzlich gebackene Gericht, betrachtete den Span und stellte die hitzeverbogene Pfanne schließlich, war der Span trocken geblieben, auf den Tisch. Mittelbar, nämlich auf die von Großvater eigens für diesen Zweck gesägte Stammscheibe eines etwa vierzigjährigen Fichtenbaumes, die als Untersetzer diente. Während die

Pfanne ein wenig auskühlte, kehrte die Großmutter provisorisch die vernadelte Küche und den Korridor, setzte große schwarzeiserne Wassertöpfe auf den Ofen und stellte Eimer und Schrubber bereit. Der Großvater wechselte sein Hemd. Anton aber saß damals bereits mit Clemens und Richard und den beiden Schwestern am Tisch und wartete, bis seine Mutter, meine Großmutter, die gelbbraune Kruste mit dem Messer letzte, kreuz und quer, und köstlich duftende rechteckige Stücke aus der Pfanne heraus auf die Teller hob. Alle hätten sich sogleich mit Gabeln über das innen zähe, an den Krusten knusprige Gebäck hergemacht, pustend, schmatzend, behauptete Anton, am meisten aber hätte es zweifellos der Großmutter geschmeckt.

Während seiner Erzählung hatte keiner gestrickt, gegessen oder getrunken. Die Erben hatten verschiedentlich mehr oder weniger laut gelacht. Nun erinnerten sie sich wieder der verdorrten Blumen, schenkten Kaffee ein und verbrachten den Rest des Totensonntags gemäß.

3
Wie meine Großmutter glaubte

Ich habe die Bibel geerbt. Sie lag in den letzten Lebensjahren der Großmutter auf ihrem, vorher in ihrem Schrank. Das schwere Buch, in braunschwarzes Leder gebunden, soll ein Hochzeitsgeschenk gewesen sein. Gelesen hat die Großmutter, soviel ich weiß, nie darin. Sie las nicht mal Zeitung. Auch Radio hörte sie selten. Was sie wissen wollte, erfuhr sie von ihrem Sohn Clemens. Der war auf die Schule gegangen: eine Autorität. Clemens wohnte im selben Haus, er besuchte sie etwa wöchentlich. Laura, ihre Schwester, meine Großtante, wohnte auch im Städtchen und besuchte sie täglich. Seitdem die Großmutter nicht mehr Treppen steigen konnte, kaufte Laura für sie ein. Meist das Falsche. Oder zuviel. Oder zu knapp. Die Großmutter wog jeden Posten auf einer Tafelwaage nach, die auf dem Schrank neben der Bibel ihren Platz hatte. Zwei, drei Gramm Mehl oder Zucker zuwenig: das ärgerte die Großmutter. Zwei, drei Gramm zuviel: das machte sie mißtrauisch. Stimmte das Gewicht, nahm sie sich vor, die Waage eichen zu lassen. Wenn Laura nach der Arbeit die gefüllte Basttasche brachte, hatte die Großmutter die Tafelwaage bereits mit Hilfe der Setztreppe vom Schrank herunter auf den Tisch gehoben, dazu das hölzerne Gewichtsetui. Dem Waagengestell, aus Gußeisen gefertigt und weiß gestrichen, war eine goldene Fünf eingeprägt, die angab, daß die Waage nur Lasten bis zu fünf Kilogramm wiegen konnte. Sie selbst wog etwas über fünfzehn Kilo. Während die Großmutter die Posten aus der Tasche packte, lautlos zählend, wobei sie die Lippen bewegte, und mit den Angaben auf dem Kassenzettel verglich, schilderte Laura beispielsweise die Arbeitsweise des neuen, auf der Messe ausgestellten Zusatzgeräts der Komet-Küchenmaschine oder die feierliche Inbetriebnahme des Pumpspeicherwerks Hohenwarte oder die mutmaßlichen Gründe für den Ausfall der Funkverbindung mit der letzten Mondsonde. Laura hörte regelmäßig die Radiosendung aus Wissenschaft und Technik und hatte sich ungeachtet ihres hohen Alters noch für die Arbeit in einem Kaffeeautomaten qualifiziert. Dabei kam ihr der Umstand zustatten, daß sie sehr klein war. Viel kleiner als ihre Schwester und halb so schwer, Großmutter hielt wenig von Leuten, die nicht mal ordentlich essen konnten. Clemens konnte essen, zum Kaffee ein Blech Kartoffelkuchen, warm, er hatte erzählt, die Butter würde neuerdings aus Kohlen gemacht. »Es ist doch großartig«, hatte die Großmutter daraufhin gesagt, was soviel hieß wie: Eine Schande. Trotzdem konnte sich Laura das Singen nicht abgewöhnen. Sie sang mit leiser tremolierender Stimme, den eingefallenen Mund kaum geöffnet, den dürren Kopf mit den großen Augen ein wenig der linken Schulter zugeneigt, die Iris war gelbbraun und von den runzligen Lidern nur knapp gefaßt, die buschigen Brauen hob sie stets ein wenig an, über das dreieckige verlederte Gesicht lief gelegentlich ein Zucken. Die Ohrläppchen wurden von roten Plastikklipps verdeckt. Eigentlich war Laura nicht mal zum Einkaufen zu gebrauchen: sie verlor Kassenzettel. Großmutter sammelte alle Kassenzettel, nach dem Datum des Einkaufs monatsweise geordnet, in Zigarrenkisten, die ihr Clemens schenkte. Die Zigarrenkisten bewahrte sie unter dem Bett auf. Sie vermutete, daß die Schwester ihre Kassenzettel wegwarf. Laura wußte nicht genau, was ein Pfund Zucker kostet. Sie las den Preis ab von der Tüte: sie glaubte alles. Die Großmutter kannte die Preise, der konnte man nichts erzählen. Hatte sie die papierumhüllten Posten – alle eßbaren, käuflich erworbenen Waren nannte sie Posten – neben der Waage mit dem goldgeprägten Gestell, einer Messingtafel und einer weißgestrichenen Eisentafel ausgebreitet, legte sie den kleinsten vorsichtig auf die Messingtafel. Dann öffnete sie das Etui, entnahm ihm, den Angaben entsprechend, die sie auf dem Bestellzettel handschriftlich niedergelegt hatte, meist mehrere der genau in das Holz eingepaßten Messinggewichte und schüttelte sie mehrmals in der hohlen Hand, wie man Würfel schüttelt, bevor sie die Gewichte, begleitet von einem jähen Vorschnellen des Kopfes, auf die gestrichene Eisentafel fallen ließ. Die Gewichte glänzten wie geputzt, besonders die Grammgewichte. Manchmal wog die Großmutter auch das Einwickelpapier extra. Sie wog am liebsten kleine Posten. Die größeren Gewichte konnte sie nicht auf die Eisenwaage fallen lassen. Das verkürzte die Zeit des Austarierens. Die Großmutter beobachtete, das Kinn vorgestreckt, durch das untere Drittel der Brillengläser, in die die Nahlinsen eingeschliffen waren, gespannt das Spiel der Zungen. Wenn die an der Messingtafel angebrachte Zunge höher stehenblieb, nickte die Großmutter und sagte: »Es ist doch großartig.« Sie sagte, »grußartsch«. Laura stand inzwischen vor dem Spiegel und bauschte ihr Haar, das, einer weißen Flinderhaube gleich, ihre Kopfgröße optisch verdoppelte. Dabei sang sie leise vor sich hin. Sie kannte die neuesten Schlager. Ihr gefiel immer das Neueste. Sie las Modenzeitungen. Zu Hause. Da die Großmutter keine Bücher besaß und keine Zeitung hielt, holte sich Laura manchmal die Bibel vom Schrank. Obgleich die Bibel nach Ansicht der Großmutter kein Buch war, sondern Hausrat, ärgerte sie sich, daß Laura sich mit Lesen die Augen ruinierte. Die Großmutter vertrat eine gesunde Lebensweise und vermachte das schwere finstere Buch in ihrem Testament nicht Laura, sondern mir. Von mir wußte sie, daß ich gern und viel aß. Wenn ich sie besuchte, schnitt sie mir von dem Kartoffelkuchen, den sie regelmäßig für Clemens buk, einen Streifen ab. Dazu reichte sie Zichorienkaffee. Laura trank nur Automatenkaffee. Der Automat, Eigentum der Mitropa, stand in der Vorhalle des Bahnhofs, der etwa eine halbe Wegstunde von Großmutters Wohnung entfernt lag. Es hatte zwei Wochen gedauert, bis sich die zweiundsiebzigjährige Laura die für ihre Tätigkeit nötigen Fertigkeiten erworben hatte. Der schwierigste Teil ihrer Tätigkeit war der Schichtwechsel. Ihn zu üben hatte mehr als zwei Drittel der gesamten Probezeit in Anspruch genommen. Jetzt beherrschte sie ihn derart, daß selbst Stammkunden nichts bemerkten. Sooft sie das behauptete, sagte die Großmutter: »Ich glaub's gleich«, was soviel hieß wie: Mir kann man nichts erzählen. Wenn die Großmutter nachwog, hörte und sagte sie nichts. Dem Auswiegen folgte das Nachrechnen. Differierte die Rechnung zu ihren Ungunsten, strich die Großmutter mehrmals mit beiden

Händen über die blumenbedruckte Trägerschürze und ärgerte sich. Differierte die Rechnung zu ihren Gunsten, wurde sie mißtrauisch. Stimmte die Rechnung, glaubte die Großmutter, sie hätte sich verrechnet. Sie vermutete, daß die Schwester ihre Kassenzettel, ohne sie nachgerechnet zu haben, wegwarf. Laura behauptete sogar, die Verkäuferinnen im Konsum liebten sie. Die Großmutter hatte bis Ende der vierziger Jahre mit der Basttasche im Konsum eingekauft. Dann lähmten Gicht und Rheuma ihre Beine, aber für dumm ließ sie sich nicht verkaufen, am allerwenigsten von Verkäuferinnen. »Spitzbubengesellschaft« nannte sie die. Clemens, Großmutters liebster Sohn, seitdem Richard gefallen war, wußte, warum er Läden mied. Den Clemens hatte sie zwei Jahre auf die Realschule geschickt. Er war Buchhalter mit Pension geworden, dreiunddreißig Hauptbuchhalter, fünfundvierzig Fahrstuhlführer, später wieder Buchhalter. Ohne Pension. Das Haus, in dem die Großmutter ein Zimmer bewohnte, gehörte ihm. Miete und Wassergeld bezahlte die Großmutter jeweils am Ersten jeden Monats. Seitdem sie Laura abends besuchte, verlangte Clemens etwas mehr Wassergeld. Clemens benutzte Lauras Automaten nicht. Trotzdem wollte sie der Großmutter einreden, ihr Kaffee wäre stets heiß und frisch, auf Ehrenwort verriet mir die Großtante, daß sie ihn in einer Fünfliterkanne brühte, rechts auf der elektrischen Kochplatte stünde der Wassertopf, an der linken Wand des von einem Neonstab erleuchteten Automaten neben dem Wasserhahn wäre ein kleines Brett angebracht, auf dem das Glas mit dem gemahlenen Kaffee seinen Platz hätte, darunter, an einem Haken, hinge ein Handtuch, im Winter stellte die Mitropa einen elektrisch geheizten Fußsack zur Verfügung, in der übrigen Jahreszeit eine kleine gepolsterte Fußbank, der Stuhl, ebenfalls schaumgummigepolstert, wäre mit einer Rückenlehne ausgestattet, viel Platz hätte Laura nicht an ihrem Arbeitsplatz, zwei Kubikmeter etwa, aber sie wäre zufrieden. Sie war mit allem zufrieden, mit ihrem Alter, mit ihrer verhutzelten Statur, sogar damit, daß Clemens seine Pension verloren hatte. Clemens sprach nicht mit Laura. Wenn sie sich auf der Straße begegneten, wechselte er zum gegenüberliegenden Fußweg hinüber. Die Großmutter vererbte ihm ihre Ersparnisse. Von ihrer Rente, einhundertvierundzwanzig Mark im Monat, hatte sie bis zu ihrem Tode zweitausenddreihundertsechzig Mark gespart. Laura verdiente und bezog Rente und verfügte trotzdem über keine Ersparnisse. Die Großmutter fragte sich, wozu sie eigentlich arbeitete. In jüngeren Jahren war die Großmutter im Gegensatz zu Laura arbeiten gegangen. Über zwanzig Jahre lang. In eine Spinnerei. In der würde jetzt Dederonfeinseide hergestellt, behauptete Laura. »Ich glaub's gleich«, sagte die Großmutter. Laura konnte die Großmutter gut leiden. Sie konnte alle leiden. Am meisten die, von denen sie etwas erfuhr. Fast immer, wenn ein Fünfzigpfennigstück durch den Schlitz in den automatisch zählenden Geldkasten fiel und über dem Kocher eine rote Lampe aufleuchtete, für Tante Laura das Signal, sofort 0,1 Liter Kaffee in ein mit Eichstrich versehenes hitzebeständiges Glasmaß zu füllen und den daran befindlichen Hahn zu öffnen, damit der Kaffee dem Kunden zufließen konnte, erfuhr Laura etwas. Sie liebte ihre Kunden. Obgleich sie sie nur hören konnte. Sie hörte, wo es Apfelsinen gab, wieviel Tore ASK Vorwärts im letzten Spiel geschossen hatte, wann welcher Betriebsleiter aus welchen Gründen abgesetzt worden war, sie kannte die neuesten politischen Witze. Jeden Abend erzählte sie der Großmutter das Neueste, Modernste, Schönste. Und jeden Abend sagte die Großmutter darauf: »Es ist doch großartig.« Nur die Neuigkeiten des Sohnes und Hausbesitzers Clemens beantwortete sie mit »Nu ja«. Einmal allerdings konnte sie nicht umhin, auch auf einer Neuigkeit ihrer Schwester mit »Nu ja« zu antworten. Laura erzählte sie in meiner Gegenwart und nur wenige Stunden nachdem ich sie, an ihrem Automaten stehend, mit verstellter Stimme einer imaginären Freundin mitgeteilt hatte. Ich hatte mich eine Weile in der Bahnhofshalle herumgetrieben, eigentlich, um zu beobachten, ob der Schichtwechsel wirklich so geheim verlief, wie Laura immer behauptete. Konnte man in diesem Städtchen irgend etwas auf die Dauer geheimhalten? Ich wartete. Eine halbe Stunde. Eine Stunde. Dann verlor ich die Geduld und ging hinüber zum Automaten. Er war etwa zwei Meter hoch, mit eloxiertem Aluminium verkleidet, über dem Geldschlitz war ein rotes Schild angebracht, darauf stand in großen schwarzen Lettern: »Schnellautomat« und in kleineren darunter: »4,65 g Kaffee / 0,1 l Wasser / 0,50 MDN«. Ich steckte eine Münze von 0,50 MDN in den Geldschlitz, drückte auf den rechts daneben angebrachten braunen Knopf, eine rote Lampe leuchtete auf, ich riß den untersten, halb herausragenden Pappbecher aus der Aluminiumröhre, hielt ihn unter den Hahn, drückte den blauen Knopf mit der Aufschrift »Wasser«, eine weiße Lampe leuchtete auf, wenig später floß heißer Kaffee in meinen Becher. Und mich wandelte die Lust an, einer imaginären Freundin mit verstellter Stimme zu erzählen, daß die Mark nur noch fünfzig Pfennig wert wäre. Keine Ahnung, wie ich darauf kam. Vielleicht weil ich fror oder weil ich mich langweilte oder weil der Kaffee nach Pappe schmeckte, keine Ahnung. Laura erzählte die Neuigkeit jedenfalls noch am selben Abend in meiner Gegenwart der Großmutter, und die sagte »Nu ja«. Dann nahm sie den an der Krücke aufgehängten Stock vom Bettpfosten, humpelte zum Schrank, stellte sich vor eine der mit Blumen und Früchten bemalten Türen und strich mit beiden Händen die steifgestärkte Trägerschürze. Laura dagegen trippelte aufgeregt um den Tisch herum. Sie verdarb sich jedes bißchen Ärger. Die Großmutter haßte weltfremde Menschen. »Gottverd...«, sagte sie. Nur »Gottverd...«, sie sprach den Fluch nicht aus, sie beherrschte sich, vielleicht gab es doch einen Gott. Sie glaubte an einen für alle Fälle. Das fiel ihr nicht schwer, denn dieser Gott war ungerecht. Die Großmutter hatte sich in seiner Welt eingerichtet. Sie ärgerte sich, wenn sie sich nicht ärgern konnte. In ihrem Testament stand, ich sollte die lederbezogenen Bibeldeckel mit Schuhcreme wichsen.

Joachim Nowotny
Legende von der Sintflut

Nehmen wir den Hut ab, Herrschaften, wir stehen hier auf dem Berge Jemine und sehen in eine fromme Gegend. Das meiste bleibt zwar im Nebel, aber des Menschen Geist ist auch nicht ohne; was er nicht sieht, daran kann er sich erinnern. Dort hinten, wo der Dunst so ins Blaue übergeht, da liegt ungefähr dieses Görlitz, und da denken wir bloß an einen gewissen Flickschuster, dem im Jahre 1600 die Erleuchtung beim Betrachten eines simplen Zinntellers kam. Jakob Böhme hieß der Mann, und er war fortan einer der größten Querdenker und Mystiker unseres Kontinents. Ein bißchen näher zu uns, aber sonst gleich nebenan, haben wir Herrnhut und Berthelsdorf – da muß ich uns wohl auf die Sprünge helfen und Graf Zinzendorf oder die Brüdergemeinde nennen, ehe der Groschen fällt. Na, also! Den alten Lessing lassen wir hier lieber weg, erstens liegt dieses

Kamenz eine Kleinigkeit zu weit vom Schuß, und zweitens war der Mann nur am Anfang seines Lebens einer von den Frommen – er paßt also nicht in unseren Streifen. Nehmen wir lieber die halb sorbischen, halb deutschen Dörfer da unten, von denen wir die Dächer und Kirchturmspitzen sehn, dort gibt es heut noch zu Fronleichnam ordentliche Prozessionen mit grüngestreuten Wegen und Polizeiabsperrung. Und wenn die Kinder über einen Stein fallen, dann sagen sie im ersten Schreck nicht »Verdammt!«, sondern ein schön langgezogenes »Jesus Maarja!«. Und wenn wir uns das alles vergegenwärtigt haben, dann können wir den Hut wieder aufsetzen.

Ach so, der Berg Jemine. Er ist zweihundertfünfundsechzigeinhalb Meter hoch, gut geschätzt. Sonst hat er nichts Besonderes, ein paar Felder auf dem Südhang, einen Streifen Nadelwald auf der Nordseite, hier oben ist er ziemlich kahl, und wir müssen uns allen Ernstes fragen, wozu wir ihn überhaupt bestiegen haben. Es kommt selten jemand hierher, höchstens mal ein Pärchen, aber auch dann bloß, um ungestört zu sein. Doch wir sind nun einmal hier und nicht woanders, da wollen wir uns nun auch die Geschichte erzählen, die eigentlich mehr eine Legende ist, vielleicht ist sie wahr, vielleicht halbwahr oder ganz erfunden – hier fließt immer alles ineinander. Halten wir uns deshalb nicht lange bei den Einzelheiten auf, sagen wir einfach, die Sache habe siebenundvierzig stattgefunden oder einundfünfzig, jedenfalls im April, und nehmen wir uns das Dorf Jubowitz heraus, das können wir leicht machen, denn fast alle Dorfnamen enden hier auf -itz. Wenn wir Jubowitz wählen, dann eigentlich nur, weil uns der Kirchturm so gut gefällt; der Architekt hat bestimmt gern Zwiebeln gegessen. Also Jubowitz und im April. Wie in jedem Jahr kam das Hochwasser aus dem Oberland. Sie haben da so einen Graben, auf dem müssen die Enten zu Fuß gehen, wenn sie schwimmen wollen, manchmal aber – und vor allem im April – schwillt er mächtig an, dieser Graben, er überschwemmt mit seinem Wasser die Wiesen und Felder unten im Tal, und alle fünfzig Jahre einmal – auch natürlich im April – kann es vorkommen, daß das Wasser ins Dorf läuft, wenigstens ins Unterdorf. Die Leute müssen dann schnell räumen, sonst holen sie sich nasse Füße. Das Oberdorf bleibt freilich im Trocknen, wenn auch als Insel, also rundum nur mit Kähnen erreichbar. Aber wo nimmt man dann so schnell Kähne her? Meist gibt es da so ein bißchen Panik und Ausnahmezustand, dazu drei Tage und Nächte hintereinander Sturm,

Regen und dunkle Wolken, vor allem aber wird das Bier in der Schenke knapp – nun brauchen wir uns bloß noch die fromme Gegend dazu zu denken, und schon haben wir die schönste Gelegenheit für einen ordentlichen Sektenprediger. Der steht auch prompt in diesem mehrmals genannten April auf. Und er heißt Hottas, einfach Hottas. Lang und dürr wie ein Stecken geht er durchs Dorf, bleibt mitten in den Pfützen stehn, hebt die weißen Hände zum Himmel und bietet sein Gesicht den kalten Regentropfen dar. »Herr!« schreit er mit hoher Singstimme, »Herr, verschone uns!« Wie das so ist, gleich laufen ihm ein paar Anhänger zu, sechs, sieben vielleicht, das sind dem Hottas zuwenig. »Herr!« ruft er deshalb weiter, »verdirb uns nicht gänzlich, sondern gib deinem Knecht ein Zeichen, damit er sich mit den Gerechten errette.«

Da wird es den Leuten nun doch mulmig, nicht allen freilich, denn viele haben gar keine Zeit für das Geschwafel, sondern alle Hände voll mit dem Hochwasser zu tun. Aber es bleiben genug übrig. Mit denen zieht Hottas auf den Dorfplatz, dort läßt er sich aus dem Hut eine Art Bittgottesdienst einfallen; zum Unglück ist der zuständige Pastor, der einen solchen Frevel hätte verhindern oder wenigstens in ordentliche kirchliche Bahnen lenken können, zu einer Sitzung. Die Dinge nehmen ihren Lauf, eigentlich beteiligen sich nur die sieben daran, aber als die übrigen nun sehen, wie sich das bei strömendem Regen in die Pfützen wirft und die Hände ringt und sich auch sonst gebärdet, als stände der Weltuntergang bevor, da sind sie, die bloß Mitgegangenen, nun doch ganz schön beeindruckt. Und als der Hottas gar mit halberstickter Stimme diesen Weltuntergang für die allernächsten Tage prophezeit, da sagen viele nicht nein und auch nicht ja, sondern bloß: Wer weiß? Da hat der Sektenprediger gewonnen. Noch am gleichen Abend zieht ein bunter Haufe mit Bettzeug und Zehrung im Sack hierher auf den Berg Jemine, allen voran der Hottas mit seinen schlammbespritzten Sieben. Denn er hat durchsickern lassen, daß hier oben Rettung möglich sei, wenn man nur recht inbrünstig daran (und an die übrigen Sektenlehren) glaube. Drei Tage und drei Nächte hockt man also auf dem kahlen Berg Jemine, und die Sache geht aus wie das Hornberger Schießen. Natürlich! Nur die Anhängerschar Hottas' ist etwas größer geworden, ganz überraschend, wenn man bedenkt, aber so sehr doch auch wieder nicht. Denn 150 Stunden zwischen Schlaf und Ekstase bei strömendem Regen und Sturm, bei Finsternis und steigendem Hochwasser, das macht den Vernünftigsten kopfscheu, da merkt auch der kritische Geist nicht mehr, daß er eigentlich ganz schön verladen worden ist.

Dies wäre nun schon die ganze Geschichte. Wir müssen sie aber nicht unbedingt glauben. Je länger wir nämlich darüber nachdenken, um so mehr Zweifel kommen uns.

Gab es denn keinen – so fragen wir uns –, der dem Hottas rechtzeitig auf die Finger klopfte? Der ihn unter Umständen sogar ins Spritzenhaus sperren ließ, und zwar für so lange, wie das Hochwasser anhielt? Darauf müssen wir antworten: Es gab mehrere, eigentlich bloß einen, weil es immer nur einen gibt. Der hieß Fiebig. War Bürgermeister in Jubowitz und Kommunist obendrein, schon von früher her. Sein Dasein macht die ganze Geschichte so unwahrscheinlich für uns. Hätte er sie nicht in die Hand bekommen, auf seine Art zwar, aber doch so, daß sie ganz anders endete? Auch das müssen wir uns fragen. Am besten wir erzählen die ganze Angelegenheit noch einmal, da wird sie vielleicht eine Spur wahrscheinlicher.

Also wieder Jubowitz als Insel, Dreitageregen, Sturm, und Himmelsgräue und nun auch Fiebig. Der steht am Fenster und sieht den Hottas samt seinen sieben Anhängern büßend in der Pfütze. Die Schar der Neugierigen und Ungewissen sieht er auch. Er zählt sie, und es sind ihm zuviel. Es ist eine zweite Flutwelle für Mitternacht gemeldet, da braucht er jede Hand gegen das Wasser. Was also tun? Er ist ja nun König hier, der Fiebig, von aller Welt abgeschnitten, also könnte er einfach durchgreifen und den Hottas verhaften lassen.

Aber das tut der Fiebig nicht. Es geht ihm gegen den Strich, einem Gegner im Geiste mit plumper Administration zu begegnen, da hat er nun mal seinen Stolz. Nein, er tut etwas Schlaues, der Fiebig, er bestellt den Sektenprediger zu sich aufs Amt, setzt sich hinter den Tisch, denn er ist klein und rundlich und dem langen Hottas nur im Sitzen gewachsen. Anderthalb Stunden dauert die Konferenz zwischen den beiden, es können auch zwei gewesen sein, aber nicht mehr, denn die Zeit drängt. Und die Leute wollen ein Ergebnis.

Fiebig kämpft verbissen mit seinem gemütlichen Sächsisch gegen die eifernde Predigerstimme, aber er erficht keinen Sieg. Hottas bleibt bei seiner Prophezeiung, die Welt wird untergehen mit allem, was da kreucht und fleucht, ausgenommen der Berg Jemine. Da ändert Fiebig seine Taktik. Mit viel List und ein wenig Druck fragt er nach Details. Hottas wirft sich hin und her auf seinem Stuhl, er schwitzt wie ein Brauereipferd, aber er läßt sich nicht von dem gemütlichen Sächsisch fangen. Jeder Prophet ist sofort erschossen, muß er genaue Angaben machen. Wie geht die Welt zugrunde? Bleiben vom Berg Jemine sieben oder neun Meter übrig? wann geht das Theater los? Kein Kommentar.

»Nun«, sagt Fiebig endlich, »nun, wir werden sehn.«

Und er entläßt den Hottas, holt den Gemeindediener und streut mit seiner Hilfe ein Gerücht unter die Leute. Schlag elf soll der Spektakel losgehen, heißt es, also eine Stunde vor der zweiten Flutwelle. Vom Berge Jemine soll man alles gut mit ansehen können, man muß sich entsprechend einrichten. Vergeblich dreht und windet sich Hottas draußen vor seiner Siebenschar, vergeblich schwört er, daß er kein Wort habe verlauten lassen, denn die Stunde des Herrn sei nicht für des Menschen Ohr, sie stehe allein im Himmel. Und dergleichen mehr. Die Leute hören nicht auf ihn, sie lassen sich von Fiebig einspannen, holen Karbidlampen und Fackeln herbei, packen Proviant und Schlafzeug für die Kinder, die Frauen schmieren Schnittenberge, die Männer tun sich nach Spaten um, alles unter Fiebigs Leitung.

Und als der Abend graut, ziehen sie in geschlossenem Zug hinauf zum Berge Jemine, der Bürgermeister vorweg mit der roten Fahne, denn, so sagt er, wenn jemand nach dem Weltuntergang übrigbleibt, dann müssen Kommunisten dabeisein. Oben angekommen, schickt Fiebig etliche Aufklärungstrupps aus, ein paar müssen das Wasser am Berg beobachten, wie es steigt und fällt, denn es könnte ja eine Sintflut sein, die die Welt verschlingt. Andere lauern vor dem Teufelsloch, das ist eine Höhle gleich hier nebenan, sie spitzen also darauf, ob nicht etwa glühende Lava aus der Erde schieße; damals in Pompeji hat es schließlich auch so angefangen. Wieder andere gehen ein wenig beiseite, um den Himmel nach Besonderheiten abzusuchen, sie sollen rechtzeitig warnen, falls Feuer von oben kommen, wie es in der Bibel heißt. Melder spritzen hin und her, Omas beruhigen die Kinder, die größeren Jungen sollen den Proviant bewachen, aber sie naschen bloß. Alles ist bis ins letzte durchorganisiert, sogar die Pannen sind eingeplant. Fiebig macht das schon. Schließlich stellt er sich mit der Taschenuhr in der Linken neben die aufgepflanzte Fahne, läßt ein großes Reisigfeuer anzünden und hebt den rechten Arm. Den Sektenprediger aber schickt er fünfzig Meter beiseite, dort sei der Schlamm für die büßende Siebenschar besser und tiefer, außerdem brauche er Platz. Dann zählt er laut: 60, 59, 58 und so weiter jede Sekunde auf elf zu, und als er bei null angelangt ist, ruft er laut: »Jetzt!« und teilt mit dem Arm die Luft, ganz als sei er ein Artillerieleutnant, der Feuer befiehlt. Und es geschieht nichts. Nur die Siebenschar um Hottas winselt im Schlamm, sonst bleibt alles beim alten. Vom Fuße des Berges kommt die Meldung, daß das Wasser eine Handbreit gestiegen sei. Die Flutwelle also, denkt Fiebig, und er ordnet sofort allerlei Maßnahmen an, Sandsäcke müssen gefüllt und gepackt werden, das Vieh wird gesichert, Futtervorräte aus dem Unterdorf werden ins Oberdorf gekarrt – kurz: Nach zehn Minuten ist alles miteinander beim Scharwerken, die im Dorf Gebliebenen und die Bergbesteiger, man kennt sie gar nicht mehr auseinander. Und das ist ganz gut so, denn ein Hochwasser hat seine Tücken, da kann so ein Weltuntergang überhaupt nicht mit.

Dies ist also die Geschichte vom Berg Jemine und dem Genossen Fiebig. Und manchem wird sie gar nicht gefallen, der hätte viel lieber administriert. Aber der soll sich trösten, denn es kann natürlich auch ganz anders gewesen sein, damals neunundvierzig oder einundfünfzig. Bloß wir denken uns, daß es, wenn Fiebig überhaupt dabei war, nicht anders hätte kommen können.

ERIK NEUTSCH

Drei Tage unseres Lebens

Erster Tag

»Die Stadt muß verändert werden«, sagte Konz. »Ich wüßte nicht, weshalb ich hierhergeschickt worden bin, wenn die Stadt nicht verändert wird.«

Der hat klug reden, dachte ich, eine Woche ist er nun hier, nicht einmal eine Woche, seit Montag erst, heute ist Freitag, und schon nimmt er den Mund voll, spielt sich auf, und eigentlich will er mir nur beweisen mit jedem seiner gesalbten, gepfefferten Worte, daß ich ersetzbar bin, auswechselbar, wenn nicht gar fehl am Platze. Ich sollte ihm den Gefallen tun und abdanken. Kurzen Prozeß sollte ich machen, aufstehen, durch die Tür gehen und abdanken. Ich bin nicht der Mann, der sich seine Papiere in Raten auszahlen läßt. Ich pfeif auf die Blumen. Wenn ich nicht mehr von Nutzen bin, wenn ich nach deiner Ansicht,

Konz, die Zeichen der Zeit nicht mehr begreife, bitte, sag es. Grabstein, und drauf eine Inschrift: Er fiel im Frieden. Das wäre ehrlich. Doch nun?

Die Sitzung dauerte seit dem Morgen. Einen Schluck Kaffee, Konz ging durch alle Zimmer, und dann begann sie. Jetzt leuchtete schräg schon die Abendsonne in alle Fenster, übergoß den Raum mit einem rosigen Licht, spiegelte sich auf den Brillengläsern von Konz, bedeckte sie wie mit einer silbrigen Folie, so daß man nicht mehr erkennen konnte, wen er gerade mit seinen Blicken aufs Korn nahm, und außerdem hatte er eine verdammte, ich möchte sagen: beinahe ehrenrührige Art, unsere Geduld auf die Probe zu stellen. Sprich es doch aus, Konz. Mach ein Ende. Ich bin mürbe inzwischen wie ein Hefeteig, auf dem einer stundenlang herumgeknetet hat. Deine Beweisketten. Deine Rechnerei mit jedem Kubikmeter Erde. Was werden denn unsere Frauen sagen. Wie wird mich Herta empfangen, wenn es wiederum Nacht wird, bevor ich nach Haus komme. Konz hat keine Frau. Der ist vierzig oder erst fünfunddreißig, jung, glaube ich, und das genügt ihm, um mal hier und mal dort...

»Natürlich schaffen wir's nur, wenn alle an einem Strang ziehen«, unterbrach er meine Gedanken. »Allein ist der Tod. Also, Genossen, macht es der Partei nicht zu schwer.«

Ich meldete mich zu Wort. Er übersah mich nicht, und ich sagte: »Seit zwanzig Jahren lebe ich hier. Seit zehn Jahren bin ich Bürgermeister dieser Stadt. Sie ist nicht zu verändern. Das Alte ist nur zu verschönern.«

Konz erwiderte: »Ich hoffe, Genosse Brüdering, du kennst den Unterschied genau zwischen alt und neu. Ich weiß nicht, ob das Neue auch immer schön ist. Aber notwendig ist es. Schön ist keine Alternative zu alt. Neu jedoch, das trifft.«

Es war seit seiner Ankunft kein Tag vergangen, an dem er uns nicht mit solchen oder ähnlichen Philosophien attackierte. Immer hielt er ein Spruchband bereit, wenngleich mich oft, ich muß es gestehen, der Text darauf überraschte. Woher nahm Konz seine Sicherheit? Ich dachte darüber noch nach, als ich bereits auf dem Nachhauseweg war. Nein, an diesem Tage war die Entscheidung noch nicht gefallen. Morgen würden wir weitersehen. Weiter und klarer. Für morgen hatte Konz die Ingenieure und Architekten eingeladen. Die Stadt muß verändert werden. Er nannte seit seiner Antrittsrede das Was. Und alle anderen wollte er darauf trimmen, ihm das Wie zu liefern. Doch ohne mich, mein Freund. Trotz der Sonne auf deinen Brillengläsern konntest du deine Augen vor mir nicht verstecken. Ich saß an deiner Seite. Ich sah dir in die Pupillen. Eine Farbe hat deine Iris, grau und kalt wie die Pfennigstücke. Vielleicht rührt es nur daher, von diesem Grau, daß jeder deiner Blicke eine Rechnung aufzumachen scheint. Denn nichts anderes an dir, die abstehenden Ohren nicht unter den blonden Haarfransen, die vollen Lippen mit den schiefgewachsenen Zähnen dahinter, die runden Wangen nicht und das wenig energische Kinn, nichts ist an dir so sachlich wie deine Augen. Wäre die graue Sachlichkeit deiner Augen nicht, hätte sogar dein Gesicht, möchte ich meinen, etwas einnehmend, anziehend Lustiges.

Ich nahm die Bahn. Ich kenne den Fahrer. Wenn er Nachtschicht hat, bin ich manchmal sein letzter Begleiter, fährt er nur meinetwegen bis an die Endhaltestelle in Staubnitz. Dann kommen wir ins Gespräch. Zehn Minuten, nicht länger. Doch über zehn Jahre nun schon, im Schnitt zehn Minuten je Woche, das reicht, um einen anderen Menschen kennenzulernen. Über den Austausch von Höflichkeitsfloskeln sind wir hinaus. Und so verspürte ich denn auch nach dieser Sitzung das Bedürfnis, mit ihm zu sprechen. Ich weiß, daß er in der Großen Leipziger wohnt. Zwei Zimmer, vier Kinder, fünfhundert Mark im Monat, seine Frau, Austrägerin für die Nachmittagspost, winters wie sommers auf einem Fahrrad, verdient noch ein bißchen dazu. Sind sie glücklich? Ich frage es mich jedesmal.

Wenn es nach Konz ginge, würde die Große Leipziger fallen. Er stand heute früh vor der Karte und entwarf seinen Plan. Die neue Nord-Süd-Achse legte er quer durch die Stadt. Kein Pardon für das Zentrum. Aufreißen, Abbruch, Rekonstruktion. Wir hatten die Straße bisher außen herum, durch die versumpften und sauren Wiesen der Saale führen wollen. Die Stadt ist tausend Jahre alt. Fünf Mal, berichten die Urkunden, brannte sie nieder. Im Krieg allerdings, und bis heute weiß niemand, warum, blieb sie verschont. So ziemlich verschont. Und jetzt? Konz steht vor der Stadt wie Tilly und will sie zum sechsten Mal in den Erdboden äschern. Ich mußte erfahren, was Paul dazu sagt, der Straßenbahnfahrer. Zehn Minuten am Park entlang bis zur Endhaltestelle. Die Hyazinthen werden schon in den Perron hinein duften. Und wenn's nicht genügt, so helfe ich ihm beim Rangieren. Eine Antwort auf eine Frage.

Ich lebe bei Gott nicht so schlecht, als daß ich mir nicht auch was leisten könnte, sagt Seidensticker. Fernseher und Kühlschrank, wenn's Dinge sind, woran sich der Mensch heute mißt, die hab ich. Auch ein Paar Schuhe jährlich fallen für jeden ab, ein Anzug für mich und 'n Kleid für die Frau und die Tochter zu Weihnachten und zum Geburtstag. Nur, Bürgermeister, du müßtest mehr Kindergärten errichten. Dann könnte Ellen ganztags zur Post gehen. Hundertundfünfzig mehr auf die hohe Kante, man könnt auch mal wieder ein Möbelstück kaufen, neue Matratzen und Bettbezüge, auch 'n Bier trinken, nach Feierabend versteht sich. Die Große sind wir bald los. Sie macht jetzt ihr Abitur. Doch was dann? Sie liegt uns nicht mehr auf der Tasche, gut. Das ist das eine. Bisher aber hat sie nachmittags immer zwischen Shakespeare und Mathematik, kenn mich darin nicht aus, unseren Jüngsten betreut. Die FDJ wird schon böse, weil sie nicht hingehen kann, und mancheinen gibt's, Söhnchen von einem Arzt oder einem Direktor oder was sonst aus einer verwöhnten Familie, der sie hänselt. Die fahren schon in die Schule mit eigenem Roller. Sie aber sitzt zu Hause, weil einer auf den Kleinsten aufpassen muß. Und dann lernt sie, wird soviel verlangt heutzutage, und dann geht das große Gejammer los. Bürgermeister, bau einen Kindergarten in der Leipziger. Uns allen wäre geholfen, auch dem Mädchen... Doch Konz erklärte am Morgen, daß an Kindergärten demnächst nicht zu denken ist. Die Stadt braucht einen Aufbruch. Durchbrüche braucht sie von Norden nach Süden und von Osten nach Westen. Anschlüsse an die Autobahnen. Das frißt Geld, gewiß. Aber wenn wir uns heute nicht dazu entschließen, sagt Konz, zahlen wir morgen das Doppelte, wird es sich rächen in fünfzehn Jahren, noch im Prognosezeitraum. Paul Seidensticker begreifst du das? Auch dein Bürgermeister wird im Beton vergraben. Ich hab mich gewehrt. Das Alte läßt sich nur verschönern. Bau eine neue Stadt, Konz, draußen, nach Wolfen und Bitterfeld zu, vor den Toren, wo die Erde so flach und so breit ist wie der Himmel darüber. Dort hast du Platz. Dort kannst du wirtschaften aus dem vollen. Und vielleicht springt sogar noch etwas heraus dabei für den Fahrer der Linie Sieben.

Ich stieg aus. An diesem Abend war ich mit meinen Fragen allein geblieben. Ich hatte nicht einmal den Duft der Hyazinthen bemerkt. Hinter dem grünen Vorhang auf dem Perron, an der Kurbel, stand eine Frau, die ich nicht kannte. Ich war enttäuscht. Dann hätte ich gleich den Dienstwagen nehmen können. Ein Uhr nachts. Ich wäre früher zu Hause gewesen, früher im Bett. Schlafen. Doch der Schlaf würde ohnehin wieder eine Ewigkeit auf sich warten lassen. So kurz vor der Ablösung. Was das Schlafen betrifft, haben's sogar die Katzen schon leichter als ich, die, wie man weiß, nur halb soviel brauchen wie ein Mensch. »Wo ist Paul Seidensticker?« fragte ich die Frau. »Hat er nicht Nachtschicht?« Sie schaute mich prüfend an. »Kennen Sie ihn?« Ich nickte. »Es ist was passiert«, sagte sie dann, und mir senkte sich plötzlich Blei in die Glieder. Ich hatte ihn lange nicht mehr gesehen. Vor zwei Wochen, glaub ich, das letzte Mal. »Was ist denn passiert?« – »Mit seiner Großen was.« – »Sigrid?« – »Ja. Seit gestern ist sie verschwunden. Zur Schule gegangen, und seitdem ist sie verschwunden. Paul war ganz aufgeregt, als er uns Nachricht gab.« Sie schwätzte noch irgend etwas von Vertretung und Mangel an Arbeitskräften. Ich hörte schon nicht mehr hin. »Hat man denn einen Anhaltspunkt, eine Ahnung, warum?« – »Nein. Nichts.«

Zu meinen eigenen Sorgen nun auch noch diese. Doch den Beruf zu verlieren oder die Tochter, ich wüßte, was ich zu wählen hätte. Als ich den spärlich erleuchteten Weg an den Gartenzäunen und Hecken in Staubnitz entlangging, überlegte ich, ob ich daheim nicht sofort die Genossen vom Kreisamt anrufen sollte, um mich nach Sigrid Seidensticker zu erkundigen. In letzter Zeit treibt sich in unserer Stadt allerhand Diebsgesindel umher. Einbrüche in Kioske und Automaten nehmen zu. Und neulich gab es sogar einen Raubüberfall mit tödlichem Ausgang. Mord. An einer Mutter von drei Kindern. Wir fanden sie erwürgt im Gebüsch unterhalb der Saalefelsen. Es war seit langem kein ähnlicher Fall geschehen. Der Mörder kam weit von woanders her. Durchreise. Wir verstärkten seitdem die Streifen. Der Bahnhof und die Kinos stehen unter täglicher Bewachung. Besonders dort sammeln sich Trupps von Jugendlichen, die sich an unsere Lebensweise, Ruhe und Ordnung und Fleiß, nicht gewöhnen wollen. Die Haare lang und länger, die Hosen bunt geblümt wie Weiberröcke und manchmal nun auch stehlen... Doch man sollte nicht gleich das Schlimmste befürchten. Sigrid ist achtzehn, und viele Mädchen in ihrem Alter kommen nachts nicht nach Hause. Und trotzdem. Ich müßte davon auch Konz unterrichten. Konz, muß ich sagen, morgen schon, vergiß nicht bei all deinen Zukunftsträumen, deine Gedanken, deine stahlgrauen Augen auf die Gegenwart zu richten. Wenn du die Stadt ändern willst, denke an ihre Menschen. Zwei Trassen willst du durch die alten Gemäuer sprengen, ein Kreuz legen über den Leninplatz, Tunnel und Hochstraßen. Doch ist dir bewußt, daß ein Bauplatz von solchem Ausmaß, Dimensionen, als hätten wir Land wie Sibirien, immer auch Fremde anlockt, die wie die Aasgeier sich auf den Kadaver stürzen? Plündern und rauben und es auch sonst mit der Sittlichkeit nicht zu genau nehmen? Die Statistik spricht eine deutliche, unwiderlegbare Sprache.

Seit vorgestern ruhen die Arbeiten an der Liebknechtstraße. Die Maschinen schweigen. Konz hat die Brigaden in die Wohnbauviertel des Südens geschickt. Gegen meinen Protest. Auch gegen den Protest seines Industriesekretärs. Doch er? Keine Schaufel Erde wird noch ausgehoben, solange nicht klar ist, was an der Liebknechtstraße gebaut werden soll. Eine bessere Grünanlage oder ein Tunnel, Durchbruch nach Osten, vier Fahrbahnen breit. Sicht auf das Jahr zweitausend. Das Übliche. Auf uns jedoch, die Kenner der Stadt, denen jeder Pflasterstein hier vertraut ist, hört er nicht. Er wischt uns vom Tisch. Wir haben nach seiner erlauchten Meinung den Rückschritt erfunden, das Stehenbleiben, auf gar keinen Fall das Vorwärtsdenken. Doch niemand vermag, über den eigenen Schatten zu springen. Auch Konz nicht.

Die Stadt, nach der letzten Zählung bewohnt von fast zweihunderttausend Seelen, streckt sich, weit länger als breit, am Ostufer des Flusses hin. So ist sie angelegt. Der Tunnel, gut, der würde vielleicht noch verkraftet, weil er nur die Schmalseite unterquert, obwohl noch nicht geklärt ist, wie das Grundwasser eingedämmt werden soll, das von der nahen Saale her überall einsickert. Protokolle über Bohrungen älteren Datums warnen davor, Gebäude höher als fünf Stockwerke zu errichten. Anderenfalls bestünde Gefahr, daß der Boden nicht standhält.

Aber das Bündel der Hochstraßen, die Trasse von Norden nach Süden, die den Anschluß an die geplante Autobahn Magdeburg–Dresden bilden soll... Wir müßten die Stadt der Länge nach aufreißen. Jedesmal, wenn Konz davon spricht, sehe ich Rauchfahnen und Trümmer vor mir wie im Kriege.

Man kann durch eine Stadt keine Schneise hauen wie durch einen Wald. Die Große Leipziger, zum Teil auch der Markt mit seinen zwei Kirchen, dem Blauen Turm, wo die Tauben nisten, und die Kühnritter und die Bad Lauchstädter Chaussee – sie alle würden vernichtet werden. Konz will zumindest die Buchten und Winkel darin, Motive früher für die Romantiker, beseitigen. Doch in jedem Haus wohnen Menschen. Ecke Heizenröder zum Beispiel, gegenüber der Tankstelle, dort, wo in den

Fenstern bis in den späten Sommer hinein die Geranien blühen, lebt das Ehepaar Hauk. Er ist Meister in den Leunawerken. Im Kriege verlor er den einen Sohn, bei einem Flugzeugunglück über der kanadischen Küste den anderen. Beide wohnten bis zu ihrem Tode bei ihm. Jedes Stück Mauer erinnert ihn an das Leben der Kinder. Er hat keine mehr. Und die Alte hängt oft den Kopf über die roten Geranien und starrt über die Dächer hinweg auf die Saalehügel. Vielleicht sieht sie dort ihre Söhne spielen. Wer kann in das Herz einer Mutter schauen? Oder das Haus mit dem Fachwerkgiebel in der Krümmung der Tuchfärbergasse. Eichendorff dichtete hier. Im zweiten Stock die Familie Wendkamp...Doch das alles würde zu weit führen. Die Stadt hat ganz einfach ihre Geschichte, und die spricht gegen die Pläne. Konz behauptet zwar, die Rekonstruktion des Zentrums käme billiger als der Bau jeder Neustadt, man spare am Aufschluß, auch um die Nachfolgeeinrichtungen brauche man sich nicht zu kümmern, aber er kann nichts beweisen. Er kann nichts beweisen, weil er die Stadt nicht kennt. Eine Woche reicht dafür nicht. Zehn Jahre, die genügen vielleicht.

Meine Frau schlief schon. Ich sah durch die Tür und vernahm ihren ruhigen Atem. Auf den Tisch im Wohnzimmer hatte sie einen Imbiß gestellt. Über den Teller war ein weißes Geschirrtuch gebreitet. Darauf lag ein Zettel: »Falls Du noch Hunger hast, alter Nachtschwärmer, bitte bedien Dich. Den Kaffee findest Du in der Thermosflasche. Wann soll ich Dich wecken?« Weiß Gott, ich kann zu jeder Tages- und Nachtzeit Kaffee trinken. Mein Herz nimmt ihn gar nicht zur Kenntnis. Aber diesmal ließ ich ihn stehen. Ich rief das Kreisamt an.

Nachdem ich meinen Namen genannt hatte, wurde ich sofort verbunden. »Der OB, Verzeihung, Herr Oberbürgermeister?« – »Ja.« Bis auf weiteres, wollte ich noch hinzufügen. Unsinn. Was ging die Kriminalpolizei unser Streit an. Ich hasse das Lamentieren. »Da ist ein Fall. Sigrid Seidensticker. Seit gestern wird sie gesucht. Sind Sie informiert? Und wissen Sie schon etwas Näheres?« Nichts. Der Kommissar wußte nicht mehr als die Frau in der Straßenbahn. Keine Spur. Am Morgen waren die Lehrer befragt worden. Auch sie konnten sich nichts erklären. Nur ihre Klassenkameraden hatten ausgesagt, daß sie nach dem Chemieunterricht fürchterlich geweint haben soll. Vielleicht eine schlechte Zensur? So kurz vor dem Abitur, da können einem Mädchen die Nerven durchgehen. Prüfungsfieber. Man hält für das Allerwichtigste auf der Welt die Zensuren. Ich, hätte ich je zu verfügen darüber, ich würde sie abschaffen. Die Pädagogik sollte sich etwas Gescheiteres und Gerechteres einfallen lassen. Ich kenne keinen einzigen Menschen, dessen Verhalten im späteren Leben jemals dem Zeugnis, dem Sammelsurium von Einsen und Fünfen, das seine Lehrer ihm gaben, entsprochen hätte. Litt nun auch Sigrid darunter? Ich vergaß, mich danach zu erkundigen. Und ein zweites Mal wollte ich nicht anrufen.

Seidenstickers Tochter hatte ich vor einem Jahr kennengelernt. Ebenfalls in der Bahn. Und wenn ich nun fortfahre, auch über sie zu berichten, so muß ich vorausschicken, daß sich wohl manches von dem, wovon ich erst später Kenntnis erhielt, hier bereits einschmuggeln wird.

Im letzten Sommer fuhren die Straßenbahnzüge noch mit je einem Wagen ohne die inzwischen übliche Zahlbox. Wir brauchten noch Schaffner. Und plötzlich, an der Endhaltestelle der Sieben, beim Rangieren, trat auf Paul die Schaffnerin zu, brach ein Schinkenbrot durch und hielt ihm die Hälfte davon mit den Worten hin: »Du sollst dich stärken, Herr Vater. Mutter hat es mir extra ans Herz gelegt, auf dich zu achten.« Er lachte, er zwinkerte mir zu und sagte nicht ohne Stolz: »Das ist sie. Meine Große.« Eine solche Bezeichnung jedoch war unzutreffend. Sie ließ sich nur dann erklären, wenn man wußte, daß Paul noch drei jüngere Kinder besaß. Sigrid war alles andere als groß. Unter dem mächtigen Schaffnergehänge, der Tasche mit dem handbreiten Riemen über der Schulter wirkte sie eher zierlich, schmalhüftig, noch nicht einmal erwachsen, wie verloren in der graugrünen Uniform der Straßenbahner. Ich konnte mir denken, daß sie hier, wie des öfteren Studenten und Schüler, nur aushalf, und ich fragte: »Haben Sie denn nichts Angenehmeres zu tun in den Ferien? Baden gehen oder zelten? Ostsee und Waldluft?« Sie errötete. Ich bemerkte es, obwohl nur ein karges, vereinsamtes Licht aus dem Wageninneren auf ihr hübsches Gesicht fiel, und statt ihrer, noch mit kauendem Mund, so, als wollte er sie in Schutz nehmen, erwiderte Paul: »Ach, Bürgermeister, davon verstehst du mal wieder nichts.«

Was, zum Teufel, verstand ich nicht? Ich hatte weder ihn noch sie verletzen wollen. Ich schwieg, und das war wohl auch das vernünftigste, was ich in diesem Augenblick hatte tun können. Denn Sigrid wandte sich plötzlich ab, ihre Heiterkeit verflog, und jede weitere Frage meinerseits hätte sie nur noch trauriger gestimmt. Ihre Klasse war längst über alle Berge, an die Ostsee und in die Waldluft, wie ich mich ausgedrückt hatte, ohne davon zu ahnen. Sie aber, sensibler als andere Schüler in ihrer Lage, blieb zurück. Sie fürchtete, zum ersten Mal außerhalb der gewohnten Umgebung der Schule, eine Blamage. Dort in der Fremde, täglich beisammen, Tür an Tür oder Zelt an Zelt, würden auch beste Freunde sich wieder fremd werden, würde einer den anderen mit anderen Augen betrachten. Das Vertraute würde nicht länger vertraut sein. Sie hatte gehört, wie einige Mädchen sich darüber unterhielten, was sie mitnehmen wollten. Ihre Koffer mußten Gefäße sein ohne Böden. Vier, fünf, sechs Paar Dederonstrümpfe, hauchdünn und in allen Farbschattierungen, Traum, wie es scheint, aller Frauen, auch wenn sie noch keine sind, Schuhe für jede Gelegenheit, Oberkleidung und Wäsche, teuerste Sachen aus den teuersten Läden, und dagegen konnte sie nicht konkurrieren, ja, konkurrieren, das war das richtige Wort. Sie verzagte, und sie erfand eine Lüge und schloß sich aus von der Reise. Mußt du wieder die Kinder hüten? Als aber die Mutter davon erfuhr, ihr den Kummer von den Augen ablas, setzte sie sich eines Abends vor den Ferien hin und überrechnete jeden Pfennig. Sie schlug ihr vor, einen neuen Badeanzug zu kaufen, auch aus dem Exquisit. Hundertunddreißig Mark kostet einer, hundert schon ein Bikini, oben nichts, unten nichts, und sie, die Mutter, würde fast einen Monat dafür arbeiten müssen. Ist das nicht Irrsinn? Einen Monat lang auf dem Fahrrad, jeden Nachmittag, bei Regen und Wind, ob der Himmel schäumt oder glüht, immerzu unterwegs, nur für einen oder zwei Stoffetzen? Doch wenigstens beim Baden, dann, wenn die Blicke der Jungen besonders wach hinter den Mädchen her sind, sollte Sigrid sich nicht zu verstecken brauchen. Sie sollte ihn haben, diesen Badeanzug, rot mit schwarz-weißer-Spitze, wie er neulich im Schaufester aushing, der würde ihr stehen, und die Mutter hätte deswegen sogar auf ihr Geschenk zum Geburtstag verzichtet. Sigrid jedoch lehnte ab. Sie wollte den Eltern nicht auf der Tasche liegen und sich das Geld für einen Bikini selber verdienen. Auch der nächste Sommer wird wieder heiß sein und schön. Das Leben beginnt erst. Und so machte ich ihre Bekanntschaft als Schaffnerin.

Hin und wieder bestellte ich nun, sobald ich Paul Seidensticker traf, meine Grüße an sie. Vor kurzem zeigte er mir ihr Bild. Was, rief ich aus, das ist aus dem dürren Mädchen von damals geworden? Ein Herbst und ein Winter waren vergangen, aber Sigrid sah inzwischen viel reifer aus. Nach der Fotografie zu urteilen, hätte ich sie, wenn ich ihr unverhofft begegnet wäre, nicht wiedererkannt. Immer öfter stellten ihr nun auch die Jungen nach. Ihre bescheidene Art, ihre aus den geschilderten Gründen leicht erklärbare stille Natürlichkeit, mochte manchem sehr reizvoll erscheinen. Außerdem war sie hübsch. Ein Bursche aus der Parallelklasse, Söhnchen von einem Arzt oder einem Direktor oder was sonst aus einer verwöhnten Familie, wie Paul es nannte, brachte sie täglich mit einem Motorroller nach Hause. Die Nachbarn verrenkten sich schon die Hälse. Manche lauerten hinter den Wohnungstüren des dunklen Korridors, des höhlenähnlichsten, dunkelsten Korridors, den ich je sah, und zählten am Geflacker vor dem Schlüsselloch, wie oft jedesmal, bevor sich die beiden verabschiedeten, das Zweiminutenlicht ausblieb. Auch dem Vater kamen Bedenken. Vor mir verbarg er sie nicht, und ich versuchte ihn damals zu trösten: »Alle Vögel werden eines Tags flügge. Und auch du wirst nichts daran ändern.« Jeden Sonntag holte der Junge Sigrid nun ab. Er klingelte, wußte, was sich gehört, brachte der Mutter Blumen und bat sie jedesmal um Erlaubnis für eine Fahrt mit der Tochter ins Grüne. Die Kirschbäume begannen zu blühen, die ersten Schwalben segelten. Und Sigrid schien an all diesen Tagen nachholen zu wollen, was sie sommers zuvor versäumt hatte. Sie bebte schon Stunden vorher vor Aufregung, kämmte sich, putzte sich, kaufte sich von dem selber verdienten Geld statt des Badeanzugs einen Anorak gegen den Fahrtwind und benahm sich auch sonst, als werde sie aus einem Käfig entlassen. Paul Seidensticker beobachtete sie mit verhaltenem Ernst und grübelte. Er suchte nach einer Antwort auf das so plötzlich verwandelte Wesen seiner Tochter und brummte: »Ich weiß nicht, ich weiß nicht, ob das alles ein Ende in Ehren findet...« Ich hob und senkte die Schultern. Ich glaube, wir Alten sehen stets ein wenig hilflos aus, wenn es in Liebessachen mit unseren Kindern seinen Anfang nimmt. Wir können letztlich nur hoffen.

Soweit also kannte ich Sigrids Geschichte. Und ich fragte mich noch, als ich ins Schlafzimmer schlich, leise, um nicht Herta zu wecken, unter die Bettdecke kroch, ob ich nicht den Kommissar verständigen sollte von dem Freund aus der Parallelklasse, As in Mathematik, denn Sigrid hatte stets behauptet: Er ist wie mein Logarithmus. Vielleicht konnte er uns helfen. Vielleicht...Aber ich entsann mich seines Namens nicht mehr. Nein, er war mir niemals genannt worden. Mein Gedächtnis verläßt mich nicht. Und gewiß hatte auch längst Paul Seidensticker den Jungen als Zeugen gebeten. Doch der Gedanke daran ließ mir keine Ruhe, und was ich gefürchtet hatte, trat ein. Ich wälzte mich von einer Seite auf die andere. Ich war todmüde, aber der Schlaf wollte nicht kommen.

Ich lag und lag. Ich hörte die Uhren schlagen. Und ich dachte wieder an Konz. Sigrid und Konz. Bevor er gekommen war, hatten sie uns kritisiert, vor der Bezirksleitung, das gesamte Sekretariat und den Bürgermeister gleich mit. Ein Abwasch. Ich bin nicht empfindlich, Teufel noch mal, ich nicht. Hab es mir abgewöhnt fünfundvierzig. Kam nach Hause, verlumpt und verdreckt, mager wie ein abgenagter Knochen, und sah, daß die Nazis, die Schuldigen am Krieg, noch immer fett in den Verwaltungen saßen. Als da keiner aufräumen wollte, ich tat's. Trotz des Weibergeschreis. Ich ließ die Verbrecher verhaften. Ich begriff die Notwendigkeit dieser Stunde, Vollendung des Jahres achtzehn, wußte zwar nicht, ob es gelingen würde, ob wir stark genug waren, aber ich zögerte nicht. Jetzt oder nie. Und keine Gnade. Solange die Welt steht, die großen Geschichtsumwälzungen wurden immer gemacht in wenigen Tagen. Morgen schon kann es zu spät sein. Also: Ich tat's. Ich bin empfindsam vielleicht, habe in meiner Jugend auch mal Gedichte geschrieben, empfindlich jedoch bin ich nicht.

Unser Erster Sekretär wurde abgelöst. Man kann nicht sagen: mit Pauken und Trompeten. Man kann auch nicht sagen: in aller Stille. Im Gegenteil. Sachlich, offen, mit großem Verständnis. Und dennoch spür ich seitdem einen seltsamen Schmerz. Wieder ist einer von uns gegangen. Wer wird der nächste sein? Er hat seine Aufgaben nicht mehr bewältigt, Genossen, er verlor den Überblick. So die Begründung. Das ist keine Schande, Genossen, das Leben wird komplizierter, daran liegt es. Wir weisen ihm eine Arbeit zu, die seinen Fähigkeiten entspricht, in der er sich nicht mehr wie ein Nichtschwimmer fühlen muß vor der Brandung. Einverstanden? Wir stimmten alle dafür, hoben die Hände. Die Einsicht, vielleicht war es das, die Einsicht überwog unser Mitleid. Der Sekretär wurde Lehrer an einer Fachschule. Und an seine Stelle trat Konz. Dieser Konz, der mit jedem Blick eine Rechnung aufmacht... Wenn ich nur einmal, verdammt, erfahren könnte, was er treibt, sobald er nicht in den Sitzungen sitzt. Er wohnt noch im Gästehaus. Berliner. Doch in unserer Gegend ist er geboren. Ich sah seinen Fragebogen. Konz bleibt für mich trotzdem ein Namenloser. Von einer Schule zur anderen. Irgendwo Universität. Doktor der Philosophie. Was aber tut er, nun sagen wir: in dieser Sekunde? Säuft er, spielt er, liebt er? Er hat keine Frau, keine Familie. Ein Mann in seinem Alter, die besten Jahre, und noch ohne Frau? Als er dem Sekretariat vorgestellt wurde, befand ich mich außerhalb, mitten in einer Diskussion, die für mich eine der langweiligsten war, die ich je erlebte. Mit den Schauspielern unseres Theaters. Über Kunst und Literatur. Sie hatten weniger Bücher gelesen und weniger Stücke gesehen als ich, aber einer stand auf und fragte mich: Kennen Sie Brecht? Bleib ruig, Genosse, befahl ich mir, bleib besonnen und weise wie Azdak. Statt dessen hätte ich lieber Konz prüfen sollen, auf Herz und Nieren Konz. Du wirst noch mein Alptraum sein. Deine Brille, deine Augen dahinter werden groß wie Bälle. Jetzt drehn sie sich schon im Kreise wie glühende Riesenräder. Mit solchen Augäpfeln, weiß und weit, sehe ich immer die Lehrer vor mir, die mich beim Abitur ins Verhör nahmen. Einer schickt mich zur Tafel und knarrt: Nun, Brüdering, erklären Sie uns den chemischen Vorgang, der der Fotografie zugrunde liegt. Er zeigt mir ein Bild von Sigrid. Die anderen kichern. Mir wird die Zunge so schwer. Sie wächst und wächst. Immer dasselbe. Kein einziges Wort will heraus. Brüdering ... Fotografie ... Ich weiß die Lösung. Silbernitrat ... Doch ich spür meine Zunge nicht.

Ich schrak auf. Nun war der Schlaf wohl doch gekommen, und ich schrak auf. Eine Hand lag auf meiner Stirn. Herta. »Was hast du?« fragte sie mich. »Du hast gestöhnt, daß ich davon aufgewacht bin ... Was hast du?«

»Nichts. Beruhige dich. Nichts.«

Zweiter Tag

Mach einen Fehler, Konz, dachte ich, Konz, mach einen Fehler. Du würdest verschwinden, wie du aufgetaucht bist. Ohne Lärm. So, als hätt es dich niemals gegeben. Nur ein winziger Funke, ein kleines Atömchen Sonnenlicht wird dich vermissen, nicht einmal dich, dein Fleisch, deinen Geist, nur deine Brille. Es hätte nichts mehr, worin es sich spiegeln könnte. Das wäre alles. Aus der Spuk.

Mir dröhnt der Schädel. Zwei Stunden, länger hatte ich nicht geschlafen. Vor Müdigkeit fror ich, und neben mir hockte Konz. Er hatte soeben seine Rede beendet, war mehrmals von Zwischenrufen unterbrochen worden, saß nun neben mir, horchte in die Versammlung der Ingenieure und Architekten hinein, rauchte, steckte sich eine Zigarette nach der anderen an, und am

Geflacker der Zündholzflamme in seiner Hand sah ich, daß er leicht zitterte. Die Flamme erlosch. Konnte es sein, daß er aufgeregt war? Das wäre ein Zug, den ich ihm nie zugetraut hätte. Konz, der eiskalte Rechner. Aber er hatte ja auch die ganze Stadt gegen sich. Vielleicht bestand sein Fehler schon darin, daß er die Stadt noch immer überzeugen wollte, obwohl sie gegen ihn war.

Ich hatte von meinem Büro aus noch einmal das Kreisamt angerufen. Von Sigrid Seidensticker fehlte auch weiterhin jede Spur. Ja, der Bursche aus der Parallelklasse war verhört worden. Ohne Erfolg allerdings. Vor zwei Wochen schon hatte er sich von Sigrid getrennt. Jugendliebe. Wie das so geht. Flüchtig wie der Rauch im Wind. Konz, dem ich am Morgen den Fall geschildert hatte, entgegnete: Sorgen hast du, Mensch, deine Sorgen möchte ich haben. Verlorene Töchter suchen, das ist Sache der Polizei. Ich hielt ihn für oberflächlich, um nicht zu sagen: für herzlos. Doch ein wenig, ein ganz klein wenig verstand ich ihn jetzt.

Die Leute rührten sich nicht. Ich kenne das aus der eigenen Praxis. Nichts ist so widerwärtig, gespenstisch geradezu, als wenn man vor tauben Ohren spricht, in einen Wald hineinruft, aus dem kein Echo zurückhallt. Fünfundvierzig und später war es oft so. Bodenreform. Enteignet die Großgrundbesitzer. Eure Peiniger, eure Ausbeuter. Die Knechte und Mägde jedoch hatten Angst vor der Freiheit. Sie trauten uns nicht und schwiegen. Doch heute? Landarbeiter wurden Minister. Konz bebte. Ohne die Versammlung aus den Augen zu lassen, wollte er eine Zigarette im Aschenbecher ausdrücken. Seine Hand tastete blind über den Tisch. Ich nahm sie und wies ihr den Weg. Aber Konz hatte ja schon sein Echo gehabt. Die Zwischenrufe. Die Frage des Chefarchitekten aus der Südstadt, Genossen Koblenz, mitten in einen Satz hinein: »Wissen Sie, was das bedeutet? Sie erklären die Pläne aller vorangegangenen Jahre für null und nichtig. Sie zwingen uns, wenn wir je Ihren Ausführungen zustimmen sollten, von vorn anzufangen. Jeder Gedanke von vorn. Und unser Gehirnschmalz auf die Verlustliste. Wissen Sie das?« Konz war von seinem Konzept abgewichen. »Ja, das wissen wir.« Murren, Gemurmel. Ich schlug mit der Tasse gegen die Kaffeekanne, betätigte das Geschirr wie eine Glocke, bis irgendwo ein Sprung durch das Porzellan lief und wieder Ruhe im Saal eintrat. Wir sind nicht die einzige Stadt, die sich darauf einrichten muß. Wir sind kein Dornröschenschloß im

Lande, und die technische Revolution macht um uns keinen Bogen. Das liegt im Wesen des Exponentialgesetzes, meine Herren, wonach sich der Zuwachs wissenschaftlicher Erkenntnisse in immer kürzeren Zeiträumen verdoppelt und dem auch wir unsere Produktionsmethoden angleichen müssen. Es gibt keine quasistatischen Systeme mehr, heute weniger denn gestern, morgen weniger denn heute. Ausruhen, genauer: Trägheit im Denken rächt sich sehr schnell. Die Dynamik der technischen und der gesellschaftlichen Entwicklung nimmt von Stunde zu Stunde zu. Deshalb müssen wir selber, mehr als früher, dynamisch leben. Geistige Souveränität, meine Herren, gewinnt an Gebrauchswert. Ein jeder von uns sollte so handeln, daß er schon die künftigen Änderungen im Sinne dieser Dynamik vorausbearbeitet, vorausahnt, vorausplant. Ändern sofort, aber mit Verstand, wo geändert werden muß. Nehmen Sie mich. Ich bin ein kulinarischer Mensch. Doch wenn ich nicht täglich zum Frühstück auch ein paar meiner mir liebgewonnenen Arbeitshypothesen verspeisen würde, ließe ich lieber den Sport eigenen Denkens sein. So sprach Konz. Und einige lachten. Und andere murrten. Und jetzt rührte sich keine Zunge.

Ich beobachtete Koblenz. Ich sah ihm auf die eckige Stirn unter dem grauen Bürstenhaar und dachte: Was wird Koblenz jetzt denken? Der ist nicht der Mann, der schweigt. Man kann halten von ihm, was man will, aber geschlagen gibt er sich nicht. Mir fiel die Affäre vom letzten Sommer ein. Mai, und auch damals blühten die Kirschen, kroch Hyazinthenduft aus den Gärten. Unsere Abteilung Volksbildung war gezwungen, sich mit seinem Sohn zu beschäftigen. Und damals, sofern ein Mensch überhaupt einen Stempel verträgt, versah ich den Chefarchitekten mit diesem: Anarchist, politisch ein Wirrkopf. Gewiß, ein Charakter ist keine Hausnummer. In einem Menschen steckt immer mehr, als je ein einmal über ihn gefälltes Urteil aussagen könnte. Koblenz wäre vielleicht in andrer Gesellschaft ein nützlicher Aufrührer gewesen. Er hatte einen Bauernschädel wie Michael Kohlhaas, und damals, als es um seinen Sohn ging, sagte er: Es ist die Pflicht der Intellektuellen, stets die Opposition gegen eine gängige Moral, gegen das, was man schlechthin öffentliche Meinung nennt, wachzuhalten. Denken Sie an Einstein oder Luther, Kepler oder Marx. Was eigentlich machen Sie meinem Sohne zum Vorwurf?... Ich aber weiß bis heute noch nicht, weshalb er Einstein und Kepler, die ganze deutsche Geschichte der geistigen Urheberschaft für die Dummheiten seines Sprößlings bezichtigte. Das gesamte Kollegium der Humboldtschule hatte sich für die Relegation ausgesprochen, sogar der Physiklehrer, dessen Primus, dessen Aushängeschild Koblenz junior gewesen war. Vielleicht daher der Name Einstein? Ich hatte das zweifelhafte Vergnügen, mich durch alle Akten, die darüber angelegt worden waren, hindurchzuwühlen. Vom alten Koblenz lag eine deftige Beschwerde vor, und als er persönlich vom Schulrat gehört wurde, kämpfte er mit einem Mute, der zugleich an Ignoranz und Besessenheit grenzte. Er warf mit Ausdrücken um sich, als trügen unsere Lehrer noch immer die Zöpfe der Kaiserzeit. Ich mußte ihn mehrmals zur Ordnung rufen. Ihre Verdienste um die Stadt in Ehren, lieber Doktor, sie sind aber nicht vererbbar, und Ihr Sohn kann davon nicht leben. Entweder er fügt sich künftig der Disziplin, oder wir nehmen ihm auch die letzte Chance, sein Abitur im nächsten Jahr zu wiederholen. Einen anderen Weg gibt es nicht. Kapiert? Seitdem wußte ich, daß Koblenz nicht schweigen würde. Der Apfel fällt nicht weit vom Stamm. Der Stamm steht nicht weit vom gefallenen Apfel. Und ich hätte Konz informieren sollen. Wenn du deine Rede hältst, Konz, gib acht auf den Chefarchitekten. Entweder du sprengst ihn oder er dich. Doch nun hatte Konz ihm mit seiner Antwort Absolution erteilt. Geistige Souveränität gewinnt an Gebrauchswert. Mich würde nicht wundern, wenn Koblenz wieder Einstein und Luther ins Feld führte. Konz sollte selbst sehen, wie er sich aus der Schlinge des Kulturerbes zog.

Als jedoch noch immer geschwiegen wurde, fragte er: »Wird eine Pause gewünscht?«

Da endlich stand einer auf, doch es war nicht Koblenz, und sagte: »Erst wettern Sie gegen das Ausruhen, und nun wollen Sie selbst eine Pause. Wer sind Sie denn überhaupt, daß Sie uns in einem Atemzug ein solches Durcheinander anbieten? Sie kommen hereingeschneit hier wie Habakuk unter die Löwen und reden wider alle Vernunft...«

Ein Gelächter brach an und schaffte Befreiung. Wir atmeten auf. Der Mann aber, wie sich bald zeigte, war mit Verspätung gekommen, und so hatte er weder Konz' Konzeption im Zusammenhang noch mich gehört, als ich Konz vorgestellt hatte. »Er ist seit einer Woche neuer Sekretär der Stadtparteiorganisation«, wiederholte ich nun, »seit Montag.« Diese kleine Korrektur konnte ich mir nicht verkneifen. Nicht einmal seit einer Woche – ich hing daran wie am Leim. Daß Konz jedoch auf

Empfehlung des Zentralkomitees hier eingesetzt worden war, daß es also einen Grund geben mußte, weshalb er das Vertrauen der Partei genoß, verschwieg ich. Wünschte ich denn noch immer, daß er über einen Fehler stolperte? Wem wäre damit gedient? Ich wußte: Konz hatte von Anfang an nicht auf eigene Faust gehandelt. Im Gegenteil. Er war, wenn man will, das Eisen der Disziplin, und sein Vorgänger war letztlich nur gescheitert, weil er die Beschlüsse zur Rekonstruktion der Stadt mißachtet, und wie es hieß, Zeitverlust geduldet hatte. Ich nahm mir vor, auf der Hut zu sein. Die Entscheidung, Konz, fällt noch heute, und zwar in diesem Raum.

»Trotzdem«, sagte der Mann. »Was Sie uns da zumuten, das ist genauso utopisch, als wollten Sie plötzlich die Saale umleiten, mitten durch die Stadt, oder die Berge hinauf, oder tief in die Erde hinein wie die Götter den Styx. Wohin aber schütten Sie dann das Wasser, Sie kluger Mensch?«

Wiederum erscholl Gelächter. Diesmal schien es mir auf Kosten von Konz zu gehen, und ich hätte eingreifen müssen. Doch ehe ich mich besann, lachte auch er. Plötzlich lachte auch Konz. Er schlug sich auf die Schenkel, verschluckte sich am Rauch seiner Zigarette, hustete, lief rot an und lachte. »Ja«, rief er aus, »was machen wir mit dem Wasser. Wenn wir die Saale aus ihrem Bette heben, wohin schütten wir dann das Wasser? Das ist eine Frage...« Er stand auf. »Das Wasser, wissen Sie was, wir lassen das Wasser am besten beim Wasser.« Zum ersten Mal sah ich, wie nicht nur die Brillengläser, sondern seine Augen dahinter glitzerten. Er sprühte vor Unternehmungslust. Seine Hände zitterten nicht mehr. Sie hatten etwas zum Zupacken gefunden. Er stützte sich auf den Tisch, krümmte den Rücken, stand wie zum Sprunge, bereit, sich augenblicklich auf die Versammlung zu stürzen, und riß, wie mir schien, mit jedem Wort die Welt ein, unsere alte, überlieferte, unsere althergebrachte Vorstellungswelt. Ich duckte mich unwillkürlich. Konz gewann an Kräften, je länger er sprach, und ich fühlte mich ihm unterlegen. Die Architekten und Ingenieure hatten ihn ausheben wollen, aber er berührte wieder die Erde. Und er machte eine erstaunliche Rechnung auf.

»Die Saale«, begann er, »also die Saale mit hellem Strande. Was wäre daran utopisch, wenn wir sie umleiten würden? Durch die Stadt, die Berge hinauf? Wir könnten hier endlich die Sümpfe austrocknen und weiter oben, dem Harz entgegen, das Kreideland bewässern. In den Fluten gediehen vielleicht wieder Fische,

Nahrung für unsere Nachkommen. Wir befänden uns nicht mehr im Urzustande der Menschheit, auf der Stufe von Jägern und Sammlern, wenn wir auf Fischfang mit Angeln und Netzen gehen. Wir könnten ganze Fischvölker züchten wie heute die Kuhherden, Algenkulturen anpflanzen wie das Getreide. An den Ufern der Flüsse wüchsen vielleicht Orangen und Datteln. Also: Verlegen wir doch die Saale, wenn es uns hilft. Sagen wir nicht: Utopisch, das geht nicht. Fragen wir lieber, was notwendig ist, was getan werden muß, damit es getan werden kann. An die Arbeit. Suchen wir nach Möglichkeiten, um das Unmögliche möglich zu machen. Steigen wir auf den Mond. Düngen wir mit dem Mondstaub unsere Felder, sobald sich erweist, daß er billiger ist und ertragsreicher als alle nur unter tausend Mühen gewonnenen chemischen Kalke. Kalkuliert denn nicht jeder von uns schon den Tag ein, an dem der Mensch die Gestirne betritt? Warum also wollen wir noch Straßen und Städte bauen, als gäb es die Raumfahrt nicht, als stünde der Mond nicht demnächst als sechster Kontinent über unserer Erde? Erschrecken Sie nicht. Ich warne Sie nur vor Denkschablonen. Die Städte, die wir heute bewohnen, sind auf uns überkommen aus einer Zeit, in der es noch nicht einmal den Kapitalismus gab, in der an Technik noch nicht zu denken war, viel weniger denn an die technische Revolution. Sie stehen noch wie die feste Burg Gottes. Ein Anachronismus. Ich will zu erklären versuchen, was das bedeutet: Exponentialgesetz. Was heißt das: Der Verdoppelungszeitraum des Wissens und des wissenschaftlichen Lebens verkürzt sich ständig? Fünf Millionen Jahre wohl hat unsre Gattung gebraucht, um sich als Homo sapiens aus dem Tierreich zu lösen. Die Menschheit begann zu leben. Doch er dauerte immer noch fünfhunderttausend Jahre, bevor der Mensch die Herde verließ und sich zu Sippen organisierte. Vor fünfzigtausend Jahren nahm er endlich die neue Gestalt an. Die ersten Produktionsinstrumente tauchten auf, primitiv zwar, zu Klingen behauene Steine, ausreichend aber, um schließlich das Mehrprodukt zu erzeugen. Vor fünftausend Jahren, also im vierten Jahrtausend vor unserer Zeitrechnung, entstand dann die Klassengesellschaft. In Indien und in Vorderasien wurden die ersten Staaten gebildet. Die Schrift kam auf und die Sklaverei. Vor fünfhundert Jahren wurde die Menschheit durch einen Aufbruch erneuert, der den Namen Renaissance erhielt. Die Naturwissenschaften entstanden und sprengten das geistige Dogma der Religionen. Der Erdball wurde entdeckt, Zwerge wurden zu Riesen. Ich glaube, der Mensch erkannte sich damals zum ersten Mal selbst. Vor genau fünfzig Jahren begann unsre Gegenwart. Und heute steht die Menschheit wiederum vor der Erneuerung, der tiefsten, die sie jemals erlebte. Innerhalb weniger Jahre erschloß uns die Wissenschaft Räume, deren Ausmaße wir vorerst nur ahnen können. Die Atomphysik und die Molekularbiologie, die Raumfahrt und die Kybernetik, das Größte und das Kleinste, und schließlich das Gesellschaftssystem des Sozialismus, der Schlüssel zu dieser gigantischen Umwälzung, in der der Mensch zum Beherrscher seiner selbst werden soll... Ich bin kein Mystiker. Ich bin auch kein Fatalist. Aber wenn sich die menschliche Entwicklung auch weiterhin in solchen Bahnen bewegt, was dann? Was wird in fünfzig Jahren sein?«

»Dann geht die Welt unter«, rief einer, ein Witzbold vielleicht.

»Irrtum«, und Konz lachte auch dazu. »Wir schreiben das Jahr zweitausend. Die Welt, sofern sie nur die geringste Einsicht mit sich selber hat, wird sozialistisch sein. Das ist das eine. Wir landen auf der Venus. Das ist das andere. Und weiter und weiter? Aller fünf Jahre? Aller fünf hundertstel Jahre? Die Menschheit wird sich in einem Umbruch von Permanenz befinden. Doch endlich wird sie wohl auch zur Ruhe kommen. Die Dialektik begänne zu wirken. Die Bewegung wird zugleich die Ruhe sein und umgekehrt. Die Menschheit hat ihren Neuzustand. Wenn sie sich heute schon darauf einrichtet... Wenn wir heute schon danach leben... Holen wir deshalb den Mond in unsere Städte. Seien wir weniger zaghaft.«

Er setzte sich, und ich gebe zu, daß ich niemals zuvor eine solche Rede gehört hatte. Konz ergänzte zwar noch, daß er sich des Mechanistischen seiner Thesen vollauf bewußt sei, und bat um Nachsicht für die eine oder andere Jahreszahl, aber der Eindruck, wir schritten auf das Jahr Null der Weltgeschichte zu, auf die Neugeburt der Menschheit, blieb bei uns allen haften. Ja, er hatte den Mond vom Himmel heruntergeholt. Die Saale floß schon bergauf. So also sah er die Rekonstruktion unserer Stadt. In diesen Größen dachte er. Und wir? Und ich? Hatte ich denn nicht ebenfalls die Welt erobern und den Mond stürmen wollen? Nach der Rechnung von Konz, wie lange ist das schon her? Fünfhunderttausend Jahre oder nur fünfzig? Neunzehnhundertundsiebzehn, da bin ich geboren. Ich könnte sagen: Über meiner Wiege leuchtete der rote Stern. Und als ich knapp dreißig war, ging ich die Treppe eines Rathauses hinauf, das ich nie zuvor zu betreten gewagt hätte. Für mich, ja, für mich war es, als setzte ich meinen Fuß auf einen fremden Planeten. Ich öffnete eine Tür und befahl einem Bürgermeister: »Kommen Sie mit. Sie sind verhaftet...« Es kann doch nicht sein, daß nur Konz die Zusammenhänge begreift. Ich sah sie lange schon vor ihm. Die Macht der Klasse. Jetzt oder nie. Das war meine Raumfahrt, Konz. Ein Traum, glaube ich, der sich im Leben des einzelnen niemals erschöpft, der immer wieder von neuem geträumt werden muß...

Ich ließ meine Blicke über die Versammlung gleiten. Konz hatte alles in allem zwei Stunden gesprochen, es war gesagt, was gesagt werden konnte, er hatte alle Argumente verschossen, hatte wiederum vor der Karte gestanden und in Gedanken schon ganze Straßenzüge gesprengt, war sogar auf den Mond gestiegen, und so konnte sich jetzt nur noch zeigen, ob er die Architekten und Ingenieure überzeugt hatte oder nicht. Sie mußten Farbe bekennen. Sie mußten sich äußern, gleich wie, dafür oder dagegen – das heißt, es blieb ihnen eigentlich nur die eine Möglichkeit, das Dafür, denn wenn sie sich sträubten, so hatte mir Konz bereits unter vier Augen verraten, wenn sie sich widersetzen, sind wir gezwungen, wohl oder übel uns nach einer anderen Mannschaft umzusehen. Dann haben sie unseren Weg nicht begriffen. Was sollen wir denn mit Leuten anfangen, die seit Knobelsdorff nichts dazugelernt haben? Mit Spießen und Speeren läßt sich heute keine Schlacht mehr gewinnen. Logisch? Logisch. Ich beneidete ihn nicht. Er hatte den Auftrag zu siegen. Er verfocht den Generalverkehrsplan, und auch für ihn gab es keine andere Möglichkeit, kein Zurück, nur das eine: zu siegen. Konz, bist du dir darüber klar, daß du dir Feinde schaffen, daß du der bestgehaßte Mann der Stadt werden kannst? Er würde seine schiefen Zähne zeigen und lachen. Und wenn schon. Die Sache ist größer. Mit nicht weniger Spannung als er erwartete ich die Reaktion der Versammlung, und ich schaute auf Koblenz, denn ich wußte, wenn er ein Einsehen hätte, würden die anderen ihm folgen. Koblenz hatte im Bauhaus studiert, er kannte Gropius noch, und Männer wie Feininger zählten zu seinen Lehrern, aber nicht nur deswegen genoß er Achtung. In vielen Beratungen hatte er sich zum Wortführer seiner Kollegen gemacht, manchmal zu unserem Verdruß. Doch als er in die Partei eintrat, damals, als es mit dem Bau im Lande wieder bergauf ging, hatten wir die Festung der Architekten gestürmt. Wir spürten es deutlich. Sogar die Republikflucht ließ nach. Ja, er war der Multiplikator beim Multiplizieren. Später dann, nach der bösen Geschichte, die sein Sohn sich eingebrockt hatte, glaubte ich oft, man brauche dem Jungen nur wie vorher dem Alten zu kommen. Wenn wir ihn für uns gewännen, dachte ich, wird Ordnung in die Schule einziehen. Ein Dickschädel wie sein Vater. Und vielleicht hatten ihn nur die Lehrer nicht richtig angefaßt. Auch er war der Wortführer seiner Klasse. Intelligent wie Einstein. Auch auf ihn schworen die Mitschüler. Außer in Mathematik, Physik und Chemie störte er jeden Unterricht. In Staatsbürgerkunde fragte er, ob Marx nicht nur ein Phantast gewesen sei, ähnlich wie Christus, in den Deutschstunden, warum nicht dieses oder jenes moderne Stück westlicher Autoren auf dem Lehrplan stünde. Er zitierte, ohne darum gebeten worden zu sein, ganze Passagen aus Dürrenmatts ›Physikern‹, das Buch hatte er der Bibliothek seines Vaters entnommen. Goethe hinge ihm schon zum Halse heraus, sagte er, und immerzu sozialistischer Realismus, das wäre auf die Dauer langweilig. Koblenz zuckte dazu mit den Schultern. »Ich möchte auch nicht nur immer Kasernen bauen.« Ich hatte ihn angeschrien. Mir gehen selten die Nerven durch. An diesem Tage jedoch war es geschehen. »Ihre Arroganz«, schrie ich, »stinkt zum Himmel. Und soweit sie Ihren Sohn betrifft, gleicht sie einer fahrlässigen Tötung.« Doch was dachte er jetzt? Er saß noch immer still und starrte mit zusammengekniffenen Augen auf Konz. Vielleicht dachte er nur, was gestern auch ich noch gedacht hatte. Kommst hier hereingeschneit, Konz, wie Habakuk unter die Löwen.

Gerhard, sein Sohn, las also Dürrenmatt. ›Die Physiker‹, sagte er, die entsprächen schon vom Titel her seinem Geschmack, kein schnulziges Drumherum, von wegen Herz und so, ohne Sentimentalität. Außerdem stünd es dort pari pari, Physik bleibt Physik, ob Atom von den Russen oder Atom von den Amerikanern, a verhält sich zu a wie a. Abends spielte er Jazz. Und als der Beat aufkam, gründete er an der Schule sogleich eine diesbezügliche Kapelle. Sie trafen sich in einem abgelegenen Keller, den sie ausgebaut hatten. Die Entwürfe stammten von Gerhard. An die Wände hängten sie Bilder von langhaarigen Sängerknaben, pausbäckigen, Trompete blasenden Negern und leichtbekleideten Damen, Bibelsprüche, gemischt mit Zitaten von Politikern aus aller Herren Länder, wobei eins dem anderen widersprach, Kennedy aber in Mehrheit vertreten war, und Verkehrsschilder, die sie von den Straßen montiert hatten und denen sie eine mehr flach- als tiefsinnige Bedeutung gaben. Mitten in einer Kollektion von entblößten Frauen hing das Schild: Achtung! Mehrere Kurven! Zwischen zwei Illustriertenfotos, deren eines ein ausgebranntes Personenauto mit verkohlten, verstümmelten Leichen darin und deren anderes einen amerikanischen Soldaten zeigte, der einem zu Tode gefolterten Vietnamesen den Stiefel in den Nacken stellte, ein Stoppschild mit darübergeklebter Aufschrift: Du sollst nicht töten... Als wir damals die Räume betraten, schritten wir zunächst durch mehrere schwarze Vorhänge. Mir war verdammt makaber zumute. Ich fragte mich: Bist du inzwischen zu alt, zu verkalkt, daß du die Scherze der Jugend nicht mehr verstehst? Welchen Unsinn haben wir in diesem Alter getrieben? Achtzehn, da verkrochen wir uns ebenfalls heimlich in Keller und lasen Majakowski und Gorki. Koblenz aber sagte: »Gut, die Nackedeis an den Wänden müssen nicht sein. Doch sehen Sie hier, die beiden Bilder mit den entsetzlichen Leichen. Die Jungs haben auf ihre Art Ideale...« Mir verschlug es die Sprache. Ich wußte nicht, was ich noch sagen sollte. Ich hatte Koblenz schon vorher angeschrien. »Und die Mädchen?« fragte ich. »Mit denen sie hier ihren Beat tanzen und wer weiß, was noch, finden Sie das in Ordnung?« Koblenz entgegnete: »Mit achtzehn ist man heut mündig. Vergessen Sie nicht, lieber Ober, mit achtzehn darf man schon wählen und ist auch zum Wehrdienst nicht mehr zu jung. Im übrigen: Geben Sie nicht nur den Burschen die Schuld. Die Wissenschaft ist da ganz anderer Meinung. Haben Sie jemals schon etwas gehört von Akzeleration?« Ja, zum Teufel, ich hatte. Und obwohl mir Koblenz auch noch vorhielt, ich sähe Gespenster und entwickele bei der Inspektion dieses Kellers einen Eifer, als handle es sich um den Unterschlupf einer Rauschgiftbande, so fand ich doch, finde ich heute, nachdem ich mehr weiß als früher, daß sein Sohn Gerhard bereits, was das Verhältnis zum anderen Geschlecht betraf, älter war als ein alter Mann. »Erinnern Sie sich bitte«, sagte Koblenz, »sie haben sich ein strenges Gesetz auferlegt: Alkoholverbot.« – »Ja«, sagte ich. »Sie trinken keinen Alkohol...«

Der Chefarchitekt schwieg noch immer. Aber die Diskussion hatte bereits ihren Anfang genommen. Es war ein Abtasten. Man erkundigte sich nach Einzelheiten, wollte dieses und jenes genauer erklärt wissen. Plötzlich sagte an meiner Seite Konz: »Darauf gibt am besten Genosse Brüdering Antwort. Ich bin noch nicht so vertraut mit der Stadt.«

Er sah mich an. Ich aber hatte die Frage nicht vernommen. Mir war es peinlich, und ich begann zu schwitzen.

»Menschenskind«, flüsterte Konz. »Wo hast du deine Gedanken?«

Die Frage wurde wiederholt. Jemand bat um Auskunft darüber, was mit dem Blauen Turm auf dem Marktplatz geschehen sollte. Ein historischer Bau. Und erst kürzlich sei er damit beauftragt worden, für ihn eine neue Spitze zu entwerfen, um ihn in alter Pracht wieder auferstehen zu lassen.

»Der Blaue Turm«, sagte ich, »niederreißen den Blauen Turm. Seitdem seine Spitze ausgebrannt ist, wurde aus ihm ein Friedhof. Tausende von Tauben liegen inzwischen dort begraben. Es muß ekelhaft sein...« Ich wußte, daß das mit den Tauben nur ein Gerücht war. Jedenfalls hatte es bisher noch keinen gegeben, der in den Turm gestiegen und ihn daraufhin untersucht hätte. Die toten Tauben in seinem Innern blieben Vermutung. Auf dem Marktplatz wimmelte es Sommer für Sommer von wilden Tauben, niemand wollte sie abschießen, es sei wie in Rom, sagten die Leute, und die beiden Kirchen und der Blaue Turm waren nun schon über und über mit Vogelmist bedeckt und sahen aus wie frisch gekalkt. Wenn wir die Ruine restauriert hätten, vielleicht wären wir dann endlich dahintergekommen, was es mit den Tauben und dem Turm wirklich auf sich hatte.

Ich kannte den Auftrag zum Entwurf einer neuen Spitze. Ich hatte ihn selbst unterschrieben. Die Tauben und der Turm beschäftigten die Stadt, ich war ihr Bürgermeister, dem Gerücht vom Taubenfriedhof sollte ein für allemal der Garaus gemacht werden, und um so mehr war ich nun über mich selber verärgert, als ich mir nachträglich meine Antwort überlegte: Niederreißen den Blauen Turm...Ich schalt mich einen Kulturbarbar, einen Verräter. Wenn sich meine Meinung herumsprach, würde ich gegen mich alle Handwerker und Komplementäre aufbringen. Mindestens die Hälfte von ihnen trug im Firmenwappen den Blauen Turm. Und hatte ich denn nicht letzte Nacht noch selber mein Herz an jeden schiefen Winkel gehängt?

Konz, wie mir schien, grinste. Und Koblenz, dieser unheimlich stumme Koblenz, schüttelte seinen grauen Schädel. Er schüttelte ihn wie damals, als ich ihm mit aller Entschiedenheit erklärt hatte: Entweder Disziplin – oder er fliegt für alle Ewigkeit von der Schule. Wir lassen uns nicht auf dem Kopf herumtanzen, schon gar nicht mit Beat. Kapiert? Nein, hatte er gerufen und dazu seinen Schädel gerüttelt, nein, das wagen Sie nicht bei meinen Verdiensten um die Stadt. Ihre Verdienste in Ehren, Doktor, aber Sie sind nicht Ihr Sohn, a ist nicht gleich b. Sein Kopfschütteln diesmal nahm ich als Zeichen, daß er gegen die Rekonstruktionspläne war.

Doch nicht wegen Dürrenmatt, natürlich nicht, und auch nicht wegen des Kellers verwiesen wir Gerhard Koblenz von der Humboldtschule und versetzten ihn um eine Klasse zurück an die Neubauerschule, obgleich es nach meinem Empfinden nicht gerade von Reife zeugt, wenn einer, so intelligent er auch sein mag, einen Verkehrsunfall mit dem Morden in Vietnam gleichsetzt. Ich dachte wieder an Sigrid Seidensticker. Auch sie stand kurz vor ihrem Abitur. Was würde Paul dazu sagen, wenn er plötzlich erführe, seine Tochter geht abends durch schwarze Portieren, läßt sich, wie sie ist, fotografieren und ihr Bild in einer Reihe mit Illustriertenmädchen an die Wand nageln, daneben ein Bibelspruch: Denn eine Hure bringt einen ums Brot, und geklaute Verkehrsschilder? Ich glaube nicht, daß er sie weiterhin so still und geduldig beobachtet hätte, wenn sie sich sonntags für einen Motorradausflug ins Grüne schmückte. »Wir waren sieben Kinder zu Haus, unser Ernährer im Kriege gefallen, und trotzdem hat uns unsere Mutter in Anstand großgezogen.« Das war seine Lebensmoral. Daran hielt er fest. Und ich sah wieder Sigrid vor mir in der graugrünen Schaffneruniform, ein Schinkenbrot teilend, und dachte: Ja, eine solche Moral täte einem Jungen wie Gerhard Koblenz ganz gut. Er müßte mal wissen, daß das Leben auch Pflichten enthält. Die Armut ist kein Allheilmittel, gewiß nicht. Aber er müßte einmal erfahren, wie die anderen darin zurechtkommen. Ein Badeanzug für hundertunddreißig Mark, dafür muß eine Postbotin sich einen Monat lang quälen. Vielleicht hängt er dann keine Bilder mehr hin von faden Mädchen im Bikini. So dachte ich.

Gerhard Koblenz hatte während des Abiturs betrogen. Im großen Stil. Le grand coup, würden es die Franzosen nennen. Sein Vater jedoch, Koblenz, jetzt hob er die Hand, er wollte sprechen, ich müßte ihn auffordern, sein Vater jedoch sah darin nur einen Beweis für die technische Begabung seines Sohnes. Einstein. Er lächelte in sich hinein und war wohl sogar noch stolz auf den Streich. In der Humboldtschule gab es einen Luftschacht, der vom Keller bis hinauf in den First führte, unmittelbar am Lehrerzimmer vorbei. Wenige Tage vor den Prüfungen kroch Gerhard unter das Dach und installierte am oberen Ende des Schachtes ein Abhörgerät. Nach dem Maß genauer Berechnungen ließ er dann ein Mikrofon hinunter und hängte es vor das Gitter zum Lehrerzimmer. Als nun im Kollegium die Klausurthemen beraten wurden, nahm er jedes Wort auf Tonbänder auf, die er später in aller Ruhe abspielte. So war das Examen bereits bestanden, bevor es begonnen hatte. Die Schüler kamen mit vorgefertigten Texten. Es hagelte Einsen. Und der Betrug wäre wohl niemals entdeckt worden, wenn nicht der Hausmeister, ein reinlicher Mensch, den Keller der Schule gesäubert und auf dem Grund des Luftschachtes das Mikrofon gefunden hätte. Denn Gerhard hatte es nach dem Abitur wieder entfernen wollen. Aber es verklemmte sich, und als er Gewalt anwendete, riß das Kabel. Eine Untersuchung fand statt. Koblenz junior wurde als Anstifter ermittelt, und während die anderen Schüler die Prüfungen sofort wiederholen konnten, versetzten wir ihn um ein Jahr zurück. »Was hat das mit Idealen zu tun?« fragte ich damals den Architekten, »wenn man sich schon am Anfang des Lebens seine Erfolge erschwindelt?« – »Ja«, entgegnete er, »er hätte nicht gleich die ganze Klasse hineinziehen sollen...«

Jetzt hob er die Hand. Ich gab ihm das Wort. Und ich muß gestehen, ich hatte mich wieder so sehr in den Fall seines Sohnes vertieft, daß ich mich plötzlich wunderte, warum er nicht über die Abhöranlage oder über den Keller sprach, sondern über den Generalverkehrsplan. Koblenz sagte: »Sie haben mich beeindruckt, Konz...«

Mich überraschte auch das. Ich hatte Protest erwartet nach seinem Kopfschütteln von vorhin, so etwas wie: Laßt uns den Turm und die Tauben. Doch nun? In der Pause hatte ich mich noch einmal nach Sigrid Seidensticker erkundigt. Nichts. Immer noch nichts. Dann war ich zu Konz gegangen, um ihn zu warnen. »Gib acht auf den Chefarchitekten. Er hat sich gemeldet. Ich nehm ihn als ersten dran. Und wenn er mit Einstein kommt oder Luther, überlege dir vorher, welche Namen du in die Debatte wirfst...«

Konz grinste. Er grinste mir zu oft. »Faust«, sagte er, »ich komm ihm mit Faust oder König Lear. Da kenne ich eine Stelle, Moment. Nicht müß'ger Rat ziemt meiner Stellung, nein, entschloßne Tat... Wie gefällt sie dir? Goethe und Shakespeare, die sind noch immer die schwersten Kaliber.«

Doch Konz kam gar nicht zum Zitieren. Koblenz sagte: »Sie haben mich beeindruckt...« Und dann ging er nach vorn an die Karte, nahm den Zeigestock und entwarf – ja, er entwarf einen Gegenplan. Die Stadt muß verändert werden. Die frühkapitalistische Zwangsjacke wird uns zu eng. Rekonstruktion, und Konz verdient unsern Dank. Aber... Aber der höchste ökonomische Nutzeffekt sei in der bisherigen Rechnung noch immer nicht aufgetaucht. Seine Variante hingegen, und zwar auf den ersten Blick, sozusagen noch im Stadium der Intuition, biete den logischen Schluß. Sie sei die Summe der Konsequenzen. »Sprachen Sie vorhin nicht selber davon, Genosse, daß einen Zeitverlust sich nur der liebe Gott leisten könne? Der wohnt in den Wolken und nicht auf der Erde?« Koblenz hatte das scharfe Licht vom Fenster im Rücken. Er stand im Schatten, so daß keiner von uns sein Gesicht sehen konnte, jedenfalls nicht den Ausdruck in seinem Gesicht. Was hatte ihn plötzlich veranlaßt, uns eine Lektion zu halten? Mir war zumute, als müßte ich fortwährend Atem schöpfen. Ein Gedanke jagte den anderen. Koblenz zwang mich zuzuhören. Er wollte die Trasse von Norden nach Süden nicht durch die Altstadt führen, sondern an ihrem Rande entlang. Denn dort, einen halben Kilometer nur entfernt vom Zentrum, verläuft bereits eine Art natürliche Schneise, die der Eisenbahnlinie. An ihrer Seite fände die neue Verkehrsader einen bequemen Platz. Dadurch würden die Große Leipziger, der Markt, die Kühnritter und der obere Teil der Bad Lauchstädter Chaussee gar nicht berührt, und man brauchte dort nur abzureißen, was des Abreißens wert ist. Eine andere Konsequenz seiner Variante war, den Tunnel nicht auf die Schmalseite der Stadt, also von Westen nach Osten, sondern in Längsrichtung zu legen, die Hochstraßen dagegen dorthin, wo der Tunnel gebaut werden sollte. Eine solche Konzeption besäße den Vorteil, daß die Hochstraßen zugleich als Brücke über die Eisenbahnlinien hinweggeführt werden könnten... Er lauschte, und endlich kam ich zu Luft. Im Prinzip also stimmte er mit Konz überein, nur wollte er die geplante Nord-Süd-Achse weiter nach Osten verlagern und das große Kreuz von Tunnel und Hochstraßen um neunzig Grad drehen. Er wiegte seinen Kopf, lauschte, betrachtete sich noch einmal die Karte, so, als sähe er schon die neuen Umrisse unserer Stadt, nickte dann und trat aus dem Licht des Fensters.

Mit blinder Hand tastete Konz nach den Zigaretten. Er schien schon wieder erregt, und ich glaubte jetzt, ihn zu verstehen. Sein Auftrag hatte gelautet zu siegen. Doch nun war einer hier aufgestanden, der nicht weniger kühl gerechnet hatte als er und ihm das Siegen beschwerlich machte. Koblenz mit seinem intelligenten Bauerndickschädel. Er hatte nicht nein gesagt und nicht ja. Es gab für ihn kein Dagegen und kein Dafür, sondern ein Dazwischen, etwas drittes, worauf Konz nicht vorbereitet war. Jetzt mußte er Farbe bekennen. Koblenz schlug ihn mit seinen eigenen Waffen. Geistige Souveränität gewinnt an Gebrauchswert. Zum täglichen Frühstück sollte man stets ein paar der liebgewordenen Arbeitshypothesen verspeisen. Guten Appetit, Konz, du wirst dir daran die Zähne ausbeißen. Ich hab dich gewarnt. Dagegen hilft kein Faust und kein König Lear. Das Repertoire der geflügelten Worte reicht nicht mehr aus. Doch Moment. Wie wäre es damit? Gib etwas Bisam, guter Apotheker, meine Phantasie zu würzen... Oder mach einen Fehler, Konz. Auch das? Nein. Konz rauchte und sagte nach einer Weile schweren Schweigens: »Ich erbitte mir eine Bedenkzeit...«

Die Sitzung wurde geschlossen.

Am Abend jedoch, als ich bereits zu Haus war, rief er mich an. »Karl«, hörte ich seine Stimme, »ich hab es mir überlegt. Wenn du morgen Zeit hast, begleite mich. Wir gehen der Variante nach.«

Dritter Tag

Ich saß beim Frühstück, las die Zeitung und aß ein Ei, das heißt: Ich kämpfte mit einem Ei, gab den ungleichen Kampf auch nach fünfzig Jahren nicht auf und studierte dabei die Fußballtabelle. Unsere Mannschaft hatte wieder verloren. Obwohl zwei Nationalspieler in unserer Abwehr standen, hatten wir die meisten Tore kassiert. Woran lag das? Konz würde auch darum sich kümmern müssen. Unser Fußball und unser Theater gerieten in Abstiegsgefahr, und hier wie dort quittierten's die Leute mit leeren Plätzen. Wenn sie ein gutes Spiel sehen wollten, sagten sie, ob auf der Bühne oder im Stadion, führen sie lieber nach Leipzig und Halle.

So also begann der Sonntag. Ich aß ein Ei und las die Fußballberichte. Und zwischendurch ertappte ich mich, wie ich an Konz dachte. Den Sport eigenen Denkens läßt man besser sein, wenn man nicht täglich zum Frühstück auch ein paar seiner Arbeitshypothesen verspeist. Ich kaute den Kaffee, trank ihn nicht, kaute. Wovon sollte ich mich heute trennen? Ich hätte das Ei am liebsten in den Müll geworfen, wär in die Küche gegangen, um mir ein anderes zu kochen. Herta beobachtete mich. Sie sagte: »Übrigens, ich soll dich von Jochen grüßen.«

»Wer ist Jochen?« fragte ich.

Sie schaute mich an, als sei ich nicht ganz bei Troste. Ihre großen Augen wurden immer größer. Plötzlich begann sie schallend zu lachen. »Was denn... Du kennst deinen eigenen Sohn nicht mehr? Er will ein paar Tage Urlaub nehmen und mit Gisela, deiner Schwiegertochter, wenn ich dich daran erinnern darf, und den Kindern vorbeikommen.«

Mein Ärger nahm bedrohliche Formen an. Mich ärgerte, daß unsere Mannschaft wieder verloren hatte, mich ärgerte, daß ich den Kaffee kaute, das Ei nicht besiegen konnte, mir das Verschlingen von Arbeitshypothesen nicht gelingen wollte, mich ärgerte, daß ich immerzu an Konz dachte, daß ich mich nun schon seit vorgestern mehr um die Kinder anderer sorgte als um meine eigenen, mich ärgerte, daß Herta mich verspottete, mich ärgerte alles an diesem Morgen, und ich knurrte in mich hinein, knüllte die Zeitung zusammen, schimpfte auf unsere Abwehr, die saufen zuviel, sagte ich, ob sie verlieren oder gewinnen, die saufen, und auf die Spatzengehirne der Schauspieler von wegen: Kennen Sie Brecht? und so.

Doch Herta unterbrach mich. »Bürgermeister«, sagte sie. »Ich seh es dir an. Mir machst du nichts vor. Du hast schon seit Tagen was auf dem Herzen. Schläfst nicht, ißt ohne Appetit. Ich glaube, du solltest mal ausspannen. Du hast es dringend nötig.«

»Erstens« erwiderte ich, »spare dir dieses alberne: Bürgermeister. Und zweitens, was das Ausspannen betrifft, werden wir dazu bald mehr Gelegenheit haben, als du dir träumen läßt.«

»Wie meinst du das?«

»Was würdest du sagen, wenn sie mich ablösen? Ablösen wie den Sekretär?«

Sie schwieg. Erst nach einer Weile sagte sie: »Es kommt darauf an, warum. Sozialist zu sein, das ist kein Amt, Funktionär in diesem Staat keine Lebensversicherung. Arbeit finden wir immer. Doch bist du auch überzeugt, daß deine Ablösung richtig wäre?«

»Ich weiß nicht... Seit gestern weiß ich es nicht mehr genau.«

Dann kam Konz. Er fuhr seinen Dienstwagen selber. Und er hatte auch schon mit Koblenz telefoniert, sich angemeldet bei ihm und bat mich nun, ihm den Weg zu zeigen. »Bist du Autofahrer?« – »Nein.« – »Dann paß auf. Hundert Meter vor jeder Ecke sag mir, ob ich nach links oder rechts abbiegen muß, nicht erst, wenn ich schon auf der Kreuzung stehe. Und schicke mich nicht in Sperrstraßen und dergleichen. Weißt du, was Sperrstraßen sind?« – »Du mußt mich für doof halten, Konz. Du mußt von mir denken, ich sei aus der Zeit der Postkutschen übriggeblieben, wie?« Ich bemerkte, wie er für Sekunden den Blick von der Straße nahm und mich musterte. Vielleicht spürte er auch, daß ich das mit den Postkutschen allgemeiner, im übertragenen Sinne meinte. Seine Augen jedenfalls schienen erstaunt. Später, nach meiner Rückkehr am Abend, behauptete Herta, diese Augen seien gefährlich, sie habe ihm in die Augen gesehen und sie, ja, das treffe, gefährlich gefunden. Ein Mann, der solche Augen hat, blickt durch alles hindurch und nimmt keine Rücksicht darauf, ob ihm einer im Wege ist oder nicht. Weibergeschwätz, sagte ich da, konnte ich sagen. Wie der erste Eindruck doch täuscht. Konz stellt sich nur nicht zur Schau. Er übt Zurückhaltung, dreht jedes Wort zehnmal im Kopf um, bevor er es ausspricht, versteckt sich wohl auch ein wenig hinter seinen Augen, und der Teufel weiß, wer ihn so gemacht hat. Als wir das Haus erreichten, das Koblenz in der Vogelweide bewohnte, wurden wir schon erwartet. Die Sonne strahlte, über die Gartenzäune rankten die ersten Blüten vom Flieder, von irgendwoher erklang eine Ansage aus dem Deutschlandfunk, und Koblenz stand im leichten Rollkragenpullover, die Ärmel bis über die Ellenbogen geschoben, auf dem Steintritt. Er begrüßte uns. »Hallo«, rief er und schwenkte dazu ein paarmal lässig die linke Hand durch die Luft. Konz verschloß die Wagentür und entgegnete: »Eine schöne Nachbarschaft haben Sie sich da ausgesucht, Doktor. Ertragen Sie das? Immer den falschen Sender und nicht einmal auf Zimmerlautstärke?« Koblenz stutzte, ich glaube sogar, Röte überflog seine Stirn, und plötzlich wandte er sich um und beugte sich über die niedrige Mauer aus Klinkern. »Dreh die Heule ab, Gerd. Immer dasselbe Gedudel. Kannst es wenigstens sein lassen, wenn Besuch kommt.« Ich folgte seiner Bewegung, und erst jetzt gewahrte ich, daß in dem offenen Hof hinter dem Steintritt sein Sohn an einem Motorrad bastelte oder putzte oder sich sonst auf irgendeine Weise daran zu schaffen machte. Über den Rasen lagen alle möglichen Einzelteile verstreut, ein Ersatzreifen, Kisten und Kästen, ölige Lappen, Schraubenschlüssel und anderes Handwerkszeug. Daneben stand ein Kofferradio mit ausgestreckter, blitzender Antenne. Gerhard gehorchte und schaltete das Radio aus. Konz rief über die Mauer: »Beat ist nicht totzukriegen, was?« Der Junge blinzelte gegen die Sonne und rief zurück: »Sie sind in Ordnung.«

Ich betrachtete ihn über die Schultern der beiden Männer. Braungebrannt sein Gesicht trotz der noch frühen Jahreszeit, weiße Zähne und muskulös seine entblößten Arme, gesund. Ich hatte ihn nach der Affäre von damals nicht wiedergesehen, doch äußerlich wirkte er kaum verändert, auf den ersten Blick hinterließ er noch immer einen sauberen, ich möchte sagen: fast bescheidenen Eindruck. Wie damals vor dem Kollegium der Humboldtschule, als wir ihn relegieren mußten. Und bei diesem Vergleich fiel mir zum ersten Mal auch ein, daß er Sigrid Seidensticker kennen mußte, fiel mir ein, daß sie ja ebenfalls die Neubauerschule besuchte.

Koblenz bat uns ins Haus. Er entschuldigte seine Frau, sie suche die Gärtnereien nach Ligusterstecklingen ab, bewirtete uns mit Importkognak, die Flasche rund achtzig, er kann es sich leisten, doch Konz lehnte ab, er sei sein eigener Fahrer heute, ich aber wurde den Verdacht nicht los, daß er nur nüchtern bleiben wollte wegen der Variante. Im Arbeitszimmer hingen noch immer die alten Stiche, die Stadt gegen Mittag, die Stadt gegen Morgen, die romantische Saale und dahinter fünf Türme, die beiden uralten Kirchen und unser Blauer. Ringsum an den Wänden waren Schränke eingebaut mit einer Unmenge von Büchern darin. Koblenz wußte, weshalb Konz gekommen war, und er breitete sofort den Stadtplan über den Tisch und ging mit dem Zacken eines Rechenschiebers den eingezeichneten Straßen nach. Er nannte die Namen, Große Leipziger, Markt und Kühnritter, ich brauchte nicht einmal auf die Karte zu sehen, brauchte nur die Augen zu schließen und zuzuhören, um jede Einzelheit, jeden Winkel der Stadt genau zu erkennen. Konz hingegen unterbrach ihn oft, er forderte Beweise. Koblenz schrieb fortwährend Zahlen auf einen Stapel losen Papiers, rückte an Zunge und Läufer des Rechenschiebers, multiplizierte und dividierte und blieb keine Auskunft schuldig. »Außerdem, was den Tunnel angeht, so leuchtet doch ein, daß wir das Grundwasser um so weniger zu fürchten brauchen, je mehr wir ihn nach Osten verlegen, heraus aus dem Einströmgebiet der Saale...« Sie kehrten das Unterste zuoberst. Sie verhandelten über die Stadt, sie verschacherten sie, als sei sie ein toter Gegenstand, als lebten darin nicht zweihunderttausend Menschen. Ich wollte fragen: Wenn ihr die Stadt versenkt, tief in die Erde hinein, wenn ihr sie aufbaut oder zerstört, was auf dasselbe hinausläuft, wohin schüttet ihr dann ihren Inhalt? An den Häusern hängen Familien. Jeder Stein hat seine Geschichte.

Doch meine Gedanken liefen darüber hinweg. Ich vernahm von der Straße her Motorradgeknatter. Ob der Junge wohl weiß, was mit Sigrid geschah? Große Leipziger...Konz, du wirst mich nicht daran hindern. Wir müssen sie finden. Drei Tage sind schon vergangen.

Endlich sagte er: »Ich muß mich bei Ihnen bedanken, mit Ihren Worten muß ich es tun. Auch Sie haben mich beeindruckt, Doktor. Nur begreife ich eins noch nicht: Wieso rücken Sie erst jetzt mit Ihren Plänen heraus?«

Koblenz nahm einen tiefen Schluck aus dem Glas und prostete ihm zu: »Vorher war wohl die Zeit nicht danach. Oder es fehlte am Geld. Oder es fehlte am Material. Vielleicht aber fehlte nur einer, der in Dimensionen dachte wie Sie...«

Mich schmerzte die Antwort. Ich hatte das Empfinden, daß sie gegen mich gezielt war, und ich kann nicht umhin, zu gestehen, daß sie mich schmerzte. Bedurfte es wirklich erst eines Mannes wie Konz? Der nimmt keine Rücksicht darauf, ob ihm einer im Wege ist oder nicht. Hatte sich Koblenz also von uns, vor mir entmutigt gefühlt? Doch um Mut zu haben wie Konz, wenn man das gesamte Zentralkomitee hinter sich weiß – dazu gehört kein Mut. Natürlich nicht. Und dennoch: Die Frage so zu fragen, das wäre nicht klüger, das würde nichts anderes bedeuten als: Wollen Sie einen Fluß umleiten, wo lassen Sie dann das Wasser? Konz, mehr als du selber hat mich Koblenz von dir beeindruckt. Er, dem ich's am wenigsten zugetraut hatte...

Ich hörte noch, wie ihm mit leiser Stimme, fast nebenhin, geantwortet wurde: »Es sind nicht meine Dimensionen, sondern die der Partei.«

Auf der Straße trafen wir Gerhard. Er hatte den Schalldämpfer abgebaut und drehte nun lärmend mit seinem Motorrad Versuchsrunden. Ich rief seinen Namen. Er hörte mich nicht. Ich winkte ihm zu. Da schoß er heran, bremste scharf, so daß die Maschine bockte und unter den Rädern Staub aufwirbelte, und hielt eine Handbreit nur vor meinen Schuhspitzen.

Konz sagte: »Ihr Feuerstuhl nimmt's mit jeder lahmen Ente von Wolga auf, was?«

Gerhard band sich den Helm vom Kopf.

Ich klopfte mir den Staub von der Hose und fragte: »Sag mal, kennst du nicht Sigrid Seidensticker, das Mädchen aus der Zwölf b? Seit Donnerstag ist sie verschwunden. Hast du keine Ahnung, wo sie sein könnte?«

Er starrte mich an. Ein schwer zu deutender Blick. Argwohn oder Betroffenheit.

»Sie soll einen Freund gehabt haben. Parallelklasse...«

»Wenn Sie mich damit meinen... Ja, das stimmt. Vor drei Wochen aber war Schluß. Hab eine andere jetzt, eine, die nicht gleich ans Heiraten denkt. Faxen sind das. Oder nicht?«

Er schwieg und trommelte, ob aus Verlegenheit oder aus Gleichgültigkeit, mit den Fingern auf seinem Helm.

Ich aber erschrak. Das hatte ich nicht vermutet, nicht, daß Gerhard das Söhnchen von einem Arzt oder einem Direktor oder was sonst aus einer verwöhnten Familie war. Ich erschrak und fand so schnell keine Entgegnung.

Plötzlich sprach Konz. »Sie vernaschen die Mädchen wie andre zum Tee den Würfelzucker, was?«

Gerhard grinste.

»Und fühlen sich stark dabei, kommen sich vor wie ein Held.«

»Naja... Ich kann's mir doch nicht durch die Rippen schwitzen.«

Konz, bis dahin mit einer betont überlegten Ruhe, wurde wütend. Zum ersten Mal sah ich ihn wütend. Die Adern auf seiner Stirn schwollen an, seine Ohren röteten sich, und seine Augen schienen jetzt heller. Sie blitzten hellgrau wie das geschliffene Glas seiner Brille. »Sie sind zu bedauern. Sie sind zwar maßlos zynisch, aber Sie sind zu bedauern. Sie sind so primitiv und dumm wie...« Auch er suchte nach Worten. »... wie das Gedudel vom Deutschlandfunk.« Dann spie er aus und schob mich in den Wagen.

Während der Fahrt saßen wir schweigend nebeneinander. Konz hatte noch immer den harten Ausdruck im Gesicht. Er versteckte sich hinter seiner Brille, und mir fiel es immer schwerer, einen Gedanken zu Ende zu denken. Fast vergaß ich, weshalb wir unterwegs waren. Der Variante nachzugehen. Ich dachte an Sigrid, an Paul, ihren Vater, an Koblenz und seinen Sohn, ich dachte an Konz, an alle zusammen. Sobald ich mich um den einen bemühte, schlich sich der andre schon in meine Sinne. Er ist älter als ein alter Mann. Der Chefarchitekt, der mit revolutionären Methoden eine Stadt verändern wollte, der uns soeben noch Konstruktionen und Pläne, ich möchte fast sagen: von kybernetischer Eleganz vorgelegt hatte, fand nicht die einfache Formel, seinen Sohn zu erziehen. Ich bin sicher, er kannte nicht einmal einen Hauch von dem, was wir inzwischen erfahren hatten. Für ihn blieb er ewig Einstein. Konz jedoch hatte vor ihm ausgespuckt. Der ist vierzig, vielleicht auch erst fünfunddreißig, und das genügt ihm... So hatte ich ihn vor kurzem noch, vorgestern, eingeschätzt. Es muß ein Irrtum gewesen sein. Gleich, ob er auf meine Ablösung sann oder nicht, mir war, als sei ich ihm hier, im Hause von Koblenz und auf der Straße vor diesem Hause, zum ersten Mal begegnet. Konz, wir haben dieselben Ansichten. Wir haben dieselben Gefühle. Er fragte mich: »Weißt du Genaueres? Kriegt sie ein Kind?« Ich seufzte. »Hoffentlich nicht.«

Auf dem Marktplatz stiegen wir aus. Konz stellte sich vor den Blauen Turm, betrachtete ihn von oben bis unten, sah auf den Roland, prüfte besonders dessen steinernes Schwert und ging dann um das alte Gemäuer herum. Auf den Zinnen und in den ausgebrannten Fensterhöhlen hockten schon wieder die Tauben. Der Vorsommer hatte sie hergetrieben. Sie gurrten und schlugen mit den Flügeln. Manche schwangen sich auf, stiegen auf die Kirchturmspitzen und segelten von dort wieder zurück. Konz beobachtete auch sie. Dann klappte er plötzlich den Kragen seiner Jacke hoch und sagte: »An welcher Ecke des Turmes du auch stehst, überall weht der Wind von woanders her. Hast du bemerkt, daß wir Wind haben heute?« Ich schaute in den Himmel. Der war wolkenlos blau. Die Luft stand still. »Ein erstaunlicher Turm. Frühgotisch, wenn ich nicht irre. Wir sollten ihn restaurieren... Doch komm jetzt. Gehen wir durch die Straßen. Große Leipziger, Kühnritter und dann zu den Eisenbahnlinien. Vorher aber führe mich mal zu deinem Straßenbahnfahrer...«

Mich wunderte nichts mehr an diesem Vormittag. Konz, das hatte ich längst erfahren, konnte von einer Minute zur anderen mit neuen Ideen überraschen.

Als wir das mächtige Flurgewölbe betraten, schlugen uns Kälte und Dunkelheit entgegen. Wir mußten das Licht anschalten, obwohl draußen heller Sonnenschein war. Kein Fenster, nicht einmal eine Belüftung. Die Stufen der steilen Treppe knarrten. Es roch nach Moder. Konz sagte, und seine Stimme verlief sich in den Winkeln des Ganges und klang daher fremd: »Und gäb es noch hundert andere Varianten... Dieses Haus hier wird abgerissen.« Im dritten Stock, an einer zerbröckelten Wand, entdeckten wir das Namenschild. Ich drückte auf den Klingelknopf. Wir hörten Schritte, die Tür wurde geöffnet.

Vor uns stand Paul, und ich spürte sofort, daß ihn irgend etwas bedrückte. Die Tochter, natürlich, die Tochter. Leise, viel zu leise für seine offenherzige Art sagte er: »Ach, du bist es, Bürgermeister, ach, du . . .«

Konz stellte sich vor. Wir seien gekommen, erklärte er, uns einen Rat zu holen. Und während Paul daraufhin sichtlich in Erstaunen geriet, sich verlegen die Nase wischte, nahm ich seine Worte nur für eine der üblichen Floskeln. Man sagt's, weil einem nichts Besseres einfällt. Bei Konz jedoch, das hätte ich wissen müssen, muß man auf jedes Wort achten. Er dreht es zehnmal im Kopf herum, bevor er es mündig macht.

Ich betrat die Wohnung zum ersten Mal. Ich empfand daher Neugier. An seiner Häuslichkeit erkennt man den Menschen. Und obwohl ich fest entschlossen war, mich gründlich hier umzusehen, fand ich dazu kaum Muße. Im dunklen Korridor ein Spiegel und eine Kommode aus Urgroßvaters Zeiten. Im Wohnzimmer ein Büfett mit bestickten Deckchen, Glas hinter Glas, eine Couch oder wohl mehr ein Sofa unter einem Berg von Kissen und ein Fenster, durch das man auf die gräßliche Ziegelwand eines Hinterhofs blickte. Bisher hatte ich noch immer nicht gewagt, mich nach Pauls Tochter zu erkundigen. Ihr Name lag mir wie ein Stein auf der Zunge. Er wollte sich nicht bewegen. Doch noch ehe ich die Tür hinter mir geschlossen hatte, sah ich am Tisch die beiden Frauen. Die Mutter. Daneben mit verstörten Augen, wie mir schien, saß Sigrid.

Auch Konz mochte ahnen, daß sie das Mädchen war, dessentwegen ich mir soviel Sorgen gemacht hatte. Er schaute mich fragend an. Ich verstand ihn und gab ihm unauffällig ein Zeichen. Ich nickte nur mit den Lidern. Also, da war sie wieder zu Hause. Saß am Tisch und hielt sich an ihrer Mutter fest. Hatte einen roten Mund, ein paar Tränen unter den Wimpern, doch sonst, nein, sonst war nichts weiter geschehen . . . Sonderbar, sobald man einen Menschen wiedersieht, von dem man das Schlimmste befürchtet hatte, glaubt man, es müsse alles in Ordnung sein. Er lebt noch. Die Angst war umsonst. Man kommt sich lächerlich vor, weil man einmal sogar an den Mörder vom Saalefelsen gedacht hat. Alle Fragen von vorher klingen, als seien sie nie gefragt worden. Ich spürte meine Zunge wieder. Und ich wagte sogar einen Scherz, als ich Sigrid die Hand reichte, sprach davon, daß ich mich ihrer noch gut erinnere, sie habe damals in der Schaffneruniform ausgesehen wie das tapfere Schneiderlein im Märchen. Sie lächelte. Und dennoch wußte ich, daß nichts in Ordnung war, nichts. Zumindest lebte da noch immer ein unflätiger Bursche auf ihre Kosten.

Konz jedoch hatte auf dem Flur nicht nur eine Höflichkeitsfloskel gebraucht. Wir sind gekommen, um Ihren Rat einzuholen. Paul wollte die Frau und die Tochter aus dem Zimmer schicken, doch Konz verwehrte es ihm. »Was wir mit unserer Stadt vorhaben, das ist kein Geheimnis, im Gegenteil, das ist die Sache der Leute, die darin wohnen...« Er entwarf ein Bild von der Stadt nach ihrer Rekonstruktion, schilderte seine Pläne, schilderte auch die von Koblenz, wobei nur ich bemerkte, daß er den Namen des Chefarchitekten sorgsam verschwieg, und verwickelte Paul Seidensticker in ein erregtes Gespräch. Die Große Leipziger, ganz gleich, ob nach dieser Variante oder nach jener, wird abgerissen. »Das bißchen, was an Historischem da noch steht, in Richtung Markt, das bleibt, alles andere nicht...« Wieder wie schon in all den Tagen vorher, beobachtete ich Konz. Ich sah auch zu Sigrid hinüber. Sie hörte zu. Entgegen meiner Befürchtung schien unser Besuch sie gar nicht zu stören. Konz schlug wieder Brücken zum Mond. Sprach er von einem Tunnel, so meinte er Raumfahrt, und er zwang auch die Frauen zum Nachdenken. Sigrid stützte den Kopf in die Hände, und einmal begann sie sogar zu schwärmen: »Nicht mehr den Blick auf die Mauer da draußen, nicht mehr leben wie eingemauert, das muß schön sein...« Die Mutter aber sagte: »Jetzt bezahlen wir dreißig Mark, Herr Konz, für eineinhalb Zimmer und Küche und eine Mansarde unter dem Dach.« Er rechnete. Auch er schrieb nun Zahlen auf einen Zettel, verglich die Mieten. Im Neubau das Doppelte rund, na gut, dafür aber ein Zimmer mehr, Bad und Balkon, die Heizung im Preis, in der Nähe ein Kindergarten, bleibt ein kläglicher Rest, für den es sich lohnt, diese...Er scheute sich, das Wort auszusprechen, überlegte, sprach es dann doch aus: diese Höhle hier zu verlassen.

Von Pauls Forderung, mehr Kindergärten zu bauen, an mich seit zwei Jahren, hatte ich Konz niemals erzählt. Jetzt traf er damit ins Schwarze. Paul nickte. »Endlich«, sagte er, »endlich... Sehen Sie jetzt. Wir mußten die Kleinen auf die Straße schicken, um uns mit unseren Großen...Drei Tage war sie verschwunden. Wir ließen sie suchen.« Er verstummte. Sigrid hatte ganz leise geflüstert: »Vater...«

»Ich weiß«, sagte ich. »Ich wußte davon. Und ich vermute, es war nicht ihre Schuld.«

Paul sah mich aus weiten, von Überraschung geweiteten Augen an und drückte mir schließlich dankbar die Hand. Die

Mutter begann zu schluchzen. Sigrid senkte den Kopf und biß in ein Taschentuch, das sie um ihre Finger geschlungen hatte. So fand jeder auf seine Art eine Abwehr auf das, was unausgesprochen blieb. Nur Konz ... Ich beobachtete Konz. Von Konz ging zum ersten Mal eine große Hilflosigkeit aus.

Paul Seidensticker brachte das Gespräch wieder auf die Pläne. Danach begleitete er uns bis hinaus auf die Straße. Nichts, nein, nichts war geschehen. Nur die Akzeleration, wie Koblenz sich ausdrücken würde, nur die Akzeleration hatte gewirkt, die Biologie unserer Kinder. Sein Sohn war der erste Junge gewesen, oder soll ich sagen: der erste Mann, mit dem Sigrid sich eingelassen hatte. Aus Neigung, aus Liebe, jedenfalls ihm zuliebe. Für ihn aber war sie nur eine unter anderen, Stück Würfelzucker zum Tee. In jener Chemiestunde, als sie den Brief entdeckte, geschrieben an ihre Nachfolgerin, erhielt sie darüber Gewißheit, fühlte sich beschmutzt und beschämt. Vielleicht aus Reue, vielleicht aus Enttäuschung, wer wird es jemals erfahren, verließ sie den Unterricht, setzte sich in einen Zug und fuhr ohne Ziel davon. Nachts schlief sie in Scheunen. Vielleicht waren ihr auch Gedanken an Schlimmeres gekommen. Eine Polizeistreife fand sie und schickte sie zurück. Das war alles. Paul ballte die Fäuste. Und Konz, hörte ich deutlich, Konz räusperte sich und schluckte.

Wir liefen durch die Straßen. Die Fassaden, obwohl erst vor kurzem in Farbe getaucht, waren schon wieder grau. In den Schaufenstern blinkte die Sonne. Wir trafen nur wenige Spaziergänger. Übers Wochenende flüchten die Leute hier immer ins Grüne. Der blaue Streifen Himmel über den Häuserfluchten war auch sonntags nicht frei von Rauch. Irgendwo qualmten unsere Schlote. Es roch nach Schwefel. Kam der Wind nun doch vom Süden, dorther, wo die Chemiewerke stehn? Irgendwann wollten wir auch die Luft reinigen, das Wasser in den Flüssen, die Stadt. In Gedanken sah ich uns schon in Hochhäusern wohnen, zwischen blühenden Wäldern, unter einem weiten und staubfreien Horizont. Was war das? Wir liefen durch enge Straßen. Und wir entfernten uns immer mehr vom Markt, dort, wo unser Wagen stand, und stießen schließlich auf die Eisenbahnlinie. Konz schaute mehrmals auf den Stadtplan, sagte die Straßennamen laut vor sich her, so, als wollte er sie wie Vokabeln auswendig lernen. Er hatte einen weitausholenden Schritt, ich mußte mich anstrengen, ihm zu folgen. Manchmal blieb er stehen, betrachtete sich die Gebäude, verlangte eine Erklärung von mir und trug dann mit einem Bleistift Zeichen auf der Karte ein, Kreuze, Kreise und Zahlen.

Mittag begann, und als wir endlich die Schneise der Schienenstränge hinter uns hatten, freies Feld vor uns sahen, sagte er: »In der Tat, Koblenz' Variante ist gut. Neben der Bahn sind die Straßen nur auf einer Seite bebaut. Wir würden Kosten sparen. Wir brauchten weniger abzureißen. Und auch die Zeit wär unser Gehilfe... Koblenz, Koblenz...« Es schien, als horchte er diesem Namen nach. Dann wandte er sich an mich: »Weißt du, Karl, worum ich dich beneide?«

Nein. Ich schüttelte den Kopf. Er beneidete mich. Warum?

»Daß du die zehn oder zwanzig Jahre schon hinter dir hast, die vielleicht genügen, um die Menschen in dieser Stadt kennenzulernen, ihre Sorgen und ihre Probleme.«

Ich schaute ihn an. Mir war, als sei soeben das letzte Rätsel, das Konz hieß, gelöst worden.

»Werner«, sagte ich ganz unvermittelt, sagte: »Werner... Was ich noch wissen möchte von dir, nie sprichst du darüber. Hast du keine Frau, keine Familie?«

»Vor einem Jahr«, sagte er. »Da ist sie gestorben. Während der Entbindung. Und seitdem... Ich kann meine Frau nicht vergessen. Verstehst du das?«

Siegfried Pitschmann
Spiele

Wenn dergleichen schon in ihm gespeichert gewesen wäre, hätte er, über sein Befinden befragt, die eindeutige Formulierung ausgegeben: *Es ist eine Lust zu leben.* So aber überlagerte noch das Rauschen die Information, machte sein Signal nur Eingeweihten kenntlich, indem es als leises Wiehern, als Hupen und Lokomotivenpfiff den Nachrichtenkanal verließ. Dazu drehte er den Hebel an seiner linken Seite, um sich aus dem übermütig tänzelnden Gaul in ein Auto und danach in eine schwer dahinstampfende Lokomotive zu verwandeln.

Aber bald waren die ewigen Schienen mit ihren vorgeschriebenen Weichenstellungen seiner Seele zuwider, der dampfenden Seele einer Lokomotive, und er beschloß, nun doch und endgültig als freies Auto durch die Welt zu fahren, die nach allen

Seiten offen war, besonders dort, wo sie sich als Welle fortsetzte. Da hing auch, sehr hoch, der schönste aller Wasserstoff-Helium-Reaktoren, der mit seinen Strahlen, von Wärmeabgabe abgesehen, den Lauf der Wellen in die sanfte Farbe Güsülüth tauchte. Diese Bezeichnung, in keiner Farbenlehre enthalten, hauste seit Tagen in seinem Spektrum, und jedesmal, wenn er sie aussprach, rieselte auf dem Weg der Rückkopplung Lustempfinden durch sein zierliches Gebein. Er hätte sich gern in jenes Güsülüthfarbene hineingestürzt, wie es die älteren Spielarten jauchzend zu Hunderten vormachten, jedoch überwog hier neben der Verbotsschranke Angst; die Erinnerung an seinen einstigen Amphibiencharakter war ihm noch nicht wiedergekommen.

Also ließ er noch einmal kräftig seine Hupe ertönen, fühlte erregt, wie der Beschleuniger durchgetreten wurde, und sauste landeinwärts. Es herrschte lebhafter Verkehr, der ihn nicht schreckte; er war schon ein guter Lenker und gleichzeitig Gelenkter. Sein Motor funktionierte zuverlässig, erschütterungsfrei und fast lautlos, nicht in dem ordinären Geknatter des Zweitakts, und wieder hupte er, warf fröhlich seine Pneus in die Luft, ja, *es war eine Lust zu leben*, umkurvte sicher die übrigen Teilnehmer auf dem weißen Band der Promenade oder fuhr auch unter einem rasch gegrätschten Laufwerk hindurch, und alle seine Regelkreise arbeiteten normal: in dieser befriedeten Welt war keine Störung zu erwarten.

Einmal hielt er an einer Raststätte, goß Benzin in seinen Tank oder ein Kohlensäuregemisch, das mit Vitamin C und Cola angereichert war und das ihm der Manipulator vom Kioskfenster hinunterreichte, und er horchte beiläufig auf die Stimmen hinter dem Dünengebirge und auf den Brandungsschlag, auf das Zwitschern der Vögel, das langgezogene Gurren der Tauben, die es ihm besonders angetan hatten mit ihren Dreieckschwingen aus hitzebeständiger Sonderlegierung und die so schnell das Blaue über ihm durchpfeilten, daß sie ihrem eigenen Schall entwischten, und dabei war absolut nichts mehr von der Furcht vergangener Generationen in ihm.

Der Aggressor kam unverhofft, ohne daß Vorwarnung gegeben wurde, kam aus dem Dickicht rechter Hand, zunächst in der Verkleidung eines biederen Schaufelradbaggers, gerade als er sich über sein stufenloses Getriebe in Gang setzen, erfrischt und heiter anfahren wollte.

Die Absichten des Feindes waren nicht gleich erkennbar; beide standen sich einen Augenblick mit gedrosselten Motoren gegenüber, und er meinte, der halb erhobene Ausleger des anderen bedeute Gruß und Anfrage. Aller Gefahren entwöhnt, gab er durch freundliches Hupen Antwort, so war es ja üblich bei derartigen Begegnungen; seine Optik war auch nicht dazu eingerichtet, heimtückische Raub- und Zerstörungsgelüste rechtzeitig zu entlarven.

Zerplatzte dort oben der schöne Wasserstoff-Helium-Reaktor? War er in den Gasstrahl einer Taube geraten, die aus Versehen zu tief flog? Erst als das Dröhnen nachließ, das Entsetzen, als der Schock, der Schmerz sich auflösten in einer Wolke aus Ocker und Violett, begriff er, daß der Feind den ersten Schlag geführt hatte. Mehr war hier nicht zu begreifen, vorläufig, Entscheidung stand noch aus; die Refraktärperioden von Impuls zu Impuls waren gefährlich unter die Norm verlangsamt, die Regelstrecken kaum eingefahren, ein Versäumnis, das an Sabotage grenzte, und schon kam der zweite Schlag, der dritte.

Immerhin stand er noch auf seinem Platz, bald ein Wrack, wenn nichts geschah, aber was sollte denn geschehen von außen? Da war plötzlich niemand mehr, nicht einmal ein Vogel, nur er und der Feind, und er hielt immer noch still und dachte angestrengt nach und fühlte, daß oben an ihm etwas zu rinnen begann: Schläge hatte er bisher nicht gekannt; die leichten Klapse des Hebefräuleins damals, als Starthilfe für seine Herz-Lungen-Maschine, waren verdrängt, zählten nicht.

Da erinnerte er sich seiner Auto-Existenz. Leider war der Scheibenwischer demoliert, so daß er schlechte Sicht hatte, er mußte auf Radar schalten, und dies war der erste aktive Impuls seit dem Überfall. Er spürte, wie die gierigen Klauen des Aggressors an ihm herumzerrten, sich seines Steuers zu bemächtigen suchten; endlich erkannte er, daß es um nichts anderes als Besitz ging. Das zuständige Regelwerk kam auf Touren; hatte er sich mit Hilfe des Hebels an seiner Seite in Lokomotive, Pferd und Auto verwandeln können, mußten auch andere Varianten möglich sein. Seine Luken schlossen sich schon hermetisch, der Motor brüllte kampfbereit auf, der Zielsucher oszillierte, er walzte auf überbreiten Gleisketten los.

Selbstverständlich konnte er von jetzt ab darauf verzichten, um Hilfe zu schreien, etwa: »Mama, der Junge haut mit der Schippe, der Junge will meinen Roller wegnehmen...«

UM DIESE ZEIT HATTEN WIR UNS VERBRÜDERT, *und er ruderte neben mir die Jerusolemska hinunter, die von Reklamelichtern taghell und jetzt fast leer war, und sagte zum hundertstenmal: »Ich bin der letzte Monarchist dieses Landes.«*

Ich hätte es ihm gerne unterschrieben; ich glaube, Frauen bekamen sofort Mutterkomplexe, wenn er diese Tour hatte. Sein Gesicht unter dem roten Bart war dauernd in Bewegung, irgend etwas zwischen Lamm und Bombenleger, sein preisgekröntes Theater-Film-TV-Doppelrollengesicht, und zwischendurch fiel er in lange Monologe, wunderbar mit den Zischlauten, als streichelte man eine Katze. Er war unterwegs, seinen König zu suchen, Rex Polonia, falls er sich nicht selber salben würde, und Logenschließerin und Toilettenfrau sollten erste Damen am Hofe sein.

»Total verlorenes Land«, sagte er. »Und du bist wirklich sicher, daß du auch ein Monarchist bist?« Wir waren Ecke Nowy Swiat, und er zog seine halbvolle Flasche Black and White aus der Tasche und sagte: »Ich habe das ZK abgesetzt. Der König wird sehr einsam sein. Armer, alter König.« Er weinte plötzlich, und ich mußte ihn stützen. Ich hatte von Schauspielern gehört, die Fahnen klauten und auf Ziegelsteinen schliefen, oder die barfuß Auto fuhren oder sich auf Gesellschaften nackt auszogen und in Goldrahmen zeigten. Wenn man mal von denen absehen will, die bloß Schauspieler waren, einfach normal. Jedenfalls hatte ich es satt, ich sagte: »Am besten, du verkaufst diesen Trick bei deinem nächsten Londoner Gastspiel, am besten für einen Jaguar.«

Er lächelte mich an, dann sagte er: »Also doch kein Monarchist. Nur ein blondes, germanisches Arschloch. Mag aber nur Engländer, manchmal auch Polen, oder Juden, oder Bankiers. Und Könige. Keine Löcher.« Er drehte sich um, stellte sich am Straßenrand auf, und jedesmal, wenn ein Bus vorbeikam, Spätlinie, winkte er mit einer Pfundnote. Er stand schwankend da, furchtbar lang, eigentlich ein Bild des Jammers, und die Busse, die alle nicht für die Monarchie waren, sausten an ihm vorüber.

JURIJ BRĚZAN
Die Weihnachtsgeschichte

Die Kulturredaktion war in Not. Nicht, daß eine Kampagne sie unversehens überfallen hätte – etwa »Spart mit Plakaten, druckt Bücher!« oder »Macht unseren Himmel leiser, Flieger!« oder ein Jahrestag oder einfach ein *Tag*, des Eisenbahners, Straßenbahners, Autobahners, hätte vor der Tür gestanden –, mit solchen Sachen hätte sich die Zeitung Rat gewußt, es gab genügend einschlägige Gedichte für alle Kampagnen, Jahrestage und *Tage* passend, wenn man die Seite nur richtig zurechtbaute, und seitdem es vorkommt, daß gelernte Germanisten auch auf Redaktionssesseln mittlerer Tageszeitungen – durch welche außergewöhnlichen Umstände auch immer – vorzufinden sind, wird immer öfter und immer mutiger das nationale Kulturerbe in die Bresche geworfen oder in die Pfanne gehauen, wie man will, aber es nützt, die Erfolge beweisen es.

Also nicht deswegen war Holland in Not, sondern wegen Weihnachten. Weihnachten ist ein umständliches Fest, es sollte gestrichen werden, wie ein Dichter schon vor zwanzig Jahren verlangt hat, ich kann mir die Finger wund schreiben mit Friedensliedern, sie singen doch immer wieder et pax in terra hominibus, aber auch die Wirtschaftsleute wissen ein Lied zu singen über die Schwierigkeiten, die Weihnachten bereitet, und sogar Ärzte treten öffentlich auf und warnen vor diesem Fest.

Das alles mag noch hingehen, es ist bei guter Organisation – und die haben wir ja hierzulande – zu überstehen, und dann kommt einem auch die Tradition zu Hilfe.

Dagegen die Kulturredaktion einer Zeitung. Einerseits sind zu Weihnachten gewisse Zugeständnisse an die kleinbürgerliche Erbmasse aus Jahrhunderten – für die wir nicht verantwortlich zu machen sind – durchaus gestattet und nicht nur gelitten. Andrerseits aber, Zugeständnisse sind Zugeständnisse, sie dürfen nicht überhand nehmen, das erstens, und zweitens sollen Zugeständnisse sich selbst auffressen, allmählich, in Jahren meinetwegen, aber sie sollen es.

Also, sagte der verantwortliche Redakteur für Kultur, wir haben zwei Seiten, ich denke, die eine machen wir unterhaltend, im höheren Sinne natürlich, die andere belehrend, ein großes Kreuzworträtsel, dazu je eine Spalte Praktische Winke bei Stubenbränden und Rechtliche und moralische Aspekte beim Umtausch von Weihnachtsgeschenken. Und Verdauungsstörungen, sagte die Redaktionssekretärin, sie war seit einundzwanzig Jahren im Amt und vertraut mit den Erfordernissen, sie wog einhundertundzwei Pfund und stammte aus Alt-Ugelow, aber das ist schon lange her.

Für die zweite Seite war ein Gedicht vorhanden, von einem Schiffsbauer, es hätte auch von einem freischaffenden Dichter sein können, wäre es nicht rundherum verständlich gewesen; nach seiner Vorlesung und einstimmigen Annahme breitete sich

Stille aus, aber Gott sei Dank gab es auch hier eine gelernte Germanistin, zwar eine Pfarrerstochter, und ihre Diplomarbeit hatte sie über E. T. A. Hoffmann geschrieben, aber im allgemeinen doch zuverlässig und entwicklungsfähig, sie sagte Die Weihnachtsgans Auguste. Ich glaube, die hatten wir schon einmal, sagte der Chef, aber genau konnte er sich nicht erinnern, weder an die Gans selbst, noch wann sie sie hatten. Vor neunzehn, vor zwölf und zuletzt vor fünf Jahren, präzisierte die Redaktionssekretärin, also noch zu jung für unsere Pfanne, sagte jemand und lachte, aber zum Lachen war das nicht. Gegen Mitternacht erklärte der Abteilungsleiter, entweder muß der Gordische Knoten oder das Ei des Kolumbus her, und er hatte es auch gleich bei der Hand, wir müssen einen Schriftsteller finden, der noch kein Grundstück am Wasser hat, er schreibt uns eine Weihnachtsgeschichte, und wir verschaffen ihm einen Ferienplatz an der Ostsee.

Sie fanden einen und schrieben ihm einen Brief, die prekäre Situation der Kulturredaktion angesichts eines bedrohlich näherrückenden Weihnachtsfestes schildernd, den Ferienplatz an der See ließen sie zunächst noch nicht hindurchschimmern, denn man soll nicht alles Pulver auf einmal verschießen.

Sie erhielten keine Antwort, die Germanistin kam wieder mit der Gans Auguste und E. T. A. Hoffmann, der noch hätte Geschichten erfinden können, und dann brachte die Post einen Brief, der mit zwanzig Pfennig frankiert war und Strafporto kostete, so viel wog keine bloße Absage.

Sie lasen die Geschichte vom FEST DER LIEBE.

Weihnachten und Frühling sind unterschiedlich in vielerlei Beziehung: Zu Weihnachten gibt's Pfefferkuchen, im Frühling Ostereier; zu Weihnachten droht Erkältung, im Frühling Erhitzung; im Frühling schicken die Dichter haufenweise Gedichte an die Redaktionen, und zu Weihnachten schicken die Redakteure haufenweise Briefe an die Schreiber und wollen Weihnachtsgeschichten.

Von den wenigen echten Konflikten in unserer geordneten Gesellschaft ist dieser Widerspruch zwischen Frühlingsangebot und Weihnachtsbedarf einer von denen, die nur eine Konferenz von Literaturwissenschaftlern lösen könnte.

Jedenfalls ist es keine Lösung, von mir eine Weihnachtsgeschichte zu erwarten, nur, weil ich keine Frühlingsgedichte schreibe, – das ist gedacht wie eine Straßenbahn: linear. –

Eine Weihnachtsgeschichte also.

Mir fällt keine ein. Ich hocke da und bekritzele meinen Block mit Weihnachtsbäumchen, solchen mit Lichtern und solchen mit Schnee. Drei Seiten Bäumchen – und nicht ein Lamettafädchen Geschichte. Ich werfe die unfruchtbaren Bäumchen in den Papierkorb.

Ich male einen neuen auf eine neue Seite. Das Bäumchen ist hübsch, seine Nadeln recht natürlich. Ein Bäumchen allein – ich kritzele ein Strichmännchen dazu. Das könnte ich sein. Noch ein Strichmännchen, einen Rauschebart unters Kinn, erst denke ich an den Knecht Ruprecht, aber dann verunglückt ein Strich, und der Ruprecht hat eine Flinte, nun ist er ein Förster, vielleicht. Ich strichle ihm ein bißchen Wut ins Gesicht und mir, dem anderen Strichmännchen, zwei Lachlinien: Der Konflikt ist da, jetzt braucht's bloß noch die Geschichte dazu oder daraus.

Ein drittes Strichwesen, es bekommt einen Rock, einen runden Pullover und Haare, die etwas ins Beatlehafte mißlingen. Aber das macht nichts, ich kneife die Augen halb zu, und das berockte Strichwesen ist ein Mädchen, schwarzhaarig, bißchen dünn vielleicht, aber überall, wo es nötig und angenehm ist, gut gerundet; ein sanftes Gesicht – aber es sieht nur so aus, die schwarzen Zottelhaare sind extra in die Stirn gekämmt, damit man den dicken Eigensinn nicht sieht. Sagt ihr Vater, der Strich-Oberförster. Der Mund übrigens von dem Mädchen ist mir nicht richtig gelungen: Man könnte meinen ein Spottschnabel oder auch ein Kußschnabel. Ich denke, beides.

Ich weiß es nämlich. Überhaupt weiß ich ziemlich viel von ihr, wahrscheinlich mehr, als ihr Flinten-Vater, der von mir nur zur Kenntnis nimmt, daß aus mir nie ein Förster wird, sondern höchstens ein Wilddieb. Jedenfalls hat er mich so genannt, als er uns einmal auf der Wiese erwischte, und wir, die Anne und ich, glaubten, er lauere auf Sauen, fünf Kilometer weiter am Schwarzen Lugteich.

Seit dem Tag – es war zwar Nacht, aber das spielt hier keine Rolle – läßt er seinen Sauhund Wotan stets daheim, wenn er ins Revier geht. Der Sauhund Wotan folgt Anne auf Schritt und Tritt und hat sich, statt auf Keiler, auf mich spezialisiert. Wir waren schon ganz verhungert, die Anne und ich, bis – und jetzt tritt das gestrichelte Weihnachtsbäumchen in Aktion.

Es war so Sitte bei uns – mehr Sport als ökonomisches Bedürfnis –, daß man sich seinen Weihnachtsbaum nicht mit einem Taler in der Tasche auf dem Försterhof holte, sondern mit dem Fuchsschwanz unter der Joppe im Försterwald.

Wenigstens zu Weihnachten wollten wir uns sehen, die Anne und ich, und den kleinen billigen Silberring mit der Koralle wollte ich ihr selbst an den Finger stecken, und auch den Weihnachtskuß – mindestens den – wollten wir haben.

Ich war damals Gelegenheitsarbeiter, nicht freiwillig, sondern auf Grund höherer Gewalt, sozusagen. Jedenfalls, ich hatte vor Weihnachten viel Zeit und strich dauernd um das Försterhaus herum, höchst auffällig, grüßte den Oberförster zehnmal am Tag, ärgerte den Sauhund, der mir nichts tun durfte, und winkte und gestikulierte zum Haus hin, ganz gleich, ob Anne sich am Fenster zeigte oder nicht.

Der Sauhund gab es auf, sich über mich zu ärgern, er gewöhnte sich an mich, und eines Tages blaffte er mich sogar grüßend an und wedelte mir freundschaftlich zu.

Der Oberförster, charakterfester als sein Hund, mußte Brom nehmen, um meinen Anblick weiter ertragen zu können.

Kurz vor dem Fest schloß ich öffentlich in der Gaststube mit meinem Freund Paul eine Wette ab, daß ich mir unter den Augen des Oberförsters einen Weihnachtsbaum aus seinem Wald holen würde. Natürlich erfuhr der Förster von der Wette und beschloß, mir endgültig einen Riegel vor seine Anne zu schieben, indem er mich vors Gericht bringt.

Mein Freund Paul und ich, wenn wir unsere gleichen Joppen anzogen, die Hosen in die kurzen Stiefel stopften, den gleichen Hut uns tief ins Gesicht drückten – nicht einmal unsere Mütter hätten auf hundert Meter Entfernung mit Sicherheit sagen können, welcher Paul war und welcher ich.

Am diesigen Nachmittag des Heiligen Abend – Schnee lag nicht, aber es sah ganz danach aus, als wollte der Weihnachststoff jeden Augenblick anfangen herabzurieseln – stellte sich Paul hinter die Scheunenecke der Försterei.

Ich ging auf den Hof. Ein Dutzend Bäumchen stand noch da. Einen schönen Christbaum möchte ich, sagte ich zum Oberförster. Ohne ein Wort zeigte er mir seine Sammlung. Ich bemängelte und bemäkelte jeden, solche Krüppel täten wir uns nicht in die Stube stellen, sagte ich, wenn wir auch einfache Leute wären, zu Weihnachten leisteten wir uns einen Baum, schön und gleichmäßig, wie sie der Förster in die Kirche liefere.

Bei der Mäkelei fiel mir doch der Fuchsschwanz unter der Joppe heraus, ich will ihn zum Schärfen bringen, sagte ich zum

Förster und bemühte mich, ein wenig zu stottern. Darauf tätschelte ich den Sauhund, wünschte dem Förster eine fröhliche Weihnacht und schnürte aus dem Hof. Hinter der Scheunenecke nahm ich Pauls Platz ein, und Paul marschierte eilig, manchmal sich scheu umblickend, in Richtung Tannenwald. Drei Minuten später marschierte der Förster los, Kanone auf dem Rücken, Hund an der Seite. Noch von hinten sah ich dem Grünrock an, wie er seiner Rache entgegenstapfte, Auge um Auge, und Zahn um Zahn. Und die Hand schon am Riegel, sozusagen, gegen Anne oder gegen mich, wie man will.

Der Paul hat eine halbe Flasche Korn in der Tasche, den Fuchsschwanz in der Joppe, er hat feste Stiefel an, er wird sich viele Bäumchen ansehen, mit dem Fuchsschwanz in der Hand, keines wird ihm gut genug sein – der Förster und sein Hund haben einen ausgedehnten Pirschgang vor sich. Am Ende wird Paul über eine Schneise wechseln, wird ein Zwergfichtchen absägen, das dem Bauer Wukasch gehört, und wofür der schon einen halben Taler in der Tasche hat, und dann – das weiß man nicht, wir hoffen, die Anne und ich, daß den Förster nicht eben der Schlag trifft, wenn er den Paul erkennt.

Anne findet den Ring sehr schön, ich finde ihren Mund schöner, und ihre schwarzen Zottelhaare sind ganz weich, und das Heu in der Försterscheune ist auch ganz weich, Anne ist auch ganz weihnachtlich gestimmt, in dulci jubilo, nun singet und seid froh, und was da singt, ist das Heu, oder ich weiß nicht, und dann blafft der Hund, die Anne fährt hofwärts aus der Scheune, ich springe durch die Luke nach außen, schlendere in den Hof und sage ganz freundlich zum Förster, ich würde doch einen von seinen Restkrüppeln nehmen. Der Förster reißt seine Flinte von der Schulter, durchbohrt mich mit einem wütenden Blick, krächzt zur Anne, gib ihm einen und donnert die Haustür hinter sich zu.

Anne gibt mir einen Kuß und als Zugabe das am wenigsten krüpplige Bäumchen, und da fängt es an zu schneien, und es ist Weihnachten.

Man schwieg betreten.

Dann sagte die Sekretärin, bei uns in Alt-Ugelow war's auch so. In *Alt*-Ugelow, sagte der Chef. Aber gelacht habt ihr doch, behauptete sie; wenn man einundzwanzig Jahre im Amt ist, wird man leicht starrköpfig. Ich habe selten so unter meinem

Niveau gelacht, bemerkte die Germanistin, was später als ein Pluspunkt in ihre Kaderakte eingetragen wurde.

Schreiben Sie an den Autor, sagte der Chef, behutsam, mit Fingerspitzengefühl.

Die Germanistin schrieb, behutsam und mit Fingerspitzengefühl:

»Lieber Meister!

Wir danken Ihnen herzlich für Ihre Weihnachtsgeschichte. Da sie uns aber in dieser Fassung noch nicht ganz geeignet scheint, möchten wir Ihnen ein paar geringfügige Änderungen vorschlagen:

Erstens: Damit sich unsere Menschen an der Küste in der Kunst wiederfinden, würden wir empfehlen, die Anne mit blonden Haaren, blauen Augen und doch etwas mehr Körperfülle auszustatten. Das wäre unseres Erachtens schon wegen der Typik notwendig, denn Sie haben die Geschichte doch für die Bewohner der nördlichen Regionen geschrieben, und die stellt man sich im allgemeinem ja nicht dürr und schwarzzottelig vor.

Zweitens haben wir Bedenken bei der Verwendung des normalerweise nur in der Umgangssprache gebräuchlichen Wortes ›Sauhund‹. Wir raten dazu, es durch ›Schweinehund‹ zu ersetzen.

Mit herzlichen Grüßen
Kulturredaktion«

Schon drei Tage später langte die Eilbrief-Antwort an:

»Liebe Freunde!

Vielen Dank für Ihre Hinweise! Daß die Anne schwarze Haare hat, kann nur auf einen Erinnerungsfehler zurückzuführen sein. Sie ist blond, selbstverständlich. Gerade in Ihrer Stadt soll es doch so beeindruckende Blondinen geben... Mit dem Schweinehund bin ich einverstanden

Ich grüße Sie!«

Er zeigt sich einsichtig, sagte der Chef, mit ihm läßt sich's arbeiten, und er diktierte seinerseits einen Eilbrief:

»Hochverehrter Genosse A. N. am Ende!«

Der Autor hieß tatsächlich und standesamtlich Anton Norbert am Ende, dem Leiter der Kulturredaktion erschien es aber in diesem Augenblick als ein guter Witz, wenn nicht ein schlechtes Omen, ihm fiel auch ein dazu passendes lateinisches

Sprichwort ein, leider nur nebelhaft, und deswegen sagte er, Name ist Schall und Rauch und diktierte weiter:

»Trotz der vorgenommenen Änderungen kann die Geschichte so leider noch nicht veröffentlicht werden. Nach längeren Beratungen im Kollektiv sind wir zu der Meinung gekommen, daß Ihre Einleitung zwar ganz hübsch ist, aber nicht funktionell genug mit der eigentlichen Geschichte verbunden und so unsere Leser nur verwirren würde. Wir würden einer Streichung zustimmen. Weiterhin haben wir eine Frage: Handelt es sich bei dem Förster um eine typische Figur? Wäre es nicht möglich gewesen, seinen Widerstand etwas mehr zu motivieren? Und: Der jugendliche Held soll doch nicht etwa ein Schwerenöter sein?«

Würde ich nicht schreiben, sagte die Sekretärin, es ist altmodisch. Meinetwegen, murrte der Chef, schreiben Sie:

»...ein verantwortungsloser Dutzendliebhaber sein? Er will die blonde Anne hoffentlich zu Ostern heiraten? Wenn nicht, dann bedauern wir, daß Sie als Autor sich mit keinem Wort von solchen Tendenzen, die der westlichen Sex-Welle bedenklich nahekommen, abgrenzen, wenn ja, dann wäre es angebracht, die Überwindung des Konflikts wenigstens vorsichtig anzudeuten. Zum Beispiel – dieser Vorschlag ist völlig unverbindlich – könnte der Förster dem künftigen Paar eine Kammer ausbauen.

Wir bitten um eine baldige Antwort. Mit Gruß

Kulturredaktion

PS Und können wir den Sau- bzw. Schweinehund nicht zu einem Pudel machen? Es ist doch schließlich eine Weihnachtsgeschichte! Außerdem wäre das die schöpferische Fortsetzung klassischer Tradition!«

Postwendend telegrafierte der Autor:

»Werte Genossen!

Wenn unbedingt nötig, Einleitung streichen. Werde sie in einem meiner nächsten Romane verwenden. Heirat leider nicht möglich, da junge Leute noch nicht achtzehn. Diese Tatsache auch Motiv für försterlichen Zorn. Sehe im Moment keinen Ausweg. Befinde mich in schöpferischer Krise. am Ende«

Nach einer stürmischen, aber grundsätzlichen Fragen nicht ausweichenden Nachtsitzung des Redaktionskollektivs brachte die Germanistin – als Jüngste und weil sie sowieso dort vorbei mußte – ein Telegramm zur Post.

»Werter Genosse am Ende!

Haben soeben festgestellt, daß von Ihnen Chance vergeben, Gestalten historisch konkret anzusiedeln – stop – wollen wegen dieser Geschichte keine Verschlechterung unserer Beziehungen zur Literaturwissenschaft – stop – sind befremdet über metaphysische Einschläge (›höhere Gewalt‹ usw.) – stop – vermissen außerdem eindeutige soziale Bezüge – stop – hatten sowieso mehr an Weihnachtsgeschichte hier und heute gedacht – stop – erlauben uns, als Anhaltspunkt für zu schreibende Gegenwartsweihnachtsgeschichte Kurzfassung vorzuschlagen – stop:

Junger Bursche liebt blonde Försterstochter Anne. Diese vergißt über heißen Küssen Schulaufgaben. Vater wird böse. Läßt sie von Pudel bewachen. Geht zur Arbeit, Jüngling ködert Pudel mit Zucker. Seine Fehlschichten häufen sich. Anne schlechte Zensuren. Vater bestellt jungen Mann, dessen FDJ-Gruppe und Annes Klassenkameraden sowie Lehrer und Ausbilder zu Aussprache. Alle erkennen echte Zuneigung des jungen Paares. Machen gemeinsame Wanderung durch winterlichen Wald. Bursche und Anne sehen Verständnis, versprechen fleißig zu lernen, um Facharbeiterprüfung und Abitur gut zu bestehen. Schnee. Weihnachten.«

Als Antwort erhielt die Redaktion eine Kiste mit einem jungen Hund, von dem nicht eindeutig festzustellen war, ob er ein Pudel oder ein Sauhund war. Daraufhin ließ der Chef die vorsorglich schon gesetzte Gans Auguste einrücken, niemand beschwerte sich darüber. Denn die Gans ist nun einmal das deutsche Weihnachtswappentier.

Joachim Nowotny
Ordentliche Verhältnisse

Emma Pietzkau gehörte zu den kleinen, etwas rundlichen Frauenzimmern, die allzu leicht den Eindruck einer gewissen Trägheit und Seelenruhe erwecken, vor allem wenn sie bei Kaffee und Kuchen sitzen. Unsere Emma machte sich seltsamerweise aus diesen Genüssen nicht viel. Sie bevorzugte eine kräftige fleischliche Nahrung und trank gewöhnlich Pfefferminztee dazu. Was die Trägheit anbelangte, so war sie lediglich aus der Tatsache ersichtlich, daß Emma ihren einmal in Fluß gebrachten Redestrom selten stoppen konnte, bevor sie nicht den letzten Rest ihrer Lungenkraft ausgepreßt hatte. Ansonsten aber bewegte sie ihre Pölsterchen mit Würde. Ihre Stimme war zwar ein wenig schrill, aber selbst dann, wenn sie, die fülligen Arme in die Hüften gestemmt, einem Mannsbild mit energischem Wortgeprassel die Meinung sagte, hatte sie etwas sympathisch Desinfizierendes. Man schüttelte sich zwar, fühlte sich danach aber ein wenig sauberer. Denn Emma sagte immer die Wahrheit um ihrer selbst willen, sie spie nie Klatsch aus, und wenn sie sich erregte, vermied sie es, andere genüßlich mit Unrat zu bewerfen, sondern tat es um der Moral willen. Freilich: Eine gelegentliche Dusche nahmen die Männer tapfer entgegen – das Dorf war groß, und jeder kam höchstens einmal im Jahr dran –, der Gefahr einer andauernden Kopfwäsche wollte sich jedoch keiner aussetzen. So blieb Emma allein. Ihrer Seelenruhe tat das keinen Abbruch, auch die hurtigen kleinen Augen blieben flink wie in den jüngeren Jahren, und wer in Emmas semmelblondem Kauz die Grauhaare hätte zählen wollen, der durfte getrost ein Abc-Schütze sein. Alles in allem ähnelte Emma Pietzkau eher einer handlichen, größtenteils betulichen Witwe als einem ältlichen Mädchen, das sich anschickt, in den Stand der alten Jungfer zu treten. Und sie mochte gerade so knapp über die 40 sein, daß sie, genaugenommen, erst ein wenig über die 39 war.

Eines Tages nun im letzten verregneten Sommer – solche Geschichten beginnen immer im verregneten Sommer – schrubbte Emma Pietzkau im Winkel zwischen Rinderstall und Speicherbau ein halbes Dutzend Melkschemel mit Handbürste und Seifenlauge. Dies gehörte zu den Arbeiten, die sie sich freiwillig auferlegt hatte, denn eigentlich war sie mehr für das Melkgeschirr zuständig. Aber einer mußte sich auch der Schemel annehmen, und wer von dem jungen Volk ließ sich schon dazu herab. Wie es so zugeht bei einer freiwilligen Arbeit, Emma richtete sich öfter als gewöhnlich auf, sie drückte den stämmigen Rücken durch, blinzelte in die buttergelbe Nachmittagssonne und nahm sich Zeit. Über den Wirtschaftshof knarrte ein hochgepacktes Heufuder, es schwankte bedrohlich, als es die Fahrgleise schnitt, langte dann aber doch ordentlich vor der Scheune an. Ein Gebläse begann zu dröhnen, auf dem Rücken des Fuders wurden zwei Mädchen sichtbar (sicher hatten sie bis jetzt im duftenden Heu gelegen), die begannen, das Dürrgras in den

Trichterschlund zu werfen. Dort wurde es angesaugt und von einem Rohr in den äußersten Bansenwinkel der Scheune geblasen. Emma sah einen Augenblick zu, dann widmete sie sich wieder ihren Schemeln. Nun ja, dachte sie friedfertig, da kommt das Grummet wohl grad noch so vor dem nächsten Schauer rein.

Irgendwann in der nächsten Viertelstunde rutschte Emma die Bürste aus der Hand. Sie bückte sich gelenkig und flink, richtete sich dann wieder auf und sah nun allerlei merkwürdige Dinge, die ihr ganz und gar nicht gefallen wollten. Sie sah die beiden jungen Dinger auf dem Heufuder. Was hatten die bloß für weite Röcke an! Man konnte ihnen glatt auf den Bauchnabel gucken, wenn man so stand wie sie. Was denn nun, wenn ein Mannsbild dahinterkäme? Ehe Emma diesen Gedanken in sich vom bloßen Schrecken zur vernünftigen Überlegung machen konnte, war es schon passiert. Sie sah den neuen Melker Johannes stehen, genauso weit unten wie sie, bloß noch näher am Fuder, gleich neben dem Gebläserohr, von wo aus er eine großartige Aussicht haben mußte. Emmas Gedanken verwirrten sich aufs neue, sekundenlang stand sie starr, nur das Doppelkinn bebte ein wenig, die Augen warfen spitze Blicke, nicht ohne jedoch auch die heftig arbeitenden Lippen und die hungrig schwarzen Augen des Mannes zu vermerken. Nun hätte Emma ja losschimpfen können. Aber es war gar nicht ihre Art, so einfach sinnlos daherzupoltern. Nein, sie brauchte Zeit zum Überlegen, und die nahm sie sich auch. Während sie also die restlichen Melkschemel mit der ihr eigenen Gründlichkeit schrubbte und einen gelegentlichen Blick auf die anstoßerregende Szene vor der Scheune warf, gingen ihr allerlei Gedanken durch den Kopf. Und siehe, es waren auch ein paar brauchbare dabei. Na ja, sagte sich Emma, das ist schließlich zu verstehen. Der Mann lebt allein hier in einer dürftigen Kammer beim Leberecht Wilhelm auf dem Ausgedinge, wie soll er nicht hungrige Augen haben, wenn die leichtsinnigen Dinger ihre Beine so freigebig zeigen. Da muß so einem Mannsbild ja das Wasser im Munde zusammenlaufen. Und, sagte sich Emma weiter, der Mann ist zwar verheiratet, nicht wahr, aber wo hat er denn seine Frau? In Dingskirchen hat er sie, und das ist weit, beinahe im Thüringischen ist das. Wie soll er da immer gleich hin, wenn er grad ein Bedürfnis hat?

Dann war Emma mit den Melkschemeln fertig, und Johannes, der Melker, ging wieder in den Stall zurück. Es lohnte nicht mehr da draußen am Wagen, die Mädchen hatten sich mittlerweile bis zu den Leitern heruntergearbeitet, und es gab eigentlich nichts mehr zu sehen. Die hungrigen Augen trug er mit sich fort. Emma aber räumte die Schemel weg, band die Warpschürze ab und hängte sie an den Nagel der Milchkammertür. Dann ging sie über den Hof ins Dorf hinunter, suchte nach Wilhelm Leberecht, dem Mann, der hier zuständig war. Wofür er eigentlich alles zuständig war, das wußte keiner genau, aber jeder ging zu Wilhelm, wenn er etwas auf dem Herzen hatte. Emma also auch. Sie hielt sich nirgends auf und ließ sich nicht etwa in ein Gespräch ziehen. Sie sparte ihre Worte für Wilhelm, irgendwo mußte er ja sein. Schließlich fand sie ihn in der Schenke, wie er gerade Zigarren kaufte und einen kleinen Stonsdorfer gegen das Gewitter trank. Wilhelm trank immer Stonsdorfer, wenn ein Wetter drohte. Er schwor darauf, daß es half. Noch nie, sagte er gewöhnlich, sei er in einen Platzregen geraten, solange er sich an Stonsdorfer gehalten habe. Und das stimmte auch, denn in der Schenke gab es weder Platzregen noch Wolkenbruch.

Vor der Wörterdusche aus Emmas Mund konnte sich Wilhelm freilich auch an der Theke nicht retten, ganz im Gegenteil, hier mußte Wilhelm stehen und aushalten im engen Raum bei der Stimme, draußen wäre er zehn Meter rückwärts gegangen, und alles hätte sich halb so schlimm angehört.

Wilhelm senkte das graue Haupt, er kroch in sich zusammen, auch das half nichts. Er hatte viel zu große Ohren, die fingen erbarmungslos alles auf, was Emma entrüstet von sich gab. Er wußte sich nicht zu helfen. Er sagte ganz schnell ja und amen zu jedem Vorschlag, obwohl er genau wußte, daß da im Augenblick nichts zu machen war. Eine Kammer ja, die hatte man für den neuen Melker noch erübrigen können, eine Wohnung jedoch nicht. Das dauerte nun mal seine Zeit, so bis zum nächsten Frühjahr vielleicht, wenn der Winter nicht zu arg wurde. Bis dahin mußte die Familie getrennt leben, wohl oder übel, so viele Familien müssen das schließlich. Außerdem hat man dem Mann seinerzeit keine ungebührlichen Hoffnungen gemacht, er wußte also, woran er war. Für die hungrigen Augen des Melkers schließlich fühlte sich Wilhelm nicht auch noch zuständig. Auf diesem Gebiet kannte sich sowieso keiner aus. Der eine hatte den heißen Blick und sonst nichts, der andere ging wie ein verschnittener Hammel umher und hatte zwölf Kinder. Wo stand geschrieben, daß ausgerechnet dieser Johannes vor Hunger umkam? Schließlich wäre sogar ihm, dem Wilhelm, der Kamm noch geschwollen, hätte er eine solche Aussicht gehabt, und er ging doch schon auf die 65 zu und hatte eine Frau zu Hause, die gut zwanzig Jahre jünger war als er.

Dies alles dachte Wilhelm Leberecht vor sich hin. Aber weil er endlich seinen Stonsdorfer gegen das Gewitter trinken wollte und Ruhe dazu brauchte, sagte er zu Emma: Wir werden sehen, was sich da machen läßt.

Und Emma ging. Der letzt Satz hätte sie freilich warnen müssen. Unverbindlich, wie er war, versprach er alles und nichts, aber Emma hätte auch nicht gewußt, was sie bei Wilhelm noch sollte, sie hatte alles gesagt, gut tausend Worte in wenigen Minuten, ein Platzregen auf engstem Raum, und alles, um ordentliche Verhältnisse zu schaffen, um dem Unheil zu wehren, ehe es, nun mal konkret ausgedrückt, ein Kind der Schande gebar.

Natürlich geschah nichts. Der Melker blieb allein in seiner Kammer bei Wilhelm Leberecht. Das Glimmen seiner hungrigen schwarzen Augen wurde nach und nach geradezu gemeingefährlich. Emma nahm unwillkürlich die Schürze zusammen, wenn sie bei Johannes vorbei mußte. Viel zu selten, fand sie, fuhr der Mensch nach Hause nach Dingskirchen, selbst wenn es beinahe im Thüringischen lag, selbst wenn die Kühe nun einmal Kühe waren und keine Maschinen, die man übers Wochenende einfach abschaltet, selbst wenn die Leute hier knapp waren wie anderswo das Geld kurz vor dem Zwanzigsten, auch wenn man dazurechnete, daß das junge Volk ausgerechnet immer sonnabends und sonntags Zahnreißen und allerlei anderes Wehwehchen hatte, wovon dann beim Schenkenschwof freilich nichts zu merken war, all das zusammengenommen, so schien es Emma, reichte nicht hin, um das seltene Heimfahren zu Frau und Kind zu entschuldigen. Es mochte freilich sein, daß der Mann sich allerlei zusätzliche Arbeit hier suchte, Sachen, die ihn eigentlich nichts angingen, für die er kein Geld bekam. Aber mußte er das tun? Mußte er überall herumschnüffeln, im Schutt wühlen, bis er ein paar alte Nasenringe fand, die im Maststall so nötig für die Bullen gebraucht wurden, denn bei der BHG gab es schon lange keine mehr. Mußte er seine Nase in die Angelegenheiten des Agronomen stecken, bloß um da noch ein paar Halme Grünfutter heranzuschaffen?

Was hatte er eigentlich bei der Vorstandssitzung zu suchen, er war doch gar nicht gewählt, und es fiel außer Emma keinem ein, dorthin ungeladen zu gehen. Das alles sei nicht gerade nötig, sagte sich Emma, der Mensch solle auf seine Seelenruhe bedacht sein und die stelle sich ihres Wissens nur dann ein, wenn gewisse Verhältnisse zwischen Mann und Frau ihre Ordnung hätten. So gingen nun die Tage hin, das Grummet kam dank Wilhelms Stonsdorfervorsorge doch noch trocken unter Dach und Fach, der Wohnungsbau freilich machte keinen Fortschritt. Emma mußte einsehen, daß ihre Wortdusche bei Wilhelm nichts gefruchtet hatte. Während der Heuernte hätte es ohnehin nicht geklappt, nicht wahr, dann kamen gleich die Kartoffeln und die Rüben, einen Streifen Hafer konnte man auch nicht verkommen lassen, und dann begann es zu regnen. Es regnete so seine Stunden am Tag, nicht allzuviel, denn Wilhelm gab sich in der Schenke die größte Mühe, doch es reichte immerhin dazu, daß die Bauarbeiten zeitweilig ins Stocken kamen.

Emma fand keine Ruhe. Abgesehen von der Arbeit im Stall und in der Milchkammer, kam noch ein ganzer Stiefel dazu – Gedankenarbeit nämlich. Allerlei war ja möglich in dieser Welt, da mochten ruhig die Kirschbäume ein zweites Mal blühen und zur gleichen Zeit vom Brocken Schneestürme gemeldet werden, eines aber war nicht möglich: Emma konnte sich mit den ungeordneten Verhältnissen, aus denen letzten Endes die hungrigen brennenden Augen des Melkers Johannes stammten, nicht abfinden. Sie schleppte sich freilich noch eine Weile mit dem Problem hin und erwog sogar, doch noch einmal zu Wilhelm zu gehen, endlich aber faßte sie sich ein Herz und beschloß, das Übel an der Wurzel zu packen. Nun ja, dachte sie, in sich hinein seufzend, da muß ich doch wohl zu dem Manne selber gehen und ihm die Meinung sagen, es wird wohl das beste sein. Von da an wartete sie auf eine günstige Gelegenheit. Sie belauerte Johannes, wo er ging und stand, sah sich mehrmals verstohlen im Stall um, ob man auch allein wäre, denn allein mußte man bei einer solchen Unterredung wohl sein. Aber es klappte nie so recht. Immer drückte sich in einer der vielen Ecken so ein junger Spund herum, einer von der Sorte, die sonst immer gleich Zahnschmerzen hat, wenn sie gebraucht wird. Emma kam nicht zum Zuge. Doch der Lauf der Dinge brachte es mit sich, daß sie oft mit Johannes zusammenkam. Manchmal, wenn sie ihm beistand, um ihm die Melkbecher zuzureichen, während er die Euter massierte, geriet sie in seinen Blick. Und sie wünschte sich tausend Schürzen zugleich, die sie über ihrem Leib hätte zusammenziehen können, und sie hatte doch bloß die eine über dem Unterrock an. Und es blieb nicht aus, daß man sich bald über den auffällig hohen Bürstenverbrauch wunderte, denn

Emma mußte nach einem solchen Blick augenblicklich in die Milchkammer gehen und irgend etwas mit Vehemenz sauberschrubben, eine Kanne etwa oder ein Melkzeug, das schon längst blitzsauber war.

Wie die Sache auch lief, von irgendwoher mußte eine Lösung kommen, noch ehe die Buchhaltung auf den hohen Bürstenverbrauch aufmerksam wurde. Und der entscheidende Augenblick kam. Er reifte gewissermaßen heran, meldete sich an einem unauffälligen nebelfeuchten Septembermorgen zur Stelle. Emma spürte es zunächst an einem seltsamen Kribbeln in den Kniekehlen, mehrmals am Tage mußte sie sich am Türpfosten zwischen Milchhaus und Stall das Rückenjucken wegscheuern. Dies war ein merkwürdiger, ein geradezu hinterhältiger Tag, so empfand es Emma, denn die Wolken hingen tief über Mittag hinweg bis in die siebente Abendstunde hinein. Da war endlich gemolken und abgefüttert, also Feierabend, und es passierte. Kaum hatte Emma die Stalltür hinter sich zugemacht, kaum war sie ein paar Schritte auf dem Heckenweg hinunter ins Dorf gegangen, da platzten die Wolken, es begann zu regnen. Und der Regen hielt akkurat an bis zu dem Augenblick, in dem sich Emma unter die Haustür ihres Häuschens bückte. Dann hörte es mit einem Male auf. Nur die Wiesen ringsum dampften neblig, und die Bäume troffen vor Nässe. Schließlich kam sogar die Sonne noch einmal zum Vorschein. Ganz niedrig über dem Horizont sackte sie halb rot, halb gelb in einen Wolkenstreifen. Emma fand, daß der Tag hätte so ruhig bleiben können, so grau und regnerisch, und wußte nicht, daß sie damit eine Erklärung für das dauernde Rückenjucken suchte. Doch es wurde nicht besser, sondern schlimmer. Emma hielt es im Hause nicht aus, sie mußte einfach hinaus in die Abendsonne, sie mußte laufen, bis es dunkel war. Viel junges Volk war unterwegs, im Schenkensaal hämmerten die elektrischen Gitarren, und Emma hätte sich schließlich zu einem Glas Most in die Gaststube setzen können, um einen verdienten Feierabend zu genießen, aber es trieb sie weiter zum Stall zurück, denn dort war noch etwas zu tun. Einer mußte es schließlich machen, und wer sonst, wenn nicht Emma.

Es war wirklich etwas dran, keine Frage, ganz umsonst machte sich Emma auf keinen Fall auf den Weg. Leberecht Wilhelm, der Regenvertreiber, hatte kurz vor sieben Grünfutter gebracht, so ganz und gar eingeweichtes Zeug, und wie Emma ihn kannte, würde er einfach die Seitenbretter gezogen und den ganzen Schamott auf einen Ritt runtergeschoben haben. Nun lag das Gras auf einem Haufen in der Futterkammer, naß und schwammig. Mußte es nicht brühen, wenn es über Nacht liegenblieb? Natürlich mußte es das, es verdarb, wurde sauer und vergiftete am Sonntagnachmittag das Vieh. Emma sah die Kühe mit aufgeblähten Pansen stehen, sah, wie alles durcheinanderrannte, wußte, daß da nur noch der Tierarzt helfen konnte, wenn überhaupt. Also ging Emma hin, das Vergessene nachzuholen. Sie suchte den Nachtwächter, fand ihn nicht. Der lag vielleicht auf einer Strohschütte und schlief sich erst einmal aus. Zu Emmas Verwunderung aber war die Futterküchentür nicht verschlossen, sie fand sie nur angelehnt.

Wieder so eine Schluderei von den jungen Leuten, die bloß den Schenkenrummel im Kopf hatten –, nun ja, jetzt kam es Emma gerade mal zupaß. Eine Gabel würde sich finden, und in zehn Minuten war das bißchen Gras breitgeworfen über den ganzen Boden hin, da konnte es dann abtropfen und trocknen.

Emma zog die Tür mit einem Ruck auf, ging ohne Scheu hinein, ruderte mit den Händen an der Wand entlang, es war finster, und die Gabel mußte hier irgendwo stehen. Ganz dunkel war es hinwiederum nicht. Denn oben vom Futterberg leuchteten zwei hungrige Augen, kein anderer als dieser Johannes stand dort, die Gabel in den Händen, gerade dabei, das Futter auseinanderzuwerfen. Nun aber stand er da und starrte zur Tür hin, zu Emma hin, die dort mit dem Abendrotschein im Rücken verharrte, als wäre sie zu einer Salzsäule erstarrt. Das sah aber nur so aus, in Wahrheit begann es in Emmas Körper zugleich wieder auf die gemeinste Art zu jucken, es fehlte nicht viel, und sie wäre im ersten Schrecken zusammengesunken, so sehr ließen sie die Beine plötzlich im Stich. Indes, sie rettete sich schnell mit ein paar hurtigen und blitzsauberen Gedanken. Aha, dachte sie, diesem Johannes war es also auch ums Futter bange, so ist er nun, ein guter Kerl. Und es mochte nun auch so merkwürdig sein wie es wollte, dieser rötliche Abend, die späte Sonne und der betäubende Geruch des feuchten Grases, jedenfalls war es wahrhaftig ein günstiger Augenblick, man konnte das Langgewünschte tun und dem Manne ordentlich ins Gewissen reden. Und Emma holte auch richtig ganz tief Luft, es sollte eine besonders schöne und lange Dusche werden, aber es kam kein Wort über ihre Lippen. Diese brennenden Augen oben vom Grashaufen störten sie, sie saugten sich an Emma fest, verwirrten sie auf eine noch nie gekannte Art und Weise, sie blickten die ganze

Zeit auf sie herab, und das war das schlimmste. Emma sah sich außerstande, ihnen auszuweichen, sie knickte nun doch noch in den Knien ein, rettete sich vor dem Fallen mit einem schnellen ungewollten Schritt nach vorn, war plötzlich den Augen ganz nahe, so nahe, daß sie das Gefühl hatte, in brennendes Feuer zu sehen. Dann war es schon beinahe geschehen. Noch einmal kam sie für eine halbe Sekunde zu sich, sie roch den bittersauren Geruch des Grases, sie fühlte die Feuchte unter den Schulterblättern und schmeckte etwas Salziges. Schließlich war auch das vorbei. Vielleicht sah sie noch, wie die feurige Glut in Johannes' Augen langsam, sehr langsam erlosch, aber sie lag ganz hingegeben und hielt die Augen sacht geschlossen, so daß sie nachher die Lider auf den Augäpfeln fühlte, wie Blütenblätter auf der Haut.

Hermann Kant
Auf einer Straße

Der Junge blinzelte in die Sonne und sagte mürrisch: »Da ist ja diese Fliege.«

Er hatte wohl geträumt. Ich sagte: »Wenn Sie nach Gdańsk wollen, müssen Sie hier raus.«

Er öffnete die Tür, und ich reichte ihm seinen Rucksack. Er setzte sich in den Sand des Sommerweges und zerrte an seinen Haaren, als wollte er sich daran aus dem Schlaf ziehen. »Das ging aber schnell«, sagte er.

Er sah das Mädchen eher als ich und klinkte im Sitzen die Tür wieder auf. »Sie kriegen eine neue Fuhre, oder wollen Sie nicht? Sie ist sehr hübsch.«

Sehr war übertrieben. Sie hatte die Länge eines Basketballmädchens und würde es schwer haben, einen Mann zu finden, der sich traute, neben ihr über die Straße zu gehen.

»In Richtung Poznań?«

»Ja.«

Sie sah den Jungen fragend an, aber der hob nur die Schultern, nahm ihr den Campingbeutel ab und warf ihn durch das Wagenfenster.

»Vielleicht kommen Sie mal wieder, und wir treffen uns«,

sagte er und reichte mir die Hand, wozu er sich beinahe erhob. Dann saß er wieder im Sand und schnürte seinen Rucksack auf.

Das Mädchen stieg gerade so weit in den Wagen, daß sie die Tür zubekam.

»Wenn Sie schlafen wollen, nur zu. Der Junge hat auch geschlafen.«

Sie schüttelte den Kopf und sah nach vorn auf die Straße.

Ich wäre lieber allein gewesen, überhaupt und jetzt besonders. Überhaupt, weil mir auf langen Strecken manchmal nach Singen war, und im besonderen jetzt, weil dies eine besondere Straße für mich war.

Das Mädchen versuchte, in den Spiegel über der Frontscheibe zu sehen, ohne mehr als Kopf und Hals dabei zu bewegen. Ich drehte ihr den Spiegel hin. Einen Augenblick nahm sie sich noch zusammen, dann sah sie hinein und sagte: »Bei allen Heiligen!«

Ein Trupp Gänse marschierte in loser Formation über die Straße, und ich nannte sie Gänse. Als wir aus dem Dorf heraus waren, war sie mit der Malerei fertig, und jetzt sagte ich: »Bei allen Heiligen!« Der Junge hatte trotz seiner Müdigkeit weit besser gesehen als ich.

»Da ist eine Karte; würden Sie mal nachsehen, wie weit es bis Kłodawa ist?«

»Noch vier Dörfer«, sagte sie, »müssen Sie tanken? Es sieht sehr klein aus auf der Karte.«

Sie faltete das Blatt zusammen und las die Aufschrift: »Aus Leipzig. Sind Sie aus Leipzig?«

»Warum nicht gar«, sagte ich, »spreche ich etwa sächsisch?«

»Ich weiß nicht, ich kenne nur die Wörter. Und wenn Sie polnisch sprechen, ist es nur komisch, aber ich weiß nicht, ob es auch sächsisch ist.«

»Einmal komisch genügt«, sagte ich.

»Woher können Sie Polnisch? Haben Sie hier gelebt?«

»Ja, eine Weile. Aber nicht in Kłodawa. Da habe ich einmal beinahe aufgehört zu leben.«

Das war billig. Hätte ich es mit Tränen in der Kehle gesagt und die Augäpfel dabei rollen lassen, wäre es erträglich gewesen, aber ich sagte es beiläufig, und ich klopfte dabei eine Zigarette aus dem Päckchen. – Hello, Ernest!

Und das Mädchen war höchstens zwanzig – schnell runter von dem Pferd!

Ich sagte: »Heute früh war ich noch in Warschau. Da marschierten beim Frühstück zweiundvierzig Männer in den Saal, lauter Riesen im feinen Anzug. Sie stellten sich hinter ihre Stühle und sagten kein Wort. Wir anderen dachten, sie beteten. Niemand im Saal sprach, nur der Oberkellner und eine kleine Frau. Das ging vier, fünf Minuten so. Dann setzte sich die Frau zu den zweiundvierzig Hünen, und da setzten die sich auch, und jetzt wurden sie so laut, daß wir anderen mit unseren Kommentaren kaum dagegen ankamen. Ich hörte nur: »Unsinn, das ist die Dolmetscherin!«, und eine Frau brachte ihre ganze Ehe auf die Formel: »Siehst du, Spiczek, das ist die amerikanische Höflichkeit!«

Das Mädchen lachte, und ich versuchte, Musik ins Radio zu bekommen, aber ich geriet gleich an den »Goldenen Pavillon« und schaltete wieder aus.

Das Mädchen sagte: »Und wie meinten Sie das vorhin: in Kłodawa wären Sie beinahe gestorben?«

»Es war töricht. Ich hätte sagen sollen: Ich war dort Soldat.«

»Ja?« sagte sie und wartete.

Die Farben des Sommers waren schon ein wenig abgetragen, und in diesem und jenem Baum saß bereits der Herbst. Noch einen Monat weiter, und die Äste würden so kahl sein wie damals.

»Damals lag hier Schnee«, sagte ich, »und ich kam auch von Warschau her. Ich hatte ein Gewehr mit. – Interessiert es Sie?«

»Wenn es eine Kriegsgeschichte ist, nicht so sehr.«

»Es ist gar keine Geschichte, es ist ein Gefühl.«

»Vielleicht mag ich es«, sagte sie und setzte sich endlich vernünftig hin.

»Es ist so verrückt. Ich versuche mir klarzumachen, daß dies dieselbe Straße ist. Aber ich fasse es nicht einmal, daß ich derselbe Mensch bin.«

»Sind Sie es denn?«

»Sicher doch. Anders wäre es bequem.«

»Und bequem ist nicht richtig?«

»Nein.«

»Jetzt haben Sie mich angeführt«, sagte sie, »Sie reden gar nicht von Gefühlen; Sie reden von Geschichte.«

Ich hielt vor der Post von Kłodawa. Sie stieg mit aus.

Am Schalter saß eine ältere Frau und verkaufte einem Kind Briefmarken; am Klappenschrank saß auch eine ältere Frau.

»Da hat ein Freund von mir gesessen«, sagte ich, »der hat sich nachher eine Handgranate an den Kopf gehalten. Mein Funkgerät stand dort, wo der Zeitungsständer ist.«

Wir gingen auf den Posthof, und ich sagte: »Auf der Straße brannte ein Panzer, und ich dachte, ich brauchte nur über den Zaun dahinten zu kommen.«

»Hatten Sie nicht recht?« sagte das Mädchen.

Ich ging mit ihr an die Einfahrt und trat gegen den Prellstein am Torpfeiler. »Hier habe ich mit einer Panzerfaust gelegen.«

»Wie Sie das alles wissen«, sagte sie, »und wie Sie versuchen, nicht stolz darauf zu sein.«

»Ja, ich bin schon ein Guter.«

Ich hätte nicht zu sagen vermocht, ob sich die Stadt verändert hatte oder nicht. Sie war voll Licht und Sommerstaub, und es roch nach Birnen und Senf und Speck und Seife.

Das Mädchen hieß Eva, und sie war nicht zufrieden damit. »Die Männer erwarten dann immer, daß man ihnen einen Apfel gibt.«

Als wir zur Stadt hinausfuhren, gab sie mir ein Wurstbrötchen, und ich sagte nicht, was ich dachte. Aber sie lachte, und dann sagten wir sehr lange nichts mehr.

Sie holte sich aus ihrer Schläfrigkeit zurück und erzählte. »Ich habe noch nie mit einem Deutschen gesprochen. Ich habe nur mal welche gesehen. Einmal eure Radfahrer, als sie uns in Warschau die Friedensfahrt weggeschnappt haben – wir waren mit der Schule im Stadion und haben geschimpft –, und einmal war eine Delegation da, aber die waren noch weiter weg.«

»Wohnen Sie in Warschau?«

»Ja, in der Pulawska, kennen Sie die?«

»Die kenne ich; ich wette, ich kenne Warschau besser als Sie; ich bin nämlich nicht sehr viel weiter als über den Postzaun in Kłodawa gekommen, und nachher war ich vier Jahre in Warschau. Da habe ich Kohlen ausgefahren, unter anderem, und in der Pulawska habe ich mal einer Frau die Büchsenmilch ausgetrunken, die da im Keller herumstand. Vielleicht war das bei Ihnen?«

»Glaube ich nicht. Davon würde meine Mutter heute noch reden. Aber gesehen haben kann ich Sie schon. Warum nicht? Kohlenmänner waren da manchmal bei uns. Ich hatte so lange Zöpfe.«

»Und ich hab immer ›Vorsicht, Platz da!‹ geschrien!«

»Es könnte schon sein«, sagte sie.

»Ja«, sagte ich, »als ich jetzt nach Warschau kam, dachte ich, ob du wohl einen triffst? Das war doch vierzehn Jahre her, und ich hatte nur wenige Leute gekannt. Aber zwei Stunden nach meiner Ankunft traf ich den Magazinchef, bei dem ich gearbeitet hatte. Er kam mit einem anderen Mann über die Ujazdowska-Allee, und ich sagte: ›Guten Tag, Chef!‹ Sie sagten beide, es müsse ein Irrtum sein, sie seien keine Chefs. Ich nahm die Sonnenbrille ab, und das half dem einen, meinem. Er war natürlich noch erstaunter als ich, denn es war ein ganz gewöhnlicher Tag, und er war ohne Erwartung über die Straße gegangen. Er sagte du zu mir, wie er es damals getan hatte, und er verbesserte sich jedesmal, wenn ihm einfiel, daß nicht mehr damals war. Er sagte zu dem anderen: ›Ich war wirklich mal der Chef von diesem Herrn. Der hat bei mir gearbeitet. Er saß im Gefängnis, und ich hab ihn da morgens abgeholt und abends wieder hingebracht, und am Tag hat er bei mir gearbeitet. Kannst du dir das vorstellen?‹

Der andere sah ihn an und mich und sagte, nein, das könne er nicht.

Mein Chef sagte: ›Bin ich froh, daß du dabei bist. Du glaubst mir ja nie. Nun sieh ihn dir an: Er hat im Kittchen gesessen, und ich war sein Chef. Ist denn das die Möglichkeit!‹

Der andere fragte: ›Hast du ihn auch mal gehauen?‹ Mein Chef bekam rote Ohren. ›Einmal. Aber er war schuld. Er hatte geklaut. Stimmt's? Du hattest Heringe geklaut! Entschuldigen Sie, aber Sie werden sich erinnern, daß Sie etwas gestohlen hatten, Heringe! Mensch, habt ihr alle geklaut!‹

Wir sind in die nächste Kneipe gegangen und haben auf die Prügel getrunken und auf die Heringe, und wir tranken so viel, als hätte es sich um eine richtige Schlägerei und eine ausgeraubte Fischfabrik gehandelt. Es war furchtbar lustig.«

»Und Sie sind auch furchtbar lustig«, sagte Eva; sie sagte die beiden Wörter auf deutsch.

»Und warum?«

»Weil Sie mich davon überzeugen wollen, daß Sie ein böser Bube gewesen sind. Wenn Sie sagen, Sie haben Angst gehabt hier bei uns, dann sagen Sie gleich, aber Sie haben ein Gewehr gehabt, nur damit ich nicht denke, Sie wüßten nicht, daß Sie selbst schuld gewesen sind an Ihrer Angst. Sie zeigen mir einen Hof, auf dem es Sie beinahe umgebracht hätte, und dann fällt Ihnen ein, ich könnte mir vorstellen, daß Sie an Ihre Mutter gedacht haben, als Sie über den Zaun geklettert sind, und sofort zeigen Sie mir einen Prellstein, hinter dem Sie gelegen und geschossen haben, damit ich auch weiß, was Sie für eine Gefahr gewesen sind. Sie sagen: Ich war in Gefangenschaft, vier Jahre lang, ich habe schwer gearbeitet, ich habe in einem Gefängnis gesessen und Schläge gekriegt, aber dann reißen Sie sich das Hemd auf und rufen: Aber denkt nur nicht, ich wüßte nicht, wie sehr ich das alles verdient hatte; ich habe ja selbst da noch armen Leuten die Milch weggetrunken, und Heringe habe ich gestohlen, man denke! Und während Sie das alles sagen, suchen Sie rechts und links die Straße ab, und das Grün der Bäume und das Gelb der Sonnenblumen und das Rot der Ziegel ist nur auf der Oberfläche Ihrer Augen, aber darunter ist etwas ganz anderes. Darunter ist der Schnee von damals und das Feuer auf den Scheunendächern und dann der Freund, der sich eine Granate an den Kopf gehalten hat, und Ihre Angst, aber Sie sagen: Es war furchtbar komisch!«

Ein Traktor bog aus einem Feldweg auf die Straße, und ich mußte scharf bremsen. Der Fahrer beugte sich interessiert aus dem Sattel, und als ich den Wagen vorbeizwängte, winkte er dem Mädchen zu. Sie steckte mir eine Zigarette an, und ich sagte: »Was ist bloß mit euch Polen los?«

»Was ist denn mit uns Polen los?«

»Ich unterhalte mich in Warschau mit einem Geschichtsprofessor, und es stellt sich heraus, wir haben beide einmal in derselben Gefängniszelle gesessen, er bei den Faschisten und ich als Faschist. Er findet den Zufall interessant, aber nicht aufregend, dafür ist er Historiker, aufregend findet er etwas anderes. ›Das ist ja furchtbar‹, sagt er, ›ich kenne doch dieses Wanzenloch und diese Drahtpritschen und diesen Blick auf den zweiten Block, und da hat man Sie reingesteckt? Sie müssen ja noch ein Kind gewesen sein!‹ Und dann kommt eure Filmregisseurin und hört von mir, daß ich ihren Film über Auschwitz zweimal gesehen habe, einmal zu Hause und später, und das erstemal noch im Lager in Warschau. ›Was?‹ schreit sie und kann sich gar nicht fassen. ›Das hat man mit Ihnen gemacht? Wie konnte man das tun, euch so einen Film zeigen, wo ihr selber eingesperrt seid, das ist ja ganz entsetzlich!‹ Ich habe sie nicht davon überzeugen können, daß es ganz heilsam für uns gewesen ist. – Ihr geht da entschieden zu weit!«

»Nein«, sagte sie, »und jetzt muß ich gleich aussteigen. Darf ich Sie noch zu einem Kaffee einladen?«

Vor dem Café sagte sie: »Die Einladung war unbedacht. Ich bringe Sie in Verlegenheit, so wie ich aussehe.«

»Das stimmt«, sagte ich.

Sie bestellte zwei große Kaffee. Uns gegenüber saßen drei

junge Männer mit Campingbärten. Sie hatten gepfiffen, als wir hereingekommen waren, und der eine beugte sich zu mir herüber. »Wenn du Hilfe brauchst, Kumpel...«

Ich sagte: »Bist du vom Roten Kreuz?«, und sie lachten und kümmerten sich nicht mehr um uns.

Wir tranken unseren Kaffee und fühlten uns wohl, ich jedenfalls. Sie zahlte und wünschte mir eine gute Fahrt. Ich winkte ihr durch das Fenster zu, und sie winkte zurück. Sie hatte schmutzige Jeans an und einen weiten Pullover. Sie war sehr groß, aber es mußte schon sehr viel Dummheit dazu gehören, nicht mit ihr über die Straße zu wollen.

Peter Gosse
Eine Geschichte, in der nichts los ist

Das Fabrikgebäude ist ein rotes, das machen die Ziegel. Ebenso sieht es hinterseitig aus, woselbst es von den Wassern eines der paar Leipziger Flüsse abgespült wird. Derjenige namens Elster könnte es sein, ein übrigens nichtdiebischer Fluß, meines Erachtens. Das Prädikat des Diebischen ließe sich zwar verfechten. Denn da darf einem nichts hineinfallen, man sieht das nicht wieder. Wenn das (die Geldbörse etwa) schwer ist, wird sie nach Durchsinken einer Strecke von zirka drei Zentimetern in der Flut optisch nihiliert. Das soll sehr bedauerlich sein, denn sie muß da wohl ziemlich schwer sein (das Portemonnaie). Das heißt gewesen sein muß es sehr schwer, daß das untergeht in diesem Wasser, welches extrem schwer wirkt. Wie Atomkerne aus Dreckmolekülen auf einen Haufen geworfen, möchte ich gern hinzufügen, und lieber belegte ich nun die Kategorie des Nichtdiebischen. Doch führt das weit ab vom Fabrikgebäude, welches also ziegelrot aussieht und in erwähntem Wasser ziemlich dunkel sich spiegelt. Einzusehen das, wenn man hinzufügt, daß selbst ein schlohweißes Gipsbein eine arg ergraute Reflexion aufweist.

Ein solches Gipsbein hat der Mann, der über die Brücke zum Fabrikgebäude auf Krücken sich vorwärts schlenkert.

Was will er im Betrieb?

Was wird ein Mann in der Fabrik wollen, dessen Gipsbein

zwar nicht mehr Fingerabdrücke aufnimmt (dazu war die Reise aus der Slowakei zu langwierig), jedoch nicht den oben vermerkten hohen Grad von Weißsein zeigt? Denn lustige Zeichnungen, Spott- und Munterungsverse unterschiedlicher Farbe und offenbar unterschiedlicher Hand lassen sich auf ihm ausmachen, was sagen will: Dieser lederbehoste Mann ist kein Eremit, nicht eines Schwätzchens wegen braucht er seinen Betrieb. Was also kann er im Betrieb wollen?

Eindeutig: Er will die Radaranlage sehen.

So würde es der Gipsbeinerne P. Leh, Pele genannt, nicht formulieren. Er würde sagen: Einfach mal nach dem Rechten sehen. Oder: Wieder mal Kolophonium vom Lötkolben dampfen lassen, wieder mal Salmiakdunst der Rotpausen beidseitig um die Nasenscheidewand haben.

Weitere Sagemöglichkeiten seien der Kürze halber dahingestellt. Nicht sagen jedenfalls würde unser Gipsbein dies:

Eine recht unscheinbare Kiste, dieses Radar-Sichtgerät da in der Laborecke. Simpel grau-grün gespritzt und mit staubigen Kabeln unten hervor, die wohl aufs Dach hochführen.

Dort, auf dem Dach des roten, weil Ziegelgebäudes, rotiert die Antenne. Holt Welt ein, fällt einem ein angesichts ihrer mahlenden Spiegelung in bewußtem trägem Elsterwasser. Nun fließt freilich die Tinktur nicht schneller weg, doch wird sie, reflektierend, erträglich. Mehr als das (weil wir bei Reflexionen sind): Das Wasser bekommt da gewisse Schönheit, deucht mich. Nicht die eines geklärten Flusses, doch allenfalls die eines ungeklärten sauberen, an dem man im handgestrickten und nicht Dederonhemd zu stehen hat – womit das Thema abdriftet.

Und dieses heißt Radaranlage, besteht somit zum Teil aus Gipsbeins Produkt. Dieses stellt eine faustgroße Transistorschaltung dar, die Geschwindigkeit in Impulse umsetzt, also nichts anderes macht als die gemeine Stubenfliege in den Wurzeln ihrer Barthaare. Nichts Umwerfendes demnach, nichts Unsterblichmachendes. Aber Unsterblichkeit ist unmöglich wie Sterblichkeit, und Pele bildet sich einiges ein auf besagte Faustschaltung. Nicht jetzt, da er ins Labor schaukelt, in die Mikroheimat mit Meßgerätekavalkaden und Steckdosenkohorten und Laborinsassen und besagtem Radar. Und seinen Antworten zur Beinbruchhistorie, die er anhören muß, bevor er erfährt: Radars sollen jenseits der Oder-Neiße-Grenze produziert werden. Das heißt, er hört das, von Mit-

Ingenieur Supfe, so: »Das Leben ist hart, doch es übt ungemein. Was du nicht lassen kannst, laß lieber sein.« Und ungesungen: »Tja, Pele, das wußtest du nicht: Ein Radar, welches, spezialisiert man es weg, ist fort, diable.« Kein lediglich geheurer Schlag für den Teilbegipsten und die übrigen Rauminsassen, es läßt sich vorstellen. Und man sieht es ihnen an: sie tun nichts.

Gefahr besteht somit, daß nun nicht weitergelesen wird: Eine schöne Geschichte, in der nichts passiert. Was soll Papier, das kein Geschehen vorstellt? Und als Geschehen kann weiß Gott nicht angesehen werden, daß Supfe seine Fingernägel per Rechenschieber säubert und Stien, ihm gegenüber, aus einem A4-Stromlaufplan ein Flugzeug faltet. Geschehnis ist das nicht, aber geschehen sollte etwas in mittleren Tragödien.

Schiddler hilft. Er notiert etwas an seinem telefonbestückten Tisch. Dann öffnet er eine Vita-Cola per Seitenschneider, sagt: »Immer diese Huddelei mit den Sektkorken. Hier, nimm einen Schluck, Pele, das gibt Teint.«

Im weiteren äußert er solcherlei: Er, Pele, solle die Angelegenheit nicht so tragisch nehmen, Datenverarbeitung sei auch ein Gebiet, das das Hineinknien lohne. Die VVB habe da übel prognostiziert, schlechte Marktforschung und so weiter – na gut, das heißt, nicht gut –, aber der Bedarf sei halt nicht so, daß zwei Länder gewinnabwerfend produzieren könnten. Und die Produktion bleibe doch in der Familie, in Polen drüben, bei hohem Antennenmast von hier aus zu orten, jenseits lediglich der Oder, na bitte.

Unserem Begipsten scheint diese Argumentation nicht nahe zu stehen. Per Gipsbeinhacke malt er Kreise aufs Parkett, möchte jetzt wohl lieber Wind vom Eifer sechzehn eifersüchtiger Frauen am Fenster als diese laue Lindenluft. Zwar fällt ihm Seltsames ein (eine tröstende Fluchtgaukelei irgendeines Gehirnlappens vielleicht): Leuchtstoffröhren, viele, segelten von der Veranda zu Tale. Wurden noch einmal ihrer Funktion gerecht: Leuchtend in der Sonne, segelten sie ihre Wurfparabel, schöne Leuchtspeere segelten ins schöne Tal.

Schön, wenn man voraussetzte, daß sich kein Kind beim Pilzesuchen an den Scherben schnitt, daß die Werfer wenigstens bißchen Bitternis fühlten. Daß die Röhren defekt waren, daß sie ein Bruchteil waren der intakten Veranda-Leuchtkörper, diese das Tal befallenden Spieße. Daß, daß, daß und daß – es ist ein harter Schluß, denkt möglicherweise Pele. Nicht am Labortisch saß man – an der Erdkugel. An diese Arbeit hatte man sich gewöhnt wie an seinen Zahnarzt. Plötzlich ist es aus mit dem Neugierhaben, die Arbeit haut in den Sack, geht fremd. Diese Arbeit, an der man, stellt sich plötzlich bloß, einen Narren gefressen hat.

Er sagt, oder ruft er's unter Bravo-Zuspruch Supfes: »Auf in eine Kneipe nachher, Männer, uns richtig vollaufen lassen. Feststellen: Wir sind im Sternbild der Ente geboren. Dann... ein feines Feuer gibt unser Erprobungsturm ab, soll in den Teich fallen für hydroakustische Erprobungen, diese Geräte sind glücklich auch ausgelagert.«

»Kneipe! Dort schwelgen wir«, läßt sich Schiddler vernehmen, »dort speisen wir uns durch die Paradieswand (bilden wir uns nach dem zehnten Pils ein). Die schmeckt so sämig, so papprig, nichts für uns – tut doch nicht so, verstellt euch nicht so vor euch. Ja und wenn in der Kneipe ein Pole plötzlich dasitzt, sagt: ›Wir sind genauso weit mit unseren Geräten, aber einen erwischt's nun mal: Macht ihr weiter.‹ Ja, was würdet ihr da sagen, Jungs! Na seht ihr, da würden wir auch nicht ›Nur immer her‹ sagen, sind doch nicht von gestern und heute.«

Schiddler sagt weiteres Mütterliche: Mikroproblem aus Enkelsicht und ähnliches, dann sagt er nichts und denkt, was er anscheinend nicht sagen will:

Jahrelang hast du nichts gedacht als über Radar – Radar: deine Eifersucht. Hast deine nicht übermäßigen Fähigkeiten in ein Filter namens Radar gejagt, daß sie sich potenzieren, und nun leg diese herrlichste 2-Liter-Maschine Gehirn brach, das ist jetzt seine größte Leistung. Nimm den Schlag, schlucke, aber nicht zu lange, wirf dich auf neuen gleichmäßigen zähen schwierigen Alltag, ach vielleicht war es einfacher: Vor dir der blaßrosa Hals des Zarenpostens, leicht zu meistern und im Handumdrehen. Wirf dich gegen das Winterpalais-Tor, es fliegt auf mit der Epoche.

Das vielleicht denkt Schiddler, während Lindenblütenduft durchs Fenster einkommt.

Nicht also Elsterfluidum oder Böhlen-Espenhains Schornsteintranspiration, sondern idyllischer Lindenblütenduft. Windstille, die Linden treffen Fortpflanzungsmaßnahmen, Bienen sind naturgemäß zur Stelle. Frauen in aller Welt beugen sich über rosige Säuglinge, während oben im verrauchten Labor diskutiert wird. Das Leben geht seinen Gang, Wanderdünen wandern, irgendwo schießt einer mit dem Luftgewehr nach dem

Apfel auf dem »Trabant«-Dach, der Apfel bleibt liegen, und liegen bleibt ein bunter Hahn hinterm Auto, und in der Gaststätte gegenüber gibt's Truthahn heute abend.

»Pause, gehen wir in die Kantine, Leute«, äußert oben im Lindenblütenausläufer Supfe einen verständlichen Wunsch, »ihr könnt doch nicht wollen, daß sich mein Magen selbst verdaut!«

Kaum denkt er dabei an Truthahn oder, sagen wir, an den Baikalseefisch Omul, der momentan auf Bratsker Stubentischen dampfen könnte. Bratsk wird bemüht, weil dort, hört man, blaue Bergkristallberge abgetragen werden und zu Beton verarbeitet, welcher Staudamm bedeutet und Licht nicht lediglich zur Beleuchtung etwaig erbaulicher Bergkristallberge (oder war es Marmor), sondern unter anderem zur Ausleuchtung des dampfenden Omuls auf Bratsker und vielleicht Omsker und vielleicht Tschuktschentischen.

GÜNTER DE BRUYN

Renata

1

Es war genau acht Uhr fünfundvierzig, als ich Renata zum erstenmal sah. Ich weiß das genau, denn der Zug verließ pünktlich um diese Zeit den Bahnhof Katowice, und sie betrat im gleichen Moment das Abteil. Der Zug ruckte stark an beim Abfahren, und ich dachte für einen Augenblick, daß sich die Tür dadurch von selbst geöffnet hätte. Aber dann sah ich sie in der Tür stehen und dachte an nichts anderes mehr.

Das war am Montag, dem ersten Juli dieses Jahres; ein Tag, den ich gewiß nie vergessen werde, so wenig, wie ich Renata vergessen kann. Immer wieder erschreckt mich der Gedanke, daß ich den Zug hätte versäumen, daß ich in ein anderes Abteil hätte einsteigen können.

Als sie in der Tür stand, fiel mir zuerst ihr Haar auf. Sie trug es gescheitelt und locker nach hinten gekämmt. Von vorn gesehen, erschien es kurz geschnitten, aber als sie den Kopf leicht zur Seite neigte beim Sprechen, sah ich, daß es lang und hinten mit einem Kamm etwas unordentlich hochgesteckt war. Aber nicht deshalb sah ich zuerst ihr Haar an, sondern seiner eigentümlichen Farbe wegen; es war weißblond mit rötlichem Schimmer.

Noch von der Tür her fragte sie etwas, und ich wandte den Blick ab, da es mir peinlich war, kein Wort Polnisch zu verstehen. Ich dachte auch nicht über die Bedeutung ihrer Worte nach, sondern lauschte nur dem Klang ihrer Stimme.

Sie trug einen lose hängenden Pullover, dessen Rot ausgeblichen war. Er war am Hals ausgeschnitten und gab ihre mageren Schultern frei. Eine schwarze Kette hing bis über die Brust herab. Ihre Hüften waren schmal, ihre Handgelenke von kindlicher Zartheit. Bevor sie sich auf den freien Platz zwischen zwei ältere Frauen setzte, hob sie ihr Köfferchen, um es in das Gepäcknetz zu legen. Ich sprang auf und half ihr. Sie wandte mir ihr blasses Gesicht zu, lächelte mit ihrem großen, gar nicht kindlichen Mund und sagte etwas, was wohl »Danke« bedeuten konnte. Ich lächelte zurück und schwieg.

Ich hatte viel geschwiegen in den letzten Tagen, weil es mir unangenehm war, als Deutscher erkannt zu werden. Niemand hatte mir Veranlassung dazu gegeben; mein Bruder, dessen Hochzeit Grund dieser Reise war, hatte es mir auszureden versucht, vergebens: Mir war zumute wie einem Menschen mit schlechtem Gewissen.

Renata saß mir schräg gegenüber, wühlte in ihrem Bastbeutel und nahm Zigaretten heraus. Ich gab ihr Feuer. Wieder lächelte sie und sagte das polnische Wort, das fast wie das englische »Thank you« klang, und ich lächelte auch und schwieg. Ich wußte, daß der Zug fast zwei Stunden bis Krakau fuhr und daß ich diese zwei Stunden nicht würde vergessen können, auch wenn ich nicht den Mut fand, mich mit ihr bekannt zu machen.

Alle Leute im Abteil lasen, nur Renata und ich nicht. Der Zug fuhr noch langsam. Unverputzte Brandmauern schoben sich vor, stürzten ab in enge Höfe, waren wieder dicht heran und wichen endlich den rußigen Fabriken, den Schloten, Hochöfen und rauchenden Halden. Und dann, unvermutet bot sich mir ein Bild, das ich kannte. Es war, als wenn man bei einem Besuch gezwungen wird, Berge von uninteressanten Fotografien anzusehen, und plötzlich auf das Bild eines Jugendfreundes trifft, der lange tot und vergessen ist. Ich hatte nicht gewußt, daß der Zug hier vorbeifahren würde. Eine kopfsteingepflasterte Straße, gerade und unendlich, als Strich sich im Dunst verlierend, keine Bäume, nur graues, hartes Gras am Rand, links ein grau-rotes verfallenes Gebäude vor einer mit Wasser gefüllten Lehmgrube, rechts, wo die Industriebahn die Straße kreuzt, fünf einstöckige Häuser mit Geranien vor den kleinen Fenstern, mit Gärten, in denen alte Obstbäume stehen, deren Blätter grau sind, grau wie die Hausmauern und das Gras am Straßenrand, und hinter allem die Halden und die kulissenhaft im Dunst aufragenden Schlote. In dem ersten der Häuser hatte ich ein Jahr gelebt, 1940, acht Jahre alt, zu jung, um den Grund für das plötzliche Verlassen unserer freundlichen Breslauer Heimat zu begreifen, alt genug, um das Bedrückende dieses Aufenthaltes zu empfinden. Ich hatte Einzelheiten dieses trüben Jahres vergessen, aber jetzt nach dem kurzen Blick aus dem Zug war alles wieder da: die dumpfen, dämmrigen Zimmer, die Entdeckungsgänge auf hartverkrusteten Wegen, die Einöde der verlassenen Grube, der Kot und die Abfälle in der Ruine, das Pfeifen der Lokomotiven, die Schreie der Rangierer, der rettende Garten, die traurigen Augen der Mutter und die papierene Weiße von Vaters Gesicht, als sie ihn tot hereintrugen. Ich hörte sie wieder fluchen, die deutschen Eisenbahner, sah ihre ölverschmierten Hände, ihre angstverzerrten Gesichter, ich roch die dumpfe Feuchtigkeit der Stuben und den Qualm, der von den Fabriken herübergetrieben wurde. »Es war eine traurige Zeit«, sagte meine Mutter, als ich später davon erzählte, »traurig war alles dort, auch schon vor Vaters Tod. Aber es sollte ja nur ein Übergang sein, man konnte hoffen. Heute dagegen...« Und sie weinte wie so oft, wenn von Schlesien die Rede ist. Sie ist sehr alt und einsam.

Als ich mich ins Abteil zurückwandte, traf mein Blick auf den Renatas. Einige Sekunden lang sahen wir uns an. Sie hatte die Lippen leicht geöffnet und sah aus, als freute sie sich über etwas. Dann sah sie wieder zum Fenster hinaus, an dem jetzt mit wachsender Geschwindigkeit Telegrafenmasten und Felder vorbeiflogen.

Später nahm sie ein Täschchen aus ihrem Beutel, stand auf und ging hinaus auf den Gang. Sie ging sehr gerade, mit kleinen Schritten.

Ich kam mir plötzlich so einsam vor wie auf Festen meiner heiteren Lehrerkollegen. Ich stand auch auf, stellte mich im Gang an ein Fenster und versuchte, mir die Worte zurechtzulegen, die ich ihr sagen wollte. Aber ich war zu aufgeregt; vielleicht war es auch ganz gleich, was ich sagte; sie würde es doch nicht verstehen.

Und dann kam sie den Gang entlang, und ich starrte krampfhaft aus dem Fenster, und erst, als sie neben mir stand und leise etwas auf polnisch sagte, was vielleicht »Bitte, würden Sie mich wohl vorbeilassen« hieß, sah ich ihr in die Augen.

Sie war mir vorhin, als sie in der Tür gestanden hatte, größer vorgekommen, als sie in Wirklichkeit war. Sie war mindestens einen Kopf kleiner als ich und mußte zu mir aufsehen, als sie so dicht neben mir stand. Ich preßte mich an das Fenster, so daß zwischen mir und der Abteilwand genug Raum zum Durchgehen blieb, und versuchte eine dieser dummen Anbiederungsformeln möglichst keck, heiter, unbefangen und zufällig herauszubringen.

Sie tat noch zwei, drei Schritte, dann blieb sie stehen. Sie sprach langsam, ein Wort deutlich vom andern absetzend. Es schien, als probierte sie, ehe sie sprach, erst die jeweilige Zungenstellung. Die Lippen bewegte sie kaum dabei. Ihre Wörter hatten einen weichen Klang. Alle Härten und Schärfen der deutschen Sprache wurden rund und sanft bei ihr. Sie sprach nicht ganz richtig, aber sehr schön.

2

Wie immer ging Papa schon eine Minute vor Abfahrt des Zuges die Treppe hinunter. Er fürchtet die Rührung, die ihn jedesmal wieder überfällt, wenn ich abfahre, obwohl es sich doch immer nur um den Abschied von einigen Wochen handelt.

Da mein Dienst an diesem Montag erst mittags begann, konnte ich den Zug benutzen, der gegen zehn Uhr in Kraków ist. Das ist mir schon Papas wegen sehr lieb, der es sich nie nehmen läßt, mich zum Bahnhof zu begleiten, und dem doch das allzu frühe Aufstehen schon schwerfällt. Zwar sieht er mit seiner Schirmmütze, die älter ist als ich, noch immer sehr verwegen aus, doch beginnt bei der leichten Steigung der Bahnhofstraße sein Atem hastig zu pfeifen, wenn wir zu spät losgegangen sind und nicht einige Male stehenbleiben können um auszuruhen.

Diesmal waren wir so früh losgegangen, daß wir wie von ungefähr den Umweg über die Nikolowska machen konnten, am Gefängnis vorbei. Manchmal war er stehengeblieben und hatte an der grünschimmernden Mauer hinaufgesehen, hinter der er während der Okkupationszeit gelitten hatte.

Unser Abschied war meines Festtages wegen diesmal besonders herzlich. Ich winkte ihm, ehe er im Treppenschacht verschwand, noch einmal zu und stand eine Minute später in der

Tür des Abteils, in dem der junge Mann saß, dessen Blick mich so verwirrte, daß ich die Frage, ob der Platz ihm gegenüber noch frei sei, nur an ihn richtete. Er tat, als hätte er nicht gehört, half mir jedoch, den Koffer ins Gepäcknetz zu legen, und ich dankte ihm. Aber noch während ich ihn ansah, hatte ich das Gefühl, daß es eine Spur zu freundlich war und von ihm als Annäherungsversuch aufgefaßt werden könnte. Doch er sagte wieder nichts, ich spürte Angst, nicht zu gefallen, und wünschte mir einen Spiegel, um sehen zu können, ob ich schön genug war.

Mir fiel es schwer, ihn nicht dauernd anzusehen. Vor Verlegenheit rauchte ich. Er gab mir schweigend Feuer und sah dann wieder zum Fenster hinaus. Als der Zug die Stadt verlassen hatte und die Sosnowicer Chaussee kreuzte, merkte ich, daß er von der Öde dieser Gegend gefesselt wurde. Nun hatte ich Zeit, ihn zu betrachten.

Er war groß und hager, sein Gesicht breit, die Stirn unter dem glatten Haar hoch und von Falten durchzogen. Die braunen Augen kniff er ständig ein wenig zusammen, was ihm ein finsteres Aussehen gab. Er ist kurzsichtig und sollte eine Brille tragen, dachte ich und mußte über mich lächeln, weil sich selbst in dieser Situation noch die Krankenschwester in mir bemerkbar machte.

In diesem Augenblick wandte er den Kopf, und unsere Blicke trafen sich wieder. Ich kam mir vor wie eine Schülerin, die gekichert hat und nun befürchtet, daß der Lehrer die Übeltäterin an den noch lachenden Augen erkennen kann. Es dauerte lange, bis ich mich losreißen konnte von seinem Blick. Glücklich machte es mich, daß er mich weiter ansah. Es war gut, unter seinem Blick zu sitzen, weil nichts Aufdringliches darin war.

Mir fiel ein, daß ich sicher schlecht gekämmt war. Es war sehr windig gewesen während des morgendlichen Spazierganges. Ich nahm mein Waschzeug heraus, ging zur Toilette, besah mich im Spiegel, begutachtete meine Frisur, den Sitz des Pullovers, den Schwung der Kette und fand mich eigentlich recht hübsch, nur ein bißchen dünn.

Auf dem Gang glaubte ich nicht richtig gehen zu können, als ich ihn rauchend am Fenster sah. Würde mir eine Entgegnung einfallen, wenn er mich jetzt ansprach? Ich fürchtete mich davor, aber gleichzeitig hatte ich Angst, daß er diese Gelegenheit könnte vorbeigehen lassen und wir uns in Kraków trennen würden ohne Aussicht, uns jemals wiederzusehen.

Aber da war ich auch schon bei ihm. Er stand dem Fenster zugewandt und versperrte den Weg. Ich bat ihn mit einer Stimme, die meine nicht zu sein schien, mich vorbei zu lassen. Schweigend trat er zur Seite. Ich ging vorbei und wurde traurig, weil ich nun nie würde seine Stimme hören können. Aber in diesem Augenblick sprach er. Seine Stimme war tief und etwas heiser. Aber das stellte ich erst später fest. Denn das einzige, was ich in diesem Moment dachte, war: Er ist ein Deutscher! Und ich erschrak.

Ich dachte nicht: Er ist Ausländer, es wird schwierig sein, sich mit ihm zu verständigen, er wird bald wieder wegfahren. Nein, ich dachte: Er ist Deutscher, und mir fiel Papa ein und die Zeit der Besetzung. Es ist nun einmal so, daß die Gedankenverbindung zwischen Deutschland und Wehrmacht so eng ist wie zwischen Krieg und Tod. Wie das Auge auf grelles Licht durch Zusammenziehen der Pupille, reagiert unser Gedankenmechanismus auf das Wort deutsch durch Einengung auf Grauuniformierte. Und wie das Auge erst wieder nach gewisser Zeit sehfähig wird, können wir dann weiterdenken und Unterschiede sehen.

Er sagte etwas sehr Banales, aber das mußte wohl so sein, und ich war, glaube ich, trotz des Erschreckens froh, daß der Anfang gemacht war.

»Sie sind Deutscher?« fragte ich überflüssigerweise.

»Ja«, sagte er, »und da ich kein Wort Polnisch kann, freue ich mich sehr, daß Sie deutsch sprechen.«

»Es geht schlecht genug. Ich mache Fehler in der Aussprache, und vor allem fehlen mir Vokabeln.«

»Sie sprechen wunderbar!« sagte er, und obwohl ich wußte, daß es nicht stimmte, freute ich mich darüber.

»Wo haben Sie es gelernt?«

»Zu Hause. Meine Mutter war früher Dienstmädchen bei einer deutschen Familie. Damals hat sie es lernen müssen, jetzt liest sie viel deutsch und lehrt es ihre Tochter.«

»Ich muß Ihrer Mutter dankbar sein dafür!« Er lächelte, als er das sagte, doch dann setzte er ernst hinzu: »Sicher hat es Ihre Mutter schwer gehabt damals!«

»Sie war bei einer Generaldirektorsfamilie, in der Polnisch sprechen als unanständig galt.«

»Und nun haßt Ihre Mutter die Deutschen?«

»Sie haßt die deutschen Generaldirektoren!« sagte ich.

Er antwortete nicht, bot mir eine Zigarette an, und wir rauchten und sahen aus dem Fenster. Die Zigarette war stark und süß; ich sah, daß es eine westdeutsche Marke war. Es hatte angefangen zu regnen, die Tropfen zogen schräge Striche über die Scheiben, über den Feldern hingen tief die Wolken. Der Zug fuhr sehr schnell, und ich sah an den im Dunst vorbeischwimmenden Bäumen, Scheunen und Dörfern der vertrauten Strecke, wie rasch die Zeit verfloß.

»Sie wollen auch nach Krakau?« fragte ich schließlich.

»Ja. Es soll eine schöne Stadt sein«, antwortete er, aber ich sah, daß er an anderes dachte.

»Krakau ist schön, ich liebe es sehr, aber auch Katowice ist schön, nur anders. Vielleicht ist jede Stadt schön, die man genau kennt. Aber vergessen Sie nicht, sich Nowa Huta anzusehen, unsere neue Stadt!«

»Ich habe davon gehört«, sagte er.

Dann war es wieder still zwischen uns. Er sah finster aus, aber ich hatte nicht einen Augenblick das Gefühl, daß er meiner überdrüssig sei oder an irgend etwas dachte, was mit mir nichts zu tun hatte. Ich empfand sein Schweigen auch nicht als Unhöflichkeit; ich hatte nur Angst, daß wir zu schnell in Kraków sein würden.

»Sie können sich nicht vorstellen, wie einem Deutschen in Polen zumute ist«, sagte er dann. »Oder genauer: einem Westberliner in Polen, einem in Schlesien geborenen Westberliner in Polen!«

»Haß?« fragte ich und hatte Angst vor seiner Antwort.

»Nein«, sagte er.

»Heimweh?«

»Nein. Ich erinnere mich ja kaum daran. Meine alte Mutter hat Heimweh und rennt zu den Schlesiertreffen, um mit anderen zusammen zu sein, die auch Heimweh haben. Bei mir ist es nichts als Scham und kein vernünftiger Grund dazu. Ich glaube nicht an die Kollektivschuld, und wir waren Kinder damals. Aber trotzdem brennt das in einem, wenn einer sagt: Auschwitz, oder: Warschau, oder: Generaldirektoren.«

»Entschuldigen Sie, ich hatte das nicht so gemeint«, sagte ich erschrocken.

»Ich weiß, es ist nie so gemeint, aber immer kommt es, in jedem Gespräch. Auch Ihre Rücksicht, selbst die Herzlichkeit ist beschämend.«

Die Falten auf seiner Stirn waren jetzt sehr tief, und in seinen Augen war wieder Ratlosigkeit.

»Sie haben recht, wir waren Kinder damals«, sagte ich. »Aber vielleicht liegt der Grund zur Scham gar nicht in der Vergangenheit?«

Ich hatte diesen Satz in der Absicht begonnen, ihn zu trösten, aber während ich sprach, merkte ich, daß ihm Trost nicht helfen konnte, daß Ehrlichkeit notwendig war.

»Ich bin Lehrer, falls Sie das meinen«, sagte er, nachdem er mich forschend angesehen hatte, »und erzähle den Kindern jedes Jahr, wenn es der Lehrplan vorschreibt, von den ehemaligen deutschen Ostgebieten, nicht mit Haß, nicht mit Heimweh, ganz objektiv, Zahlen, Daten. Ist das ein Grund zur Scham?«

»Vielleicht ist das, was Sie objektiv nennen, nur die halbe Wahrheit?«

Er antwortete nicht, zündete sich eine neue Zigarette an, ohne mir eine anzubieten, und rauchte in hastigen Zügen.

»Es wäre noch viel zu reden darüber«, sagte er dann, »aber wir sind wohl schon in Krakau? Haben Sie Zeit für mich?«

»Leider muß ich gleich zum Dienst. Wie lange bleiben Sie hier?«

Der Zug verlangsamte seine Fahrt, und die Leute drängten aus den Abteilen. Ich bemerkte es kaum, wartete nur darauf, daß er antwortete, daß er etwas sagte, was die Traurigkeit, die schon in mir aufstieg, zerstreuen würde.

»Ich wollte abends wieder fahren«, sagte er zögernd.

»Sie können nicht noch einen Tag bleiben?«

»Es geht nicht, morgen fährt mein Zug von Katowice, übermorgen läuft mein Visum ab. Aber fahren auch Nachtzüge nach Katowice?«

»Ja, um Mitternacht und früh um vier.«

»Und ich kann Sie heute noch sehen?«

Der Zug hielt. Wir wurden von der Menschenmenge der Tür zugeschoben. Er dachte an meinen Koffer, holte ihn aus dem Abteil. Wir gingen über den Bahnsteig, ich sah, daß der Zug Verspätung hatte und ich laufen mußte, um den Bus noch zu bekommen.

»Holen Sie mich um zwanzig Uhr beim Spital ab«, sagte ich und merkte kaum noch, daß ich in einer fremden Sprache redete. »Nein, es ist schwer zu finden. Seien Sie um halb neun am Französischen Hotel, ja? Nach dem Hotel Francuski müssen Sie fragen. Dort im Café, ja? Gehen Sie zum Wawel hinauf, vergessen Sie den Veit-Stoß-Altar in der Marienkirche nicht, die Gemälde im Cukinice können Sie sich sparen. Und denken Sie an Nowa Huta. Und nicht vergessen: Hotel Francuski!«

»Hotel Francuski!« sagte er.
»Gut. Sie würden sicher bald Polnisch lernen.«
»Wenn Sie es mich lehrten, bestimmt!«
»Do widzenia! Auf Wiedersehen!«
»Auf Wiedersehen! Sie kommen bestimmt?«
»Bestimmt! Auf Wiedersehen!«

3

Sie hatte sich in die dem Ausgang zuflutende Menge gedrängt, noch einige Male hatte ich ihr helles Haar gesehen, dann war sie verschwunden. Ich ließ mich langsam der Sperre zutreiben, kaufte in der Bahnhofsvorhalle einen Stadtführer und stand einige Minuten später in dem blumenbunten Park, der wie ein Ring die Stadt umschließt.

Es regnete langsam und gleichmäßig, die Luft war lau und unbewegt. Ich ging, ohne auf den Regen zu achten, durch die Altstadt und dachte an Renata. Ich dachte an sie mit großer Freude, und das, was mich im Gespräch mit ihr bedrückt hatte, war wie weggeblasen. Alles, was ich sah, nahm ich mit wachen Sinnen in mich auf. Aber jeder Eindruck war durchwoben mit Gedanken an sie, deren Namen ich noch nicht einmal kannte. Ich sah die Mauern und Türme, die Kirchen und Häuser, die eleganten Damen und tuchverhüllten Bauersfrauen, die Kirschenverkäufer und Mönche, die Panjewagen und Autos, und in allem war Renata, die hier lebte und ein Teil von alledem war. Wie immer in einer fremden Stadt überfiel mich auch hier das sonderbare Gefühl, das gemischt ist aus Neugierde, Abenteuerlust und Vertrautheit mit allem, was Menschenwerk ist, aber diesmal kam noch etwas anderes dazu: das Bestreben, das alles so zu sehen, wie Renata es sah, das alles so zu lieben, wie Renata es liebte.

Ich stand vor dem Marienaltar inmitten eines Schwarms schnatternder Amerikanerinnen, alten, geschmacklos gekleideten Damen mit spitzen Mausgesichtern, künstlichen Blumen auf den Hüten und teuren Fotoapparaten an den sehnigen Hälsen. Sie knipsten nicht nur ihre Reisebegleiterinnen vor dem Altar, sondern auch die Frauen in Umschlagtüchern, die kniend beteten, ohne sich stören zu lassen. Sie gingen in der Kirche umher, als gehörte sie ihnen. Obgleich ich die Hälfte von dem, was sie redeten, verstand, waren sie mir fremder als die betenden Frauen, deren Gesichter ich nicht sehen konnte.

Allem Polnischen fühlte ich mich verbunden, seitdem ich Renata kannte.

Es begann stärker zu regnen. Die Amerikanerinnen trippelten kreischend, mit den Händen ihre Hüte schützend, vom Kirchenportal zum Bus. Ich ließ mich von einem Taxi zum Wawel hinauffahren, der grau und formlos im Dunst über der Stadt hing.

Der Taxifahrer, ein Männchen mit lustigem Gesicht, erzählte ununterbrochen, eine witzige Geschichte anscheinend, denn er kicherte vergnügt in sich hinein, als er aufhörte. Er war ein sympathischer Mann, ich freute mich darauf, am Abend Renata von ihm erzählen zu können. Aber als ich auf deutsch sagte, daß ich kein Wort von seiner Erzählung verstanden hätte, da wurde er sehr korrekt und versuchte im Ton eines Fremdenführers, mir mit einigen deutschen Brocken vom Wawel und von seiner Geschichte zu erzählen. Er blieb sehr höflich dabei und sprach von Faschisten und nie von Deutschen, aber meine Fröhlichkeit war dahin, und ich wagte nicht, ihn zu fragen, wo er deutsch sprechen gelernt hatte.

Und als ich nach der Besichtigung der Burg auf der Mauer saß und auf das im Nebel unter mir liegende Krakau hinuntersah, kam wie von selbst die Frage nach dem Grund meiner Scham wieder. Weder ich noch mein Vater hatten damals in den Straßen der Stadt Treibjagden auf Juden veranstaltet oder dies befohlen. Gewiß, Vater war damals seiner Karriere wegen von Breslau nach Katowice gegangen, und ich, ein Kind, das kaum lesen konnte, war von der Polenfeindlichkeit angesteckt worden. Aber wem hatte das geschadet? Sicher war manch einer von denen, die hier gewütet hatten, bei uns wieder ein gemachter Mann, aber war ich vielleicht schuld daran?

Ich nahm mir vor, meinen Schülern von Krakau zu erzählen. Den Blick vom Wawel auf die Stadt würde ich ihnen schildern, wie ich ihn selbst nicht erlebt hatte, bei Sonnenschein, wenn die Weichsel, der man noch ansieht, daß sie aus den Bergen kommt, tief unter der steilen Mauer glitzert, wenn die Taubenschwärme über der Altstadt kreisen, die Luft über dem Marktplatz flimmert und hinter den flachen Äckern Nowa Huta zu sehen ist. Und von Renata wollte ich ihnen erzählen und vom Taxifahrer und vom Wawel und von Frank, der von hier aus die Mordaktionen befahl.

Aber als ich im Sprühregen die steile Straße zur Stadt hinunterging, war wieder nur noch Renata in meinen Gedanken. Ich lächelte, wenn ich an die Stellung ihrer Augen beim Rauchen dachte, und versuchte leise, deutsche Wörter so auszusprechen, wie sie aus ihrem Munde klangen. Ich war froh, wenn ich an sie dachte, und war mir nicht bewußt, daß ich am gleichen Tag noch würde abreisen müssen. Die Erwartung des Abends war so groß, daß Gedanken darüber, was danach sein würde, keinen Platz mehr hatten.

Schon vor 20 Uhr saß ich im Café des Französischen Hotels und wartete auf sie. Ich trank, ich rauchte und hörte auf jeden Schritt, auf jedes Geräusch im Garderobenraum. Wenn sich die Tür öffnete, spannte sich alles in mir vor Freude, um einer tiefen Enttäuschung Platz zu machen, wenn ein Fremder hereinkam. Und als sie dann wirklich kam, gegen halb neun, schmal und blond in der Tür stand, den triefenden Regenschirm in der Hand, mir lächelnd zunickte und zurückging, um den Mantel abzulegen, da saß ich wie gelähmt in meinem Sessel, dachte daran, daß es sich eigentlich gehörte, ihr nachzugehen, ihr aus dem Mantel zu helfen, die Garderobe zu bezahlen, konnte mich aber nicht dazu aufraffen und entschuldigte mich damit, daß es nicht gut war, sich auf der Diele zu begrüßen, wo die ersten Worte durch das Ausziehen und Bezahlen gestört würden.

Ich blieb also sitzen, bis sie wieder in der Tür erschien und auf mich zukam, noch immer im roten Pullover mit der schwarzen Kette darüber. Auch ihr Haar war gekämmt wie am Morgen, aber das künstliche Licht gab ihm einen anderen Glanz. Ihr Gesicht wirkte noch blasser, ihre Augen größer. Sie streckte mir ihre Hand entgegen, und einer plötzlichen Eingebung folgend, faßte ich sie und führte sie an meine Lippen, vorsichtig, wie etwas Zerbrechliches.

4

Als ich den Kittel überzog, mir von Schwester Kristina die Geschehnisse der letzten zwei Tage berichten ließ und neue Anweisungen geben mußte, wurde ich mir selbst plötzlich fremd; mir erschien es unglaubwürdig, das Mädchen aus dem Katowicer Zug zu sein, das Angst gehabt hatte, nicht zu gefallen, das vielleicht rot geworden war und sich mit einem Fremden im Café verabredet hatte. Und dann fiel mir ein, daß heute mein Geburtstag war und Ruth mit mir hatte feiern wollen.

Ich ging zur üblichen Zeit zur Besprechung ins Zimmer des Chefs und rannte dann schnell in den Speiseraum, um Ruth noch zu finden. Aber sie war schon weg; ich rief sie von der Station aus an und sagte ihr, daß aus der Feier heute nichts würde.

»Das tut mir leid. Stefan wollte auch kommen!«

»Entschuldige mich bitte bei ihm: Ich erkläre dir später mal alles. Sei nicht böse! Auf Wiedersehen!«

»Halt, Renia...«

Aber ich hängte ab, weil es mir peinlich war, von Ruth verhört zu werden. Wir waren seit vielen Jahren befreundet und hatten kaum Geheimnisse voreinander. Sie hatte studiert, war Kinderärztin geworden und hatte mich immer sehr beeinflußt. Sie war Jüdin. Ihre Eltern waren in Auschwitz umgekommen. Ich wollte ihr erst morgen von meinem deutschen Freund erzählen.

Aber als sie nach der Nachmittagsvisite in mein Zimmer trat und sagte: »Ich mache mir Sorgen um dich; was hast du?«, da war ich doch froh, einen Menschen zu haben, dem ich von der seltsamen Begegnung am Vormittag erzählen konnte. Ich tat es so kurz und unsentimental wie möglich.

»Ein Deutscher also, aus Westberlin«, sagte sie, und ich spürte kränkende Skepsis. »Und was soll daraus werden? Ein kleines Abenteuer?«

In diesem Augenblick haßte ich ihre kühle Art, die in diesem Fall nicht galt.

»Es hat keinen Zweck, so darüber zu reden!« sagte ich.

»Ich wollte dich nicht kränken, Renia! Ich will nur, daß du wieder zu denken beginnst. Du mußt dir vorher überlegen, was daraus werden soll!«

Zum Glück klingelte in diesem Moment mein Telefon und erinnerte Ruth daran, daß sie auf ihre Station zurück mußte. Einen Augenblick blieb sie noch in der Tür stehen, aber ich antwortete nicht mehr, sondern nahm den Hörer ab. Es war Stefan, Ruths Bruder.

»Schade«, sagte er nach einigen ungeschickt einleitenden Floskeln. »Wir hatten uns sehr gefreut. Steckt ein Mann dahinter?«

»Ja, Stefan, ein Mann!«

»Ist er aus Kraków?«

»Nein, ein Deutscher!«

Stefan schwieg einige Zeit.

»Ist er dir so viel wert, daß du ihm deinen Geburtstagsabend opferst?«

»Er ist nur heute hier, Stefan, deshalb!«

»Ach so«, sagte er, und ich war mir nicht klar darüber, ob das erleichtert oder noch besorgter klang. Dann erzählte er mir irgendwelche belanglosen Dinge, und erst ganz zum Schluß sagte er: »Bitte, sei vernünftig! Männer auf Reisen wollen etwas erleben. Ein Abend mit einem hübschen Mädchen wird schöner, je unverbindlicher er ist, verstehst du mich? Es wäre zu traurig für dich und für mich!«

»Stefan!« rief ich, aber er hatte schon aufgelegt. Seit zwei Jahren kannten wir uns, und nie war etwas über seine Lippen gekommen, was so geklungen hätte wie das eben.

Der Nachmittag wurde mir sehr lang. Als ich am Abend in das Café trat, überfiel mich mit einem Mal die Angst, daß er nicht dasein könnte. Aber er war da. Und ich sagte: »Guten Abend«, und das Deutsche war mir sofort wieder vertraut. Und als er mir die Hand küßte, schien mir das, was in der Eisenbahn trennend zwischen uns gestanden hatte, nicht mehr dazusein.

»Ich freue mich sehr, daß Sie gekommen sind«, sagte er. »War Ihnen der Handkuß peinlich?«

»Bin ich rot geworden dabei? Es ist nur, weil ich sonst diese alte Mode immer lächerlich mache!«

»Verzeihen Sie bitte, ich sah heute, daß es hier üblich ist, und da dachte ich, es würde Sie freuen.«

Wir setzten uns und sahen uns an, und mir fiel plötzlich ein, daß es schon halb neun war und das Café um zehn Uhr schloß und wir bald in irgendeine Nachtbar gehen mußten, um noch einen Platz zu bekommen. Am liebsten wäre ich sofort losgegangen, aber er hatte Kaffee bestellt, und wir tranken und rauchten, und ich sah, daß die Ratlosigkeit aus seinen Augen verschwunden und seine Stirn glatt war.

»Und was haben Sie von Krakau gesehen?«

Ich freute mich, daß die Stadt ihm gefiel und er begeistert von Nowa Huta erzählte, das ihn vorher nicht interessiert hatte, aber ich hörte doch nur halb hin, weil ich ihn immer ansah dabei und mich wunderte, wie vertraut mir sein Gesicht schon war.

»Aber ich weiß noch nicht einmal, wie Sie heißen«, unterbrach er plötzlich seine Erzählung. »Immer wenn ich heute an Sie gedacht habe, tat es mir leid, Ihren Namen nicht zu kennen.«

»Sie haben an mich gedacht?«

»Ja, ein wenig, und Sie?«

»Ich habe auch an Sie gedacht. Auch: ein wenig. Aber wie heißen Sie?«

»Michael Schwartz. Sagen Sie bitte Micha zu mir, so werde ich zu Hause genannt.«

Für einen Augenblick war ein Abgrund zwischen uns, als er seinen Namen nannte. Aber ich unterdrückte die Frage und sagte ihm meinen Namen, er fragte, ob er Renata zu mir sagen dürfte, und ich bat ihn, mich Renia zu nennen.

»Renia. Spreche ich es richtig?«

»Ganz richtig«, sagte ich und war froh, daß meine plötzlich aufkommende Erinnerung nichts zerstört hatte.

»Mir ist, als kenne ich Sie schon jahrelang«, sagte er.

Es ging ihm wie mir, und ich sagte es ihm und erzählte von meinen Schulferien in den Wäldern bei Wroclaw, an die unsere Begegnung mich wieder erinnerte.

»Sie haben Schulferien bei Breslau verbracht!« sagte er. »Und ich bin in Breslau geboren und habe kaum noch Erinnerungen daran. Das macht sich bei uns kein Mensch klar, daß es schon Polen gibt, die Kindheitserinnerungen an Breslau haben. Selbst die einsichtsvollsten Leute glauben, wenigstens gefühlsmäßig im Recht zu sein. Das muß ich meiner Mutter erzählen!«

»Ihr Vater lebt nicht mehr?« fragte ich ihn nun doch. »Ist er im Krieg geblieben? Sie sind nicht böse, daß ich so direkt frage, nein? Wir haben nicht genug Zeit, um um alles herumzureden!«

»Wir wollen nicht an die Zeit denken! Versprechen Sie es mir? Wir wollen glücklich sein über diese Begegnung bis zum Schluß, ja?«

»Ja«, sagte ich, »das wollen wir!« und ich hoffte, daß er auf meine Frage nicht mehr eingehen würde.

»Mein Vater starb schon 1940. Er kam durch einen Unfall ums Leben.«

»Es ist sicher schwer gewesen für Sie. Ich verstehe das. Mein Papa ist vier Jahre im Lager gewesen.«

»Warum müssen wir denn immer wieder darüber reden?«

»Es tut mir leid, Micha«, sagte ich und wünschte, nicht gefragt zu haben.

5

Wir hatten uns länger als eine Stunde gegenübergesessen. Alkohol hatten wir nicht getrunken, aber eine leichte Trunkenheit war doch in uns, als wir aufstanden, um eine Bar zu suchen.

Draußen regnete es. Die Straßen waren leer. Wir gingen durch eine der engen Gassen auf den Markt, in dessen Pflaster sich die Leuchtreklamen spiegelten. Von den Giebeln des

Cukinice platschte das Wasser auf die Straße. Der Turm der Marienkirche verlor sich in der Schwärze des Nachthimmels.

Renata hatte ihren Arm unter meinen geschoben und mir ihre Hand gelassen. Der Regen trommelte auf den Schirm, auf der Straße zerplatzten die Tropfen. Wir gingen schweigend, ohne uns anzusehen, und wurden trotz des Schirmes naß.

»Wenn es heute warm und trocken wäre«, sagte sie, »könnten wir spazierengehen die ganze Nacht.«

Die Bar war klein. Mit ihren Polstermöbeln und stuckverzierten Wänden wirkte sie wie der intime Salon eines Rokokoschlößchens. Um die runde Tanzfläche waren in Nischen die Plätze gruppiert, von denen die meisten schon besetzt waren. Der Kellner, der sehr jung war, begrüßte uns mit einer leichten Verbeugung, die nichts Devotes hatte. Getanzt wurde gerade nicht, und die Augen aller Anwesenden richteten sich auf uns. Aber weder Renata noch mich störte das. Wir waren glücklich miteinander und stolz aufeinander, und als wir auf einer Polsterbank nebeneinander saßen, hatten wir alles um uns vergessen.

Der Kellner erläuterte mit dem Gesicht eines Freundes, zu Renata gewandt, die Speisekarte. Jedesmal, wenn sie mir eine seiner weitschweifigen Beschreibungen übersetzte, hörte er mit gespanntem Gesicht zu und rief dann: »Ja, ja, mein Herr!« Und wenn sie stockte, weil sie nach einem passenden deutschen Begriff suchte, nahm sein Gesicht einen verzweifelten Ausdruck an, bis sie das richtige Wort fand. »Blumenkohl, ja, ja, mein Herr!« rief er dann, das Wort wiederholend, als wäre es auch ihm gerade eingefallen.

»Wollen wir tanzen?«

»Ja, bitte!«

Später standen wir an der Bar, um die sich viele Menschen drängten, und tranken Wodka. Dann tanzten wir wieder und tranken wieder; wir tranken, tanzten und lachten, Renata sprach mit Menschen, die sie nicht kannte, wir schüttelten Hände von Leuten, die uns zutranken, und hielten uns fest, damit wir einander nicht verloren im Gewühl. Als ich sie an unseren Tisch zurückzog, legte sie ihren Kopf an meine Schulter.

»Es sind alles gute Menschen bei uns«, sagte sie, »merkst du es?«

Mir war leicht und wirbelig im Kopf. Ich redete viel, sagte ihr, wie schön sie war und wie glücklich sie mich machte, ich streichelte ihr Haar, ich küßte sie, und wir wußten nicht mehr, daß wir nicht allein waren.

»Sag Renusia zu mir, wenn du mir etwas Liebes sagen willst!« Ich sagte es oft hintereinander, bis ich es so sagen konnte, daß es ganz richtig klang.

Und dann sah ich plötzlich, daß sie weinte. Ich wollte ihr die Tränen wegküssen, aber sie wandte sich ab. Da streichelte ich nur ihre Hand und wußte, daß es vorbei war mit der Fröhlichkeit.

»Und was soll ich tun ohne dich, nachher, wenn dein Zug wegfährt?«

»Wir wollen es vergessen!«

»Ich kann es nicht vergessen!«

»Ich komme wieder, bestimmt komme ich wieder nach Polen und dann nicht nur für einen Abend!«

Da sah sie auf, und ich erschrak vor ihrem Blick, der ihr Gesicht verändert zu haben schien. Ihre Augen waren noch feucht, aber alle Weichheit war aus ihnen verschwunden. Sie sah mich an wie einen Fremden. Angst war in diesem Blick und Entschlossenheit, sie zu überwinden, aber keine Spur mehr von dem Glück und der Traurigkeit der letzten Stunden.

»Aber nicht in Uniform! Bitte, komm nicht in Uniform!« sagte sie.

Ich sah mit einem Mal die Geschmacklosigkeit des Stucks, die Schäbigkeit der Polster, die vom Alkohol gedunsenen Gesichter der Leute, und erst als ich Renata wieder ansah, begriff ich.

»Du tust mir unrecht!« sagte ich. »Ich war ein Kind damals!«

»Glaubst du, daß dadurch das Vergessen leichter würde?«

»Erzähle!«

Sie sah mich nicht an, während sie sprach. Sie saß etwas geduckt neben mir und umklammerte mit den Händen die Tischplatte. Ich sah sie von der Seite, die hohe Stirn, die kleine Nase, den schmalen Hals. Ihr Mund bewegte sich kaum beim Sprechen. Sie sprach ruhig wie immer, oft nach Wörtern suchend, grammatikalisch einwandfrei, oft ungewöhnliche Wendungen benutzend, in der Aussprache schöner, als es richtig ist.

6

»Wir waren im Jahre neununddreißig aus unserer Wohnung in der Südvorstadt ausgewiesen worden und wohnten in einem Dienstgebäude der Eisenbahn an der Sosnowicer Chaussee in der Nähe des Rangierbahnhofs. Es war eine eintönige Gegend, die einem Angst einjagen konnte, besonders bei trübem Wetter, wenn der Himmel grau ist wie die Erde und die Häuser. Aus dem Fenster unserer Stube konnte man die Geleise sehen, die Chaussee und die Halden.

Ich ging noch nicht zur Schule. Papa arbeitete als Rangierer, Mama in Katowice. Sie ging morgens früh weg und kam abends spät nach Hause, so daß ich sie oft die ganze Woche hindurch nicht sah. Wenn Papa Nachtschicht hatte, spielte er tagsüber viel mit mir, erzählte mir Geschichten, oder ich stand dabei, wenn er Holz hackte, heizte oder Essen kochte. Das waren schöne Stunden. Aber wenn er Normalschicht hatte, war ich den ganzen Tag allein in dem ungemütlichen Haus, das noch nichts Heimatliches für mich hatte. Stundenlang saß ich dann bei regnerischem Wetter am Fenster und starrte hinaus in die graue Einöde, und heute wundere ich mich darüber, daß meine Augen damals nicht auch grau und trostlos geworden sind. Den Rangierbahnhof konnte ich nicht sehen von meinem Platz aus, nur die toten Geleise und die schnurgerade Chaussee, auf der nur wenig Verkehr war. Manchmal gingen Leute auf dem schwarzen Schotterweg an den Häusern vorbei, Eisenbahner meist in den mir noch fremden deutschen Uniformen, und manchmal spielten auch Kinder dort. Sie spielten Ball auf dem Weg oder warfen mit Schottersteinen nach den Schienen. Wenn sie trafen, konnte ich das metallische Klirren und ihr Jubelgeschrei durch das geschlossene Fenster hindurch hören. Aber ich weinte nie, wenn ich so allein saß und zusehen mußte. Ich preßte meine Nase an der Fensterscheibe platt und zergrübelte mir den Kopf darüber, warum gerade ich dort nicht mitspielen durfte.

Papa gab auf meine Fragen keine mir ausreichende Antwort. Eine gewisse Scheu, die sich schlecht erklären läßt, die ich aber heute gut begreife, hielt ihn davon ab, dem kleinen Mädchen das ganze Ausmaß der Unterdrückung klarzumachen, der wir unterworfen waren. Außerdem wollte er wohl vermeiden, daß ich in allzu große Angst geriet.

Es war aber so, daß neunzehnhundertneununddreißig nach der Okkupation Katowice und das ganze polnische Oberschlesien bis weit ins Gebirge hinein zum sogenannten Reichsgebiet erklärt wurden, also nicht zum Generalgouvernement gehörten. In diesen Reichsgebieten war es bei Strafe verboten, öffentlich, das heißt also auf der Straße, beim Einkaufen oder in der Kirche, polnisch zu sprechen. Polnische Kinder, die wie ich kein Wort Deutsch sprachen, konnten also nicht einkaufen gehen oder auf der Straße spielen. Das traf mich besonders hart, weil in den anderen Häusern nur noch eine polnische Familie wohnte, deren Kinder schon groß waren. Ich war sechs Jahre damals: Wie sollte ich begreifen, daß gerade ich wie im Gefängnis wohnen mußte?

So saß ich also frierend und einsam den Winter und ein regnerisches Frühjahr hindurch. Ich setzte mich ganz in eine Ecke des Fensters, um möglichst weit den Weg entlang sehen zu können, auf dem Papa kam. Er ging immer mit weit ausholenden Schritten und winkte zu dem Fenster hin, hinter dem er mich sitzen und warten wußte. Wenn er um die Hausecke verschwunden war, rannte ich durch die Küche zur Tür, um die letzten paar Sekunden bis zur endgültigen Geborgenheit ganz mitzuerleben. Ich hörte dann seine Schritte knirschen, hörte ihn die Gartentür aufklinken, hörte das Klappern des Schlüsselbundes, das Quietschen des Schlüssels im Haustürschloß, und dann hing ich schon an seinem Hals, spürte seine stachligen Wangen und hatte den vertrauten Öl- und Rauchgeruch in der Nase, der seinen Sachen stets anhaftete. Und wenn wir dann beim Abendbrottisch saßen, war alle Not und Langeweile vergessen.

Aber eines Abends wartete ich vergebens auf ihn. Den Wecker mit der Glocke obenauf, den ich immer neben mir zu stehen hatte, stellte ich auf sechs Uhr zurück, als er um halb sieben noch nicht da war. Aber der Selbstbetrug half nicht. Er war noch nicht da, als der Zeiger die Sieben erreichte, und als es stockdunkel war, saß ich noch immer am Fenster. Und so saß ich noch, als die Mama kam, die weiß wurde vor Schreck, mich an die Hand nahm und mit mir zum Rangierbahnhof lief, wo uns ein Arbeiter hinter der vorgehaltenen Hand zuflüsterte, daß die Deutschen Papa und fünf andere Kollegen abgeholt und zum Gefängnis in der Nikolowska gebracht hatten. Mama schluchzte, während wir den Schotterweg zurückgingen, und ich wußte doch schon so viel, daß ich nicht fragte, wann Papa zurückkäme.

Die Zeit danach wurde dann sehr schlimm. Zwar durfte ich im Garten spielen, aber die Tage wurden entsetzlich lang. Nachmittags, wenn die Zeit heran war, zu der Papa sonst immer gekommen war, zog es mich immer wieder zu meinem Platz am Fenster.

Zu unseren Nachbarn gehörte ein dunkelhaariger Junge, der nur wenig älter war als ich. Oft sah ich ihn allein, mit seiner Mutter oder mit anderen Kindern im Garten spielen. Mir hatte Mama streng verboten, mit anderen zu sprechen. Der Junge machte es mir leicht, das Verbot zu beachten; er nahm keine Notiz von mir. Nur manchmal, wenn er sich unbeobachtet glaubte, sah er neugierig herüber. Sicher war ihm der Umgang mit mir ebenfalls verboten worden. Er war unerreichbar, aber wichtig für mich. Morgens konnte ich aufpassen, was er für Sachen trug, wenn er zur Schule ging. Ich konnte darauf warten, daß er wiederkam, den schwarzen Weg entlang aus der gleichen Richtung, aus der Papa immer gekommen war. Ich konnte zu erraten versuchen, welches Spielzeug er in den Garten mitbringen würde. Und unterhalten konnte ich mich in Gedanken mit ihm, meine paar deutschen Wörter ausprobieren, die ich bei Mama schon gelernt hatte.

An einem nebligen Nachmittag, als von meinem Fensterplatz aus nur der Weg und die Geleise zu sehen waren, trugen vier Männer auf einer Bahre eine zugedeckte Gestalt ins Nachbarhaus. Am Abend erzählt mir Mama, daß der Vater des Jungen tot sei.

Wie ich später erfuhr, hatte dieser Mann, um sich bei seinen Vorgesetzten beliebt zu machen, polnische Arbeiter des Rangierbahnhofes, darunter auch den Papa, wegen kleiner Vergehen bei der Gestapo denunziert. Da hatten unsere Leute einen Unfall inszeniert, der ihm das Leben gekostet hatte.

Aber davon wußte ich damals natürlich nichts. Ich dachte nur daran, daß der Junge nun auch keinen Vater mehr hatte, und stellte mich am nächsten Morgen, als die Mama zur Arbeit gegangen war, vor die Haustür, um ihn abzupassen, wenn er zur Schule ging. Aber er ging an diesem Tage nicht. Alles blieb still im Nachbarhaus. Erst am Nachmittag öffnete sich die Tür, und er ging mit einem Eimer zur Müllgrube. Ich trat in den Regen hinaus, ging, zitternd vor Aufregung, auf den Nachbargarten zu, bog die tropfenden Sträucher auseinander und stellte mich an den Zaun.

Als der Junge zurückkam, sah er mich, ging langsamer, blieb schließlich stehen und sah mich mit zur Seite geneigtem Kopf an.

»Was ist?« fragte er dann möglichst rauh und grob, wie Jungen dieses Alters meist mit Mädchen reden.

»Du traurig, Papa tot!« sagte ich und mußte einige Male schlucken, ehe die deutschen Wörter heraus waren.

Er hielt noch immer seinen Kopf zur Seite geneigt und sah mich unter zusammengezogenen Brauen an. Dann stellte er den Eimer auf den Weg, wühlte in den Hosentaschen, lief zu mir, drückte mir mit einem »Da!« etwas in die Hand, nahm den

Eimer wieder auf und rannte ins Haus. An der Tür sah er sich noch einmal um und winkte.

Er hatte mir einen in Papier gewickelten, verschmutzten, zerdrückten, klebrigen Bonbon geschenkt.

Dieser und die folgenden Tage waren sehr schön für mich. Den Bonbon legte ich in die Glasschale auf der Kommode, die früher immer voller Süßigkeiten gewesen war, aber schon seit langem leer stand. Das Wetter war warm geworden; ich konnte viel im Garten sein. Und immer, wenn auch er in den Garten kam, winkte er mir zu und lachte. Nie hielt er sich bei mir auf, nie sprachen wir miteinander, aber ich war trotzdem sehr glücklich über diese Freundschaft. Bis dann eines Tages alles anders wurde.

Ich glaube, es war ein Sonntag. Ich sammelte Falläpfel in meine Schürze. Im Nachbargarten waren einige Kinder zu Besuch. Die Sonne schien. Mama saß am offenen Fenster und schrieb, vielleicht einen der vielen vergeblichen Briefe an die deutschen Behörden mit der Bitte um Auskunft über Papas Schicksal. Die deutschen Kinder hatten Verstecken und Fangen gespielt und saßen nun gelangweilt auf den Haustürstufen. Mein Freund hatte mit ihnen getobt und mich nicht ein Mal beachtet. Plötzlich stand er auf und kam auf unseren Garten zu, dabei winkte er und rief:

»Komm, Kleine!«

Ich warf sofort meine Äpfel weg, klopfte mir den Sand von den Fingern und lief zum Zaun, hinter dem der Junge, freundlich lachend, stand und mir in der geschlossenen Hand etwas hinreichte.

Nie werde ich vergessen können, wie sich plötzlich, als ich am Zaun war, sein Gesichtsausdruck änderte, wie aus dem Lachen ein häßliches Grinsen wurde, wie die Augen sich zusammenzogen und der freundschaftlich vorgestreckte Arm mit jähem Ruck hochschnellte.

Und er schrie mir mit verzerrtem Mund ein schmutziges Schimpfwort zu. Und den Sand warf er mir ins Gesicht, und die anderen Kinder schrien mit, bis die Erwachsenen, die bei dem Krach zum Fenster stürzten, sie zur Ruhe ermahnten; aber sie taten es lachend und gar nicht zornig

Ich aber stand beschmutzt und verlassen, starr vor Schreck. Und in diesen Sekunden brannte sich etwas in mein Herz, was nicht gelöscht werden kann.«

7

Ich erinnerte mich wieder jeder Einzelheit, der Farbe des Bonbonpapiers, des Kleidchens, das sie trug, des Ausdrucks ihrer Augen, als sie das Schimpfwort hörte. Ich hätte ihr sagen können, wie mir zumute war, als ich mir vornahm, vor den anderen Jungen zu glänzen, wie es mich würgte im Hals, ehe es heraus war, und wie lange es dauerte, ehe der eklige Geschmack im Mund verging. Aber ich sagte nichts davon, weil jedes Wort wie eine Entschuldigung geklungen hätte. Ich schwieg und wußte, daß alles anders sein würde für mich, wenn ich nach Berlin zurückkehrte, daß ich etwas tun müßte, um vor mir selbst noch bestehen zu können nach diesem Abend.

»Du brauchst nichts zu sagen, Micha!«

»Du wußtest es?«

»Ich fürchtete es.«

»Und nun?«

Sie antwortete nicht, sah mich auch nicht an; sie lehnte schweigend ihren Kopf an meine Schulter. Gern hätte ich ihr Haar gestreichelt, wagte es aber nicht.

»Das wirst du niemals vergessen können!« sagte ich.

»Nein! Aber ich liebe dich.«

Wir waren die letzten Gäste. An der Bar war das Licht schon gelöscht. Der Ober war bemüht, uns seine Erschöpfung nicht zu zeigen. Er verabschiedete sich mit Handschlag und besten Wünschen. Als wir unten im Flur waren, preßte Renata sich an mich, und ich streichelte unter dem Mantel ihren Körper.

Es regnete noch immer. Wir gingen durch menschenleere Straßen und Gassen, überquerten den Parkring und blieben vor einem Mietshaus stehen, das genauso in Berlin oder Hamburg hätte stehen können. Renata schloß die Haustür auf und schaltete das Treppenlicht an. Von einer nahen Kapelle her schlug die Uhr.

»Halb drei schon«, sagte ich.

Da blieb Renata, die vor mir die Treppe hinaufgegangen war, stehen, und ich sah ihr an, daß sie von mir zu hören erwartete: Es ist richtig, was wir tun. Aber ich fragte sie:

»Kannst du auch wirklich vergessen, was war?«

8

Liebe braucht in jedem Augenblick das Bewußtsein ihrer Beständigkeit, sie will Zukunft, fordert deshalb Entscheidungen. Unsere forderte sie schnell und mußte dabei noch Vergangenes überwinden. Ich wußte, als ich nach meiner Erzählung sein Gesicht sah, daß ich es konnte. Ich liebte ihn nicht weniger als vorher und sah keinen Grund, die Stunde, die uns noch blieb, zu verschenken.

Er aber glaubte mir nicht. Ihm schien seine Schuld stärker als unsere Liebe, und da wußte ich plötzlich, daß das die Schönheit dieser Stunde töten würde.

»Vergessen nicht, aber überwinden«, sagte ich und hoffte plötzlich wieder, daß es auch ihm gelingen könnte. Aber dann sah ich an seinen Augen, daß er mir nicht glaubte.

»Wir brauchen Zeit dazu«, sagte er.

Da ging ich die Treppe wieder hinab, an ihm vorbei zur Haustür.

»Ich komme wieder«, sagte er.

Er ging in den Regen hinaus. Vor der Tür blieb er stehen, um sich den Mantelkragen hochzuschlagen. Noch einmal sah er mich an. Aber er kam nicht zurück. Als die Tür zuschlug, war es mit meiner Kraft vorbei. Ich setzte mich auf die Treppe und weinte.

Günter Kunert
Fahrt mit der S-Bahn

1

Außen sind sie von einem schwärzlich gebrochenen Weinrot bis zur Scheibenhöhe; von da bis zum pechfarbenen Dach von unsauberem Ocker. Preßluft öffnet und schließt ihre Türen, und man steigt ergeben in sie, wie in ein lange erwartetes Verderben. Mit ihnen rolle ich von Bahnhof zu Bahnhof, nichtsahnend und nicht aufmerksamer als sonst. Und weiß nicht: es hat sich ein Fenster aufgetan als eine Wunde. Und wartet auf mich.

2

Obwohl an der Brandmauer oft genug vorbeigefahren, bemerkte ich ein Fenster nie. Vielleicht entwuchs es auch erst später den düsteren Ziegeln; vielleicht auch saß ich nur immer auf dem falschen Platz. Oder es rüttelte mich, der ich auf Rädern schwankend dahindämmerte, eines Tages der überalterte Wagen gemeinsam mit den ausgefahrenen Schienen überraschend wach. Vielleicht.

3

Nur die Namen unterscheiden die Stationen, deren Gleichartigkeit die Leute einfärbt, daß sie sich auf einmal kaum noch unterscheiden lassen. Und weil sie das wissen, halten sie während der Fahrt die Blicke hinter Zeitungen verborgen oder senken sie auf den Boden, der sich ständig fortbewegt. Man weiß, wie man selber ausschaut, wie man geworden ist, und man erspart sich, in den lebenden Spiegel gegenüber zu glotzen, der bloß während der Fahrt einer ist.

4

Auf dem Grund verflossener Ströme, von dem aus kaum die Dächer der Stadt sichtbar sind, poltern wir dahin. Oder wir bringen in Höhe des zweiten Stockwerks in den Straßen alle Scheiben zum Klirren. Hoch durch die Alleen oder sie kreuzend. Einblicke. Unerwartete Einsichten. Der Kanal: rot vom Licht der sinkenden Sonne für die Uneingeweihten; für uns aber, die wissen und wissen, ist es von Blut. Das hat sich untrennbar mit dem immerwiederkehrenden Wasser vermischt, damals, als es aus dem zerstörten Körper Rosa Luxemburgs lief. Dessen erinnert sich an manchen Tagen unter seiner Ölschicht er, der da schweigend durch die Stadt zieht. Wir weniger. Wir sozusagen gar nicht. Wir betrachten hingegeben unsere Stiefelspitzen. Wir zählen die Tropfen an der Scheibe. Wir fahren und fahren. Und ahnen nicht, daß hinter einem unerwarteten Fenster ein Licht aufgegangen ist. Und daß alles andere nur noch eine Frage der Zeit ist und der Perspektive.

5

Hinter Häusern entlang. Lärm des Fahrens, zurückgeworfen auf die Reisenden. Unvorsichtig nähern sich die Brandmauern dem aufgebockten Gleiskörper, daß der Fahrgast fürchten muß, sogleich schaffe es ihn in Wohnungen Räume Säle, durch Badestuben Aborte Kammern und lade ihn unversehens in einem Hinterzimmer aus, von wo kein Zug ihn je wieder abholen würde.

Brandmauern, Brandmauern. Sie rücken gegen mein Gesicht an, das ich an die verfleckte, betränte Scheibe lege, und zeigen mir ihre verlöschenden Inschriften, bevor sie sich hinter meinen Rücken zurückziehen. Manche künden von der Zeit, da ein Anzeiger sich humanitär aufs LOCAL beschränkte, wie abblätternde Buchstaben verraten. Ganz vereinsamte Lettern kommen mir hilflos entgegen und entschwinden unenträtselt mit der rhythmischen Bewegung, die mich trägt und schaukelt, und ohne sie zu verstehen, verstehe ich sie: die Überlebenden verschwundener vielsagender Schriften.

6

In Hinterhöfe von Fabriken, darinnen nichts mehr produziert wird als einförmige Tage, schaut man hinab, wenn man hinabschaut, als in unbekannte Abgründe dieser Stadt, dahinein unsere Brüder gestürzt sind, diese drohenden Gestänge verrosteten Metalls, unsere Schwestern, die Autowracks; wo unsere Väter ausruhen, die behauenen Steine, unsere Mütter, die lädierten Granitfiguren.

Von hier oben, und von Augenwinkel zu Augenwinkel, machen sie den Eindruck langen Bekanntseins mit ihnen; als hätten wir in den Höfen da unten während unserer Kindheit zwischen ihnen und mit ihnen gespielt, da sie und wir, wir allesamt etwas weniger mitgenommen waren.

7

Zwischen zwei Bahnhöfen dann. Eines Abends.

8

Aber eines Abends zwischen zwei Bahnhöfen geschieht es, daß ich mit voller Wucht in ein erleuchtetes Fenster hineinsehe. Das scheint nachträglich in eine rabenfederfinstre Brandmauer geschnitten, und es strahlt als einzige Unterbrechung der Fläche aus der Fläche heraus, da ich an diesem Abend zwischen zwei Bahnhöfen daran vorbeifahre.

Sehr kurz der Augenblick des Einblicks.

Aber ich renne sofort durch den langen, fast leeren Waggon gegen die Fahrtrichtung an, um wenigstens einen Zeitbruchteil länger zu sehen, was ich gesehen habe. Die Geschwindigkeit ist zu hoch. Derweil ich renne und renne, halten meine Augen nur die Ecke einer dunkelgebeizten glänzenden Anrichte fest, auf der ein Körbchen aus weißem Porzellan steht, Weidengeflecht nachahmend und gefüllt mit rotfleckigen Äpfeln.

Im Zimmer selber, das so schnell an mir vorbeigeschossen und das so freundlich erhellt war von einer Deckenlampe, innen mit orangefarbener, außen mit grüner Seide bespannt, da hatte kein anderer am Tisch gesessen als ich selbst: fröhlich lachend, einen Apfel in der Hand, ein lustiges Wort im Mund, das sah ich genau, halb hingewendet zu jemand neben mir, einem Freund, der eigentlich tot war und von mir vergessen. Mehrere Gestalten hatten sich im Zimmer befunden, die ich aus dem schwindenden Eindruck auf meiner Netzhaut zu identifizieren versuche, als sich die Fahrt verlangsamt und in einem jener Bahnhöfe zur Ruhe kommt, die so wenig erwähnenswerte Wahrzeichen unserer Lage sind.

9

Ich eile über die Fläche aus festgetretenem Zement, zerstampften Zigarettenresten, Papierfetzen, Schmutz, seit Bau des Bahnhofes ausharrend und bewahrt für die Stunde der Archäologen, die noch längst nicht geboren sind. Schnell über die Fläche und in den Zug, der auf der gegenüberliegenden Seite zurückfährt. Die Wange ans Fensterglas gepreßt, sehe ich zitternd die schwarze Brandmauer mit dem rechteckigen Lichtfleck näher kommen. Immer näher. Näher. Und bin schon heran und bemerke als erstes, daß ich inzwischen den Apfel aufgegessen habe. Vorbei.

Unter den Anwesenden fanden sich ausschließlich bekannte Gesichter, kein Fremder war dabeigewesen. Nur waren viele von ihnen seit je verschollen oder verbrannt oder erschlagen oder weggewandert oder zu Greisen geworden; dort aber waren sie alle versammelt. In jenem Zimmer stand die Tür hinter meinem vertrauensvollen Rücken offen und ließ ein weiteres

Zimmer sehen, ebenfalls erleuchtet, in dem sich ebenfalls Menschen bewegten, etwas undeutlicher zwar, doch mir genauso bekannt wie die anderen. Eine Stimmung ruhiger, gelassener Heiterkeit herrschte in den beiden Räumen, und mit dem Licht zusammen brach eine ungewöhnliche Friedlichkeit aus dem Fenster hervor, wie ich sie niemals kennengelernt hatte.

Die ganze scheppernde Wagenkette ist schon an der Brandmauer vorüber, doch ich habe das Bild klar vor mir, das sacht vergehende, wie ein mehr und mehr vergilbendes Foto aus einem Familienalbum, das aufgenommen worden war, als es noch Spaß machte, sich Erinnerungen zuzulegen.

10

Tagelang und abendelang suchte ich das Haus, das seine Schmalseite den Zügen zukehrt. Oft inmitten von Gerümpel lauerte ich, ob über mir die Wagen kämen; mag sein, ich war einfach unfähig, es zu entdecken, mag sein, es ist so gelegen, daß ich es nicht erreichen konnte, so bleibt: ich gelangte nie hin.

Den Zug auf freier Strecke anzuhalten gilt mir zu gefährlich und auch zu unsicher, denn zwischen Gleiskörper und Hauswand ist eine Kluft von mehreren Metern – unüberwindlich für mich.

So kann ich nichts tun, als, so oft es mir möglich ist, mit der S-Bahn zu fahren. Einmal jede Woche bin ich unterwegs auf der Strecke, hin und her und hin, und jedesmal beim Vorbeihuschen nehme ich auf, was das Zimmer mir bietet, wo wir alle heiter und wahrhaft bei uns und beisammen sind, Lebende und Tote, und wo wir uns über lauter lautere Nichtigkeiten unterhalten.

11

Wieder und wieder weiß ich, trägt mich der Zug vom Fenster fort: Könnte ich ein einziges Mal dort eintreten und mich vereinigen mit mir, der ich das apfelvolle Porzellankörbchen nie leer essen kann, so wäre alles ungeschehen, was die Wagenladungen von Worten niemals zudecken werden.

Einmal im richtigen Moment eintreten, und ich wäre erlöst. Und die Stadt dazu.

CHRISTA WOLF
Juninachmittag

Eine Geschichte? Etwas Festes, Greifbares, wie ein Topf mit zwei Henkeln, zum Anfassen und zum Daraus-Trinken?

Eine Vision vielleicht, falls Sie verstehen, was ich meine. Obwohl der Garten nie wirklicher war als dieses Jahr. Seit wir ihn kennen, das sind allerdings erst drei Jahre, hat er nie zeigen dürfen, was in ihm steckt. Nun stellt sich heraus, daß es nicht mehr und nicht weniger war als der Traum, ein grüner, wuchernder, wilder, üppiger Garten zu sein. Das Urbild eines Gartens. Der Garten überhaupt. Ich muß sagen, das rührt uns. Wir tauschen beifällige Bemerkungen über sein Wachstum und verstehen im stillen, daß er seine Üppigkeit übertreibt; daß er jetzt nicht anders kann, als zu übertreiben, denn wie sollte er die seltene Gelegenheit nicht gierig ausnützen, aus den Abfällen, aus den immer noch reichlichen Regenabfällen der fern und nah niedergehenden Unwetter Gewinn zu ziehen?

Dem eenen sin Ul is dem annern sin Nachtigall.

Was ein Ul ist? Das Kind saß zu meinen Füßen und schnitzte verbissen an einem Stückchen Borke, das zuerst ein Schiff werden wollte, später ein Dolch, dann etwas aus der Umgebung eines Regenschirms. Nun aber, wenn nicht alles trog, ein Ul. Dabei würde sich herausstellen, was dieses verflixte Ding von einem Ul eigentlich war. Obwohl man, das mußt du zugeben, mit so einem stumpfen Messer nicht schnitzen kann. Als ob nicht erwiesen wäre, daß man sich mit einem stumpfen Messer viel öfter schneidet als mit einem schönen scharfen! – Ich aber, geübt im Überhören versteckter Vorwürfe, legte mich in den Liegestuhl zurück und las weiter, was immer man gegen ein stumpfes Schnitzmesser vorbringen mochte.

Du, sagte ich etwas später zu meinem Mann, den ich nicht sehen konnte; aber seine Gartenschere war zu hören: beim Wein sicherlich; denn den mußte man dieses Jahr immerzu lichten, weil er sich gebärdete, als stünde er an einem Moselhang und nicht an einem dürftigen Staketengitter unter einer märkischen Kiefer. Du, sagte ich: Du hattest doch recht.

Eben, sagte er. Warum du das nie lesen wolltest!

Sie kann schreiben, sagte ich.

Obwohl nicht alles gut ist, sagte er, damit ich nicht wieder Gefahr lief, über das Ziel hinauszuschießen.

Kunststück! Aber wie sie mit diesem Land fertig wird...

Ja! sagte er überlegen. Italien!

Und das Meer? fragte ich herausfordernd.

Ja! rief er, als sei das erst der unwiderlegliche Beweis. Das Mittelmeer!

Aber das ist es ja nicht. Ein ganz genaues Wort neben dem anderen. Das ist es.

Obwohl das Mittelmeer vielleicht auch nicht vollständig zu verachten wäre, sagte er.

Ihr immer mit euern Fremdwörtern! sagte das Kind vorwurfsvoll.

Die Sonne, so selten sie war, hatte schon angefangen, sein Haar zu bleichen. Im Laufe des Sommers und besonders in den Ferien an der Ostsee würde wieder jener Goldhelm zustande kommen, den das Kind mit Würde trug, als etwas, was ihm zukam, und den wir von Jahr zu Jahr vergessen.

Ich blätterte eine Seite um, und der süßliche Duft von fast verblühten Akazien mischte sich mit dem fremden Geruch von Macchiastauden und Pinien, aber ich hütete mich, noch mehr Fremdwörter aufzubringen, und steckte meine Nase widerspruchslos in die Handvoll stachliger Blätter, die das Kind mir hinhielt, voller Schadenfreude über den unscheinbaren Ursprung des Pfefferminztees. Es stand wie ein Storch mitten in einer Insel wilden Schnittlauchs und rieb sich eins seiner hageren Beine am anderen. Mir fiel ein, daß es sommers wie winters nach Schnittlauch und Minze und Heu und nach allen möglichen Kräutern roch, die wir nicht kannten, die es aber geben mußte, denn das Kind roch nach ihnen.

Schnecken gehen übertrieben langsam, findest du nicht? sagte es, und es war nicht zu leugnen, daß die Schnecke in einer geschlagenen Stunde nicht fertiggebracht hatte, vom linken Holzbein meines Liegestuhls bis zur Regentonne zu kriechen. Obwohl man nicht völlig sicher sein konnte, wieweit sie unsere Wette vorhin verstanden und akzeptiert hatte und ob sich eine Schnecke so etwas vornehmen kann: in einer Stunde, die Regentonne, und überhaupt.

Wußtest du übrigens, daß sie wild nach Pflaumenblättern sind? Das hab ich ausprobiert.

Ich wußte es nicht. Ich habe in meinem Leben noch keine Schnecke essen sehen, am wenigsten Pflaumenblätter, aber ich behielt meine Unwissenheit und meine Zweifel für mich und ließ das Kind losgehen, um etwas zu suchen, was weniger enttäuschend wäre als diese Schnecke.

Als es nicht mehr zu hören war, war plötzlich sekundenlang überhaupt nichts mehr zu hören. Weder ein Vogel noch der Wind noch sonst irgendein Laut, und Sie können mir glauben, daß es beunruhigend ist, wenn unsere stille Gegend wirklich still wird. Man weiß ja nie, wozu alles den Atem anhält. Aber diesmal war es nur eines von diesen guten, alten Verkehrsflugzeugen; ich sage ja nicht, daß es nicht enorm schnell und komfortabel sein kann, denn die Fluggesellschaften, die uns überfliegen, stehen in hartem Konkurrenzkampf. Ich meine nur: es flog für jedermann sichtbar von Osten nach Westen, wenn man mit diesen Bezeichnungen ausnahmsweise nichts als die Himmelsrichtungen meint; für das Gefühl der meisten Fluggäste flog die Maschine wohl von Westen nach Westen; das kommt daher, daß sie in Westberlin aufgestiegen war, denn der Luftkorridor – ein Wort, über das man lange nachdenken könnte – führt just über unseren Garten und die Regentonne und meinen Liegestuhl, von dem aus ich mit Genugtuung beobachtete, wie dieses Flugzeug ohne die geringste Mühe nicht nur sein eigenes Brummen, sondern überhaupt alle Geräusche hinter sich herzog, die in unseren Garten gehörten.

Ich weiß nicht, ob anderswo der Himmel auch so dicht besetzt ist wie bei uns. Indem man sich platt auf die Erde legt und in den Himmel starrt, könnte man in einer Stunde die Flugzeugtypen vieler Herren Länder kennenlernen. Aber das nützt mir nichts, denn mir hat nicht einmal der Krieg beigebracht, Flugzeuge verschiedener Fabrikate und Bestimmungen voneinander zu unterscheiden. Ich weiß nicht mal: Blinzeln sie rechts rot und links grün, wenn sie nachts über unser Haus fliegen und hinter den Bäumen in der Dunkelheit verschwinden, oder umgekehrt?

Und: Kümmern sie sich eigentlich im geringsten um uns? Nun ja: ich bin oft genug geflogen, um zu wissen, daß die Maschine keine Augen zum Sehen und keine Seele zum Kümmern hat. Aber ich gehe jede Wette ein, daß mehr als ein Staatssekretär und Bankier und Wirtschaftskapitän heute nachmittag über uns dahinzieht. Sogar für diese oder jene der neuerdings so betriebsamen Prinzessinnen möchte ich mich fast verbürgen. Man hat die Woche über das Seine getan und in sich und anderen das Gefühl gestärkt, auf Vorposten zu stehen, und am Sonnabend fliegt man guten Gewissens nach Hause. Man interessiert sich beim Aufsteigen flüchtig für dieses Land da, Landstraßen, Ortschaften, Gewässer, Häuser und Gärten. Irgendwo drei Punkte in einer grünen Fläche (die Schnecke lasse ich natürlich aus dem Spiel). Sieh mal an: Leute. Na ja. Wie die hier wohl leben. Übrigens: ungünstiges Gelände. Von der Luft aus alleine ist da nicht viel zu machen.

Denk bloß nicht, daß ich dich jetzt schlafen lasse, sagte das Kind. Es hatte sich auf Indianerart angeschlichen und war befriedigt, daß ich erschrak. Es hockte sich neben mich, um auch in den Himmel zu gucken und ihn nach Schiffen und Burgen abzusuchen, nach wilden Gebirgsketten und goldüberzogenen Meeren der Seligkeit. Keine Schlachtschiffe heute. Keine Unwetterdrohung weit und breit. Nur das ferne Motorenbrummen und die atemberaubende Entwicklung einer Wüstenoase, auf deren Palmengipfeln die Sonne lag und deren Tierwelt sich in wunderbarer Schnelligkeit verwandelte, denn dort oben hatten sie den Trick heraus, eins aus dem anderen hervorgehen, eins ins andere übergehen zu lassen: das Kamel in den Löwen, das Nashorn in den Tiger und, was allerdings etwas befremdend war, die Giraffe in den Pinguin. Uns kam ein Anflug von Unsicherheit über die Zuverlässigkeit von Himmelslandschaften, aber wir verbargen ihn voreinander.

Weißt du eigentlich, daß du früher immer Ingupin gesagt hast, fragte ich.

Statt Pinguin? So dumm war ich nie!

Wie lange ist für ein achtjähriges Kind nie? Und wie lange ewig? Vier Jahre? oder zehn? Oder die unvorstellbare Spanne zwischen ihrem Alter und dem meinen?

Ingupin! beharrte ich. Frag Vater.

Aber wir konnten ihn nicht fragen. Ich konnte nicht hören, wie er auflachte und Ingupin sagte, in demselben Tonfall, den er vor vier Jahren hatte. Ich konnte den Blick nicht erwidern, den er mir zuwerfen würde. Denn Vater sprach am Zaun mit dem Gartennachbar. Was man so sagt: Wie? Sie wollen die wilden Reizker an Ihren Tomaten noch mehr kappen? Das kann doch nicht Ihr Ernst sein! Wir hörten dem Streit mit überheblichem Vergnügen zu, wie man auf etwas hört, was einen nicht wirklich angeht. Übrigens gaben wir dem Vater recht. Aus Prinzip und weil der Nachbar im Frühjahr unseren letzten Respekt verloren hat, als er in vollem Ernst verlangte, das Kind solle all die mindestens sechshundert gelben Butterblumen in unserem Garten abpflücken, damit sie nicht zu Pusteblumen werden und als Samen sein akkurat gepflegtes Grundstück bedrohen konnten. Wir hatten viel Spaß an dem Gedanken: Armeen von Pusteblumenfallschirmchen – sechshundert mal dreißig, grob gerechnet – treiben eines Tages in einem freundlichen Südwestwind auf des Nachbars Garten los, und er steht da, ächzend, weil er zu dick wird, bis an die Zähne mit Hacke und Spaten und Gartenschlauch bewaffnet, seinen Strohhut auf dem Kopf und seinen wütenden kleinen schwarzen Köter zu seinen Füßen; aber sie alle zusammen richten nichts aus gegen die Pusteblumensamen, die gemächlich herbeisegeln und sich niederlassen, wo sie eben abgesetzt werden, ohne Hast und ohne Widerstreben, denn das bißchen Erde und Feuchtigkeit, um erst mal Fuß zu fassen und einen winzigen Keim zu treiben, findet sich allemal.

Wir waren ganz und gar auf seiten der Pusteblumen.

Immerhin beklagte sich der Nachbar zu Recht, daß die Erdbeeren dieses Jahr am Stiel faulen und daß kein Mensch weiß, wohin das führen soll, wenn ein heiterer Nachmittag wie dieser zu den großen Ausnahmen gehört.

Mitten in dieses müde Gerede, in das gedämpfte Gelächter aus einem anderen Garten, in den ein wenig traurigen Dialog meines Buches brach der trockene, scharfe, wahrhaft markerschütternde Knall eines Düsenfliegers. Immer genau über uns, sagte das Kind beleidigt, aber nicht erschrocken, und ich ließ mir nicht anmerken, wie leicht mir immer noch durch einen Schreck der Boden unter den Füßen wegsackt. – Er schafft es ja nicht anders, sagte ich. – Was denn? – Die Schallmauer. Er muß ja durch. – Warum? – Er ist extra dafür gemacht, und nun muß er durch. Auch wenn es noch mal so laut krachen würde. – Das muß ihm doch selber peinlich sein. Vielleicht steckt sich der Flieger Watte in die Ohren? – Aber er hört ja nichts. Das ist es doch: der Schall bleibt hinter ihm. – Praktisch, findest du nicht? sagte das Kind und setzte im selben Ton hinzu: Mir ist langweilig.

Ich weiß wohl, daß man die Langeweile von Kindern zu fürchten hat und daß sie nicht zu vergleichen ist mit der Langeweile von Erwachsenen; es sei denn, ihre Langeweile wäre tödlich geworden: Was sollten wir mehr fürchten müssen als die tödliche Langeweile ganzer Völker? Aber davon kann hier nicht die Rede sein. Ich mußte mit der Langeweile des Kindes fertig werden und sagte vage und unwirksam: Mach doch was.

In der Zeitung steht, sagte das Kind, man soll Kindern Aufgaben geben. Davon werden sie gebildet.

Du liest Zeitung?

Natürlich. Aber die besten Sachen nimmt Vater mir weg. Zum Beispiel: »Leiche des Ehemanns in der Bettlade«.

Das wolltest du unbedingt lesen?

Das wäre spannend gewesen. Hatte die Ehefrau den Ehemann ermordet?

Keine Ahnung.

Oder wer hatte ihn im Bettkasten versteckt?

Aber ich hab doch diesen Artikel nicht gelesen!

Wenn ich groß bin, lese ich alle diese Artikel. Mir ist langweilig.

Ich wies das Kind an, Wasser und Lappen zu holen und Tisch und Stühle abzuwischen, und ich sah die Leiche des Ehemanns in der Bettlade durch seine Träume schwimmen, sah Ehefrauen herumgeistern, die darauf aus sind, ihre Männer umzubringen – womit denn bloß? Mit einem Beil? Mit dem Küchenmesser? Mit der Wäscheleine?, sah mich an seinem Bett stehen: Was ist denn? Hast du schlecht geträumt? und sah seine erschrockenen Augen: Nichts. Mir ist nichts. Seid ihr alle da? Irgendwann einmal wird das Kind seinen Kindern von einem frühen Alptraum erzählen. Der Garten wird längst versunken sein, über ein altes Foto von mir wird es verlegen den Kopf schütteln, und von sich selbst wird es fast nichts mehr wissen. Die Leiche des Ehemanns in der Bettlade aber wird sich erhalten haben, bleich und unverfroren, so wie mich noch immer jener Mann peinigt, von dem mein Großvater mir einst erzählt hat: Für eine grausige Bluttat zum Wahnsinn durch einen Wassertropfen verurteilt, der in regelmäßigen Abständen tagein, tagaus auf seinen geschorenen Kopf fiel.

He, sagte mein Mann, hörst du heute nicht?

Ich dachte an meinen Großvater.

An welchen – an den, der mit achtzig noch Kopfstand machte?

An den, der fünfundvierzig an Typhus starb.

Der mit dem Seehundsbart?

Ja. Der.

Daß ich mich unter deinen Großvätern nie zurechtfinden kann!

Es muß an dir liegen. Sie sind nicht zu verwechseln.

Er fuhr fort, sich über meine Großväter zu entrüsten, und

ich fuhr fort, sie in Schutz zu nehmen, als müßten wir einen unsichtbaren Zuschauer über unsere wahren Gedanken und Absichten täuschen. Er stand neben dem kleinen Aprikosenbaum, der dieses Jahr überraschend aus seiner Kümmerlichkeit herausgeschossen ist, wenn er es auch nicht fertiggebracht hat, mehr als eine einzige Frucht zu bilden, und diese winzige grüne Aprikose gaben wir vor anzusehen; so weit trieben wir die Täuschung. Was er in Wirklichkeit ansah, weiß ich nicht. Ich jedenfalls wunderte mich über die Beleuchtung, die jetzt den Aprikosenbaum umgab und alles, was in seiner Nähe herumstand, so daß man ohne den geringsten Überdruß eine Weile hinsehen konnte. Auch wenn man inzwischen von den Großvätern zu etwas anderem überging, zum Beispiel zu dem Buch, das ich immer noch in der Hand hielt und dessen Vorzug gerade darin lag, nicht zu stören beim Betrachten von Aprikosenbäumen. Sondern das Seine dazuzugeben, in aller Bescheidenheit, wie der Dritte es soll.

Aber ein paar zu viele Einsiedler und Propheten und Verhexte kamen doch in ihm vor, darüber wurden wir uns einig, und ich holte mir die Erlaubnis, eine Geschichte zu überspringen, in der eine gräßliche Volksrache an einem Verräter mit allen Einzelheiten beschrieben sein soll; ich gab zu, all diesen Verstümmelungen und Ermordungen von Männern vor den Augen ihrer gefesselten Frauen nicht mehr gewachsen zu sein; ich gab zu, daß ich neuerdings Angst habe vor dem nächsten Tropfen, der auf unsere bloßen Köpfe fällt.

Genau in diesem Augenblick trat unsere Tochter auf, und drüben schob der Ingenieur sein neues froschgrünes Auto zur Sonnabendwäsche aus der Garage. Was das Auto betrifft: niemand von uns hätte den traurigen Mut gehabt, dem Ingenieur zu sagen, daß sein Auto froschgrün ist, denn in den Wagenpapieren steht »lindgrün«, und daran hält er sich. Er hält sich überhaupt an Vorgedrucktes. Sie brauchen nur seinen Haarschnitt anzusehen, um die neuesten Empfehlungen der Zeitschrift ›Ihre Frisur‹ zu kennen, und seine Wohnung, um zu wissen, was vor zwei Jahren in der ›Innenarchitektur‹ für unerläßlich gehalten wurde. Er ist ein freundlicher, semmelblonder Mann, unser Ingenieur, er interessiert sich nicht für Politik, aber er sieht hilflos aus, wenn wir den letzten Leitartikel fade nennen. Er läßt sich nie etwas anmerken, und wir lassen uns auch nie etwas anmerken, denn wir sind fest überzeugt, daß der semmelblonde Ingenieur mit seinem froschgrünen

Auto dasselbe Recht hat, auf dieser Erde zu sein, wie wir mit unseren Pusteblumen und Himmelslandschaften und diesem und jenem etwas traurigen Buch. Wenn nur unsere dreizehnjährige Tochter, eben die, die gerade durch die Gartentür kommt, sich nicht in den Kopf gesetzt hätte, alles, was mit dem Ingenieur zusammenhängt, modern zu finden. Und wenn wir nicht wüßten, welch katastrophale Sprengkraft für sie in diesem Wort steckt.

Habt ihr gesehen, was für eine schicke Sonnenbrille er heute wieder aufhat, fragte sie im Näherkommen. Ich konnte durch einen Blick verhindern, daß der Vater die Sonnenbrille, die wir gar nicht beachtet hatten, unmöglich nannte, und wir sahen schweigend zu, wie sie über das Stückchen Wiese stakste und einen sehr langen Schatten warf, wie sie sich auf komplizierte Weise neben dem Aprikosenbäumchen niederließ und ihre Bluse glattzog, um uns klarzumachen, daß es kein Kind mehr war, was da vor uns saß.

Sagte ich schon, daß sie von der Probe zum Schulfest kam?

Es klappt nicht, sagte sie. Rein gar nichts klappt. Wie findet ihr das?

Normal, sagte der Vater, und ich glaube bis heute, das war nichts anderes als die Rache für die schicke Sonnenbrille des Ingenieurs.

Ja, du! sagte die Tochter aufgebracht. Du findest es womöglich normal, wenn die Rezitatoren ihre Gedichte nicht können und wenn der Chor ewig den Ton nicht trifft und wenn die Solotänzerin andauernd auf den Hintern fällt?

Von dir lerne ich alle diese Ausdrücke, stellte das Kind fest, das auf dem Rand der Regentonne saß und sich kein Wort aus dem nervenaufreibenden Leben der großen Schwester entgehen ließ. Das brachte den Vater zu der Erklärung, daß, wenn eine Solotänzerin auf den Hintern falle, dies eine bedauerliche Tatsache sei, aber kein Ausdruck. Die wirkliche Frage allerdings bestehe darin, ob man beim Schulfest überhaupt eine Solotänzerin brauche?

Wie soll ich Ihnen in dürren Worten begreiflich machen, daß der Streit, der nun losging, tiefe Wurzeln hatte, die weniger aus dem zufälligen Auftritt einer Solotänzerin ihre Nahrung zogen als aus der grundsätzlichen Meinungsverschiedenheit über den Geschmack der Lehrerin, die alle Schulfeste ausrichtet, seit unsere Kinder an dieser Schule sind. Immer noch hat sie in der neunten oder zehnten Klasse ein gutgebautes Mädchen gefunden, das bereit war, in einem roten Schleiergewand über die Bühne zu schweben und zu einer Klaviermusik anzudeuten, daß es sich nach irgend etwas sehnt. Wenn Sie mich fragen: diese Mädchen haben weder erbitterte Ablehnung noch unkritische Verzückung verdient, aber, wie ich schon sagte, um sie geht es ja nicht. Es geht ja nicht mal um die Neigung der Lehrerin zu bengalischer Beleuchtung, denn mit allen möglichen Arten von Beleuchtung fertig zu werden, sollten wir wohl gelernt haben. Nein: in Wirklichkeit erträgt er nicht seiner Tochter schmerzhafte Hingabe an alles, was sie für vollkommen hält; erträgt nicht den Anblick ihrer Verletzbarkeit; stellt sich, töricht genug, immer wieder bei Gewitter ins freie Feld, um die Blitze, die ihr zugedacht sind, auf sich abzulenken. Wofür er im Wechsel stürmische Zärtlichkeit erntet und wütenden Undank, so daß er tausendmal sagt: Von dieser Sekunde an werde ich mich nie wieder in diese Weibersachen einmischen, das schwöre ich. – Aber wir hören nicht auf seine Schwüre, denn er ist eingemischt, mit und ohne Schwur. Da beißt die Maus kein'n Faden ab.

Mause-Loch, sagte das Kind versuchsweise fragend: Werden sie mich weiter links liegenlassen? Die Antworten, die es in schneller Folge von uns bekam und die ich hier getreulich verzeichne, werden Sie merkwürdig finden: Regen-Wurm, sagte ich. Glücks-Pilz, sagte der Vater. Nacht-Gespenst, sagte die Tochter. Bei einer so guten Sammlung von Wörtern konnte unser Spiel unverzüglich losgehen, und die erste Runde lautete: Regenloch, Mausepilz, Glücksgespenst und Nachtwurm, dann kamen wir schon in Fahrt und ließen uns hinreißen zu Lochwurm und Mausegespenst und Regenglück und Pilznacht, und danach war kein Halten mehr, die Dämme brachen und überschwemmten alles Land mit den hervorragendsten Mißbildungen, Wurmgespenst und Mauseregen und Nachtloch und Pilzwurm und Lochglück und Nachtregen und Pilzmaus quollen hervor.

Verzeihen Sie. Aber es ist schwer, sich nicht hinreißen zu lassen. Möglicherweise gibt es bessere Wörter. Und natürlich sind fünf oder sechs Spieler besser als vier. Wir haben es mal mit dem Ingenieur versucht. Wissen Sie, was er sagte? Sie erraten es nicht. Natürlich betrog er uns. Zu den Spielregeln gehört ja, daß jeder, ohne nachzudenken, das Wort nennt, das obenauf in seinem Kopf liegt. Der Ingenieur aber grub vor unseren Augen sein Gehirn sekundenlang um und um, er strengte sich mächtig an, bis er, sehr erleichtert, Aufbau-Stunde zutage förderte. Wir ließen uns natürlich nicht lumpen und gruben auch und bedienten ihn mit Arbeits-Brigade und Sonder-Schicht und Gewerkschafts-Zeitung, und das Kind brachte ganz verwirrt Pionier-Leiter heraus. Aber ein richtiges Spiel wurde nicht aus Gewerkschaftsaufbau und Brigadestunde und Sonderarbeit und Schichtleiter und Zeitungspionier, wir trieben es lustlos ein Weilchen, lachten pflichtgemäß kurz auf bei Leitergewerkschaft und brachen dann ab.

Niemand von uns verlor ein Wort über diesen mißglückten Versuch, um die Gefühle der Tochter nicht zu verletzen, aber es arbeitete sichtbar in ihr, bis sie abends trotzig hervorbrachte: Er hat eben Bewußtsein!

Schneegans, sagte damals der Vater, dasselbe, was er auch heute sagt, weil die Tochter die erledigte Solotänzerin noch einmal hervorzieht und zu ihrer Rechtfertigung anführt, sie werde diesmal wunderbarerweise in einem meergrünen Kleid auftreten. Meergrüne Schneegans! Er nahm das Kind an die Hand, und sie gingen los mit Gesichtern, als verließen sie uns für immer und nicht nur für einen kurzen Gang zu ihrer geheimen Kleestelle, denn von Glückspilz waren sie zwanglos auf Glücksklee gekommen. Die Tochter aber sah ihnen triumphierend nach. Schneegans sagt er immer, wenn er kein Argument mehr hat, nicht? Hast du zufällig einen Kamm?

Ich gab ihr den Kamm, und sie holte einen Spiegel aus ihrem Körbchen hervor und befestigte ihn umständlich in den Zweigen des kleinen Aprikosenbaums. Dann nahm sie das Band aus ihrem Haar und begann sich zu kämmen. Ich wartete, weil es nicht lohnte, eine neue Seite anzufangen. Ich sah, wie sie sich zu beherrschen suchte, aber es mußte gesagt sein: Sie sitzen überhaupt nicht, siehst du das? – Wer, bitte? – Meine Haare. Kommt nichts dabei heraus, wenn man sie kurz vor dem Schlafengehen wäscht. Nun war es gesagt. Diese Frisur brachte ihre zu große Nase stark zur Geltung – aber erbarm dich, fügte ich hastig ein, du hast doch gar keine zu große Nase! –, wenn sie auch den Vorteil hatte, ihre Trägerin etwas älter zu machen. Der Busschaffner eben hatte sie jedenfalls mit »Sie« angeredet: Sie, Frollein, ziehn Sie mal ein bißchen Ihre Beine ein! Das war ihr peinlich gewesen, aber nicht nur peinlich, verstehst du? – Hättest du nicht, sagte ich, absichtlich die Akzente verschiebend, ihm einen kleinen Dämpfer geben können? Vielleicht so: Reden Sie etwa mit mir so höflich? – Ach nein. So etwas fällt ihr leider nie ein, wenn sie es brauchte, und außerdem ging es ja nicht um die Unhöflichkeit des Busschaffners, sondern um das »Sie«. Jedoch, um auf die Haare zurückzukommen: Du, sagte meine Tochter. Was möchtest du lieber sein, schön oder klug?

Kennen Sie das Gefühl, wenn eine Frage in Ihnen einschlägt? Ich wußte sofort, daß dies die Frage aller Fragen war und daß sie mich in ein unlösbares Dilemma brachte. Ich redete ein langes und breites, und am Gesicht meiner Tochter sah ich, wie sie mich aller Vergehen, die in meiner Antwort denkbar waren, nacheinander für schuldig hielt, und ich bat im stillen eine unvorhandene Instanz um eine glückliche Eingebung und dachte: Wie sie mir ähnlich wird; wenn sie es bloß noch nicht merkt!, und laut sagte ich plötzlich: Also hör mal zu. Wenn du mich so anguckst und mir sowieso kein Wort glaubst – warum fragst du mich dann erst?

Da hatte ich sie am Hals, und darauf war die Frage ja auch angelegt. Der Kamm lag wie für immer im Gras, und ich hatte ihre weichen Lippen überall auf meinem Gesicht und an meinem Ohr sehr willkommene Beteuerungen von Ich-hab-nur-dich-wirklich-lieb und von ewigem Bei-mir-Bleiben und Immer-auf-mich-hören-Wollen, jene heftigen Eide eben, die man zum eigenen Schutz überstürzt leistet, kurz ehe man sie endgültig brechen muß. Und ich glaubte jedes Wort und spottete meiner Schwäche und meinem Hang zum billigen Selbstbetrug.

Jetzt lecken sie sich wieder ab, sagte das Kind verächtlich und warf mir lässig ein Sträußchen Klee in den Schoß, sieben Kleestengelchen, und jedes von ihnen hatte vier wohlausgebildete Blätter, wovon man sich gefälligst überzeugen wolle. Keine optische Täuschung, kein doppelter Boden, keine Klebespucke im Spiel. Solides vierblättriges Glück.

Sieben! rief die Tochter elektrisiert. Sieben ist meine Glückszahl. Kurz und gut: sie wollte die Blätter haben. Alle sieben für sich allein. Wir fanden nicht gleich Worte für diesen unmäßigen Anspruch, und wir kamen gar nicht darauf, sie zu erinnern, daß sie sich noch nie für Glücksklee interessiert hatte und auch selber nie ein einziges vierblättriges Kleeblatt fand. Wir sahen sie nur groß an und schwiegen. Aber sie war so auf das Glück versessen, daß sie kein bißchen verlegen wurde.

Ja, sagte das Kind schließlich. Sieben ist ihre Glückszahl, das stimmt. Wenn wir zur Schule gehen, macht sie immer sieben Schritte von einem Baum bis zum nächsten. Zum Verrücktwerden. Sie nahm, als sei das ein Akt unvermeidlicher Gerechtigkeit, die Blätter aus meinem Schoß und gab sie der Schwester. Übrigens bekam ich sie sofort zurück, nachdem die Tochter sie heftig gegen ihre angeblich zu große Nase gepreßt hatte; ich sollte sie vorläufig in meinem Buch aufbewahren. Es wurde sorgfältig überwacht, wie ich sie zwischen Pinien und Macchiastauden legte, an den Rand des fremden Mittelmeeres, auf die Stufen jener Treppe zu dem Wahrsager, der aus Barmherzigkeit log, auf den Holztisch, an dem der junge Gastwirt seine Gäste bewirtet hatte, solange er noch glücklich und nicht als Opfer eines düsteren Unheils gezeichnet war. Die Seiten, auf denen jene gräßliche Rachetat begangen wird, ließ ich aus, denn was weiß ich von vierblättrigem Klee und von der Glückszahl Sieben, und was gibt mir das Recht, gewisse Kräfte herauszufordern?

Sicher ist sicher.

Wer von euch hat nun wieder meinen Bindfaden weggenommen? Mit einem Schlag rutschte die fremde Flora und Fauna den Horizont herunter, wohin sie ja auch gehört, und was uns anging, war des Vaters düsteres Gesicht.

Bindfaden? Niemand, sagten wir tapfer. Was für Bindfaden?

Ob wir keine Augen im Kopf hätten, zu sehen, daß die Rosen angebunden werden müßten?

Das Kind zog eine der Schnüre aus seiner Hosentasche, die es immer bei sich trug, und bot sie an. Das machte uns anderen bewußt, daß es Ernst war. Die Tochter schlug vor, neuen Bindfaden zu holen. Aber der Vater wollte keinen neuen Bindfaden, sondern die sechs Enden, die er gerade zurechtgeschnitten und hier irgendwo hingelegt hatte und die wir ihm natürlich wegnehmen mußten. Siehst du, sagten wir uns mit Blicken, man hätte ihn nicht so lange sich selbst überlassen dürfen, man hätte ihm wenigstens ein Kleeblatt in die Tasche stecken sollen, denn jedermann braucht Schutz vor bösen Geistern, wenn er allein ist. Wir sahen uns für den Rest des Nachmittags Bindfaden suchen und hörten obendrein den Vater sein Geschick beklagen, das ihn unter drei Frauen geworfen hat. Wir seufzten also und wußten uns nicht zu helfen. Da kam Frau B.

Frau B. schaukelte über die Wiese heran, weil sie bei jedem Schritt ihr ganzes Gewicht von einem Bein auf das andere verlagern muß, und in ihrer linken Hand trug sie ihre Einkaufstasche, ohne die sie nicht auf die Straße geht, aber in ihrer Rechten hielt sie sechs Enden Bindfaden. Na, sagte sie, die hat doch einer wieder am Zaun hängenlassen. Nachher werden sie gesucht, und dann ist der Teufel los.

Ach ja, sagte der Vater, die kommen mir eigentlich gerade zupaß. Er nahm den Bindfaden und ging zu den Rosen.

Vielen Dank, Frau B., sagten wir. Aber setzen Sie sich doch.

Die Tochter holte einen von den frisch abgewaschenen Gartenstühlen, und wir sahen etwas besorgt zu, wie er vollständig unter dem mächtigen Körper der Frau B. verschwand. Frau B. pustete ein bißchen, denn für sie, wie sie nun mal ist, wird jeder Weg eine Arbeit, sie schöpfte neuen Atem und teilte uns dann mit, daß der geschossene Zustand unserer Erdbeeren von übermäßiger künstlicher Düngung herrühre. Frau B. ist nämlich kein noch so merkwürdiges Verhalten irgendeiner lebenden Kreatur fremd, sie sieht mit einem Blick die Krankheit und ihre Wurzel, wo andere Leute lange herumsuchen müssen. Unsere Wiese hätte längst gemäht und das Unkraut auf dem Möhrenbeet verzogen werden müssen, sagte sie uns, und wir bestritten nichts. Aber dann gab uns Frau B. Grund zum Staunen mit der Frage, ob wir eigentlich schon in das Innere der gelben Rose geblickt hätten, die als erste links auf dem Beet stehe. Nein, in die Rose hineingesehen hatten wir noch nicht, und wir fühlten, daß wir ihr damit etwas schuldig geblieben waren. Das Kind lief gleich, es nachzuholen, und kam atemlos mit der Meldung zurück: Es lohne sich. Nach innen zu werde die Rose dunkelgelber, zum Schluß sogar beinahe rosa. Wenn auch ein Rosa, was es sonst nicht gibt. Das Tollste aber sei, wie tief diese Rose war. Wirklich, man hätte es nicht gedacht.

Wie ich Ihnen gesagt habe, sagte Frau B. Es ist eine edle Sorte. Die Haselnüsse haben aber auch gut angesetzt dieses Jahr.

Ja, Frau B., sagten wir. Und jetzt erst, nachdem Frau B. es bemerkt, hatten die Haselnüsse wirklich gut angesetzt, und uns schien, alles, worauf ihr Blick mit Zustimmung oder Mißbilligung gelegen, sogar die geschossenen Erdbeeren, hatte nun erst den rechten Segen.

Da tat Frau B. ihren Mund auf und sagte: Dieses Jahr verfault die Ernte auf dem Halm.

Aber Frau B.! riefen wir.

Ja, sagte sie ungerührt. Das ist, wie es ist. Wie der Hundertjährige Kalender sagt: Unwetter und Regen und Gewitter und Überschwemmungen. Die Ernte bleibt draußen und verfault auf dem Halm.

Da schwiegen wir. Wir sahen die Ernte nach dem Hundertjährigen Kalender zugrunde gehen unter den gelassenen Blicken der Frau B., und eine Sekunde lang kam es uns vielleicht vor, daß sie selber es war, die über die Ernte und die Haselnüsse und die Erdbeeren und Rosen zu befinden hatte. Es ist ja nicht ganz ausgeschlossen, daß man durch lebenslängliche Arbeit an den Produkten der Natur ein gewisses Mitspracherecht über sie erwerben kann. Vergebens versuchte ich, mir die Fluten von Fruchtsäften, die Berge von Marmeladen und Gelees vorzustellen, die im Laufe von vierzig Jahren über Frau B.s Küchentisch gegangen waren, ich sah die Waggons voller Möhren und grüner Bohnen, die aus ihren Händen gewachsen und von ihren Fingern geputzt worden waren, die Tausende von Hühnern, die sie gefüttert, die Schweine und Kaninchen, die sie gemästet, die Ziegen, die sie gemolken hatte, und ich mußte zugeben, daß es gerecht wäre, wenn MAN ihr nun vor anderen mitteilen würde: Also hören Sie mal zu, meine liebe Frau B., was dieses Jahr die Ernte betrifft, dachten WIR...

Denn den Hundertjährigen Kalender hat ja auch noch kein Mensch mit Augen gesehen.

Da sind sie ja wieder, sagte Frau B. befriedigt. Ich muß mich bloß wundern, daß es ihnen nicht über wird.

Wem denn, Frau B.? Was denn?

Doch da sahen wir sie auch: die Hubschrauber. Muß ich mich entschuldigen für den regen Flugverkehr über unserem Gebiet? Tatsache ist: um diese Nachmittagsstunde fliegen zwei Hubschrauber die Grenze ab, was immer sie über dem Drahtzaun zu erblicken hoffen oder fürchten mögen. Wir aber, wenn wir gerade Zeit haben, können einmal am Tage sehen, wie nahe die Grenze ist, wir können die langen Propellerarme kreisen sehen und uns gegenseitig die hellen Flecke in der Kanzel, die Gesichter der Piloten, zeigen, wir können uns fragen, ob es immer die gleichen sind, die man für diesen Flug abkommandiert hat, oder ob sie sich abwechseln. Vielleicht schicken sie sie bloß, um uns an sie zu gewöhnen. Man hat ja keine Angst vor Sachen, die man jeden Tag sieht. Aber nicht einmal die nächtlichen Scheinwerfer und die roten und gelben Leuchtkugeln, die vor der Lichtkuppel der Großstadt aufzischen, rücken uns die Grenze so nahe wie die harmlos-neugierigen Hubschrauber, die das Tageslicht nicht scheun.

Zu denken, daß er aus Texas sein könnte, sagte Frau B. Wo gerade mein Junge ist.

Wer denn, Frau B.?

Der Flieger da. Er kann doch ebensogut aus Texas sein, oder nicht?

Das kann er. Aber was in aller Welt macht Ihr Sohn in Texas?

Fußball spielen, sagte Frau B.

Da fiel uns wieder alles über ihren taubstummen Sohn ein, der mit seiner ebenfalls taubstummen Frau im Westen lebte und der nun mit der Fußballmannschaft der Gehörlosen in Texas war, ohne zu ahnen, was seine Mutter gerade angesichts eines fremden Hubschrauberpiloten sagt. Auch Anita fiel uns ein, Frau B.s Tochter, die ebenfalls taub war und allein in einer fremden, aber erreichbaren Stadt einen Beruf lernte und jede Woche ihre Wäsche nach Hause schickte. Wir sahen Frau B. noch einmal an und suchten Spuren von Schicksal in ihrem Gesicht. Aber wir sahen nichts Besonderes.

Seht mal alle geradeaus, sagte das Kind und zog eine Grimasse. Am Zaun stand unsere Nachbarin, die Witwe Horn.

Prost die Mahlzeit, sagte Frau B. Dann werd ich man gehen.

Aber sie blieb und drehte ihren ganzen mächtigen Körper dem Zaun zu und sah der Witwe Horn entgegen: der Frau, die keine Zwiebel an Kartoffelpuffer macht und die ihren verstopften Ausguß nicht reparieren läßt und die sich kein Kopftuch zum Wechseln leistet, aus nacktem, blankem Geiz. Sie war gekommen, mit ihrer durchdringenden, teilnahmslosen Stimme zu uns über das Eisenbahnunglück zu reden.

Jetzt sind es zwölf, sagte sie statt einer Begrüßung.

Guten Tag, erwiderten wir beklommen. Was denn: zwölf?

Zwölf Tote, sagte die Witwe Horn. Nicht neun, wie sie gestern noch in der Zeitung schrieben.

Allmächtiger Himmel, sagte Frau B. und sah unsere Nachbarin an, als habe *sie* die drei Toten umgebracht, die gestern noch nicht in der Zeitung standen. Wir wußten, daß Frau B. ihr alles zutraute, denn wer am Gelde hängt, stiehlt auch und bringt Leute um, aber das ging zu weit. Auch wenn uns selbst das Glitzern in den Augen der Witwe Horn nicht recht gefallen wollte.

Woher wissen Sie denn das, fragten wir, und ist es wirklich sicher, daß drei aus unserem Ort dabei sind?

Vier, sagte unsere Nachbarin beiläufig. Aber die Frau von diesem Schauspieler war ja hoch versichert.

Nein, sagten wir und wurden blaß. Ist sie auch tot?

Natürlich, sagte die Witwe Horn streng.

Da schwiegen wir ein paar Sekunden lang für die Frau vom Schauspieler. Ein letztes Mal kam sie mit ihren beiden Dackeln die Straße herauf bis zu unserer Gartentür, ein letztes Mal beschwerte sie sich zwischen Ernst und Spaß über die Unarten der Hunde, ließ sie sich widerstrebend von Baum zu Baum ziehen und strich ihr langes blondes Haar zurück. Ja: jetzt sahen wir es alle, daß sie schönes Haar hatte, kaum gefärbt, und daß sie schlank war und gut aussah für ihr Alter. Aber wir konnten es ihr nicht sagen, sie war schon vorbei, sie wendete uns auf eine unwiderrufliche Art den Rücken zu, die wir nicht an ihr kannten, wir durften nicht hoffen, daß sie sich umdrehen oder gar zu uns zurückkommen werde, nur damit wir unaufmerksamen Lebenden noch einmal in ihr Gesicht sehen und es uns einprägen könnten – für immer.

Was für ein unpassendes Wort für die lebendige, von wechselnden Alltagssorgen geplagte Frau des Schauspielers.

Er ist ja noch nicht zurück, sagte unsere Nachbarin, die nicht gemerkt hatte, daß jemand vorbeiging.

Wer denn?

Na der Schauspieler doch. Sie haben ja nichts mehr von ihr gefunden, bloß die Handtasche mit dem Personalausweis. Das muß den Mann ganz durcheinandergebracht haben. Er ist noch nicht zurück.

Es kam, was kommen mußte. Das Kind tat den Mund auf und fragte: Aber warum denn? Warum haben sie denn nichts mehr von ihr gefunden?

Wir starrten alle die Witwe Horn an, ob sie nun beschreiben würde, wie es nach so einem Eisenbahnunglück auf den Schienen aussehen kann, aber sie sagte, ohne unsere beschwörenden Blicke zu beachten, in ihrem gleichen ungerührten Ton: Das geht alles nicht so schnell. Sie suchen noch.

Kommen Sie doch näher, sagte ich. Setzen Sie sich doch.

Aber dazu konnte unsere Nachbarin nur lächeln. Man sieht sie nie lächeln, außer wenn ihr etwas Unnatürliches zugemutet wird: daß sie etwas verschenken soll, zum Beispiel. Oder daß sie sich mitten am Tag hinsetzen soll. Wer sitzt, der denkt. Wer Mist auf sein Maisfeld karrt oder ein Stück Land umgräbt oder Hühner schlachtet, muß weit weniger denken als ein Mensch, der in seiner Stube sitzt und auf das Büfett mit den Sammeltassen stiert. Wer möchte sich dafür verbürgen, daß nicht auf einmal ein Mann vor dem Büfett steht, da, wo er immer gestanden hat, um seine Zeitung herunterzulangen; ein hassenswürdiger Mann, der, wie man hört, die Strafe für das Verlassen seiner Frau vor kurzem durch den Tod gefunden hat. Oder Enkelkinder, die man nicht kennt, denn man hat ja die Schwiegertochter, dieses liederliche Frauenzimmer, mitsamt dem Sohn hinausgeworfen. Da springt man dann auf und holt die Drahtkiste mit den Küken in die gute Stube, mögen sie doch die leere Wohnung mit ihrem Gepiepe füllen, mögen doch die Federn umherfliegen, daß man kaum atmen kann, mag doch alles zum Teufel gehen. Oder man rennt in die Küche und färbt Eier und verschenkt sie zu Ostern an die Nachbarkinder, diese Nichtsnutze, die abends an der Türklingel zerren und dann auseinanderstieben, so daß niemand da ist, wenn man hinausstürzt, immer wieder hinausstürzt, aber nichts ist da. Nichts und niemand, wie man sich auch den Hals verrenkt.

Wiedersehen, sagte die Witwe Horn. Weiter wollt ich dann ja nichts. Mit ihr ging Frau B. Jeder ihrer gewichtigen Schritte gab zu verstehen, daß sie sich nicht gemein machte mit der hageren Frau, die neben ihr trippelte. Die Grenze galt es zu hüten, die unverschuldetes Schicksal und selbstverschuldetes Unglück auf immer voneinander trennt.

Ein Streit brach zwischen den Kindern aus, auf den ich nicht achtete. Er wurde heftiger, zuletzt jagten sie sich zwischen den Bäumen, das Kind hielt einen abgerissenen Papierfetzen hoch und schrie: Sie liebt schon einen, sie liebt schon einen!, und die Tochter, außer sich, forderte ihren Zettel, forderte ihr Geheimnis zurück, das genauso schwer zu verbergen wie zu offenbaren war. Ich lehnte den Kopf an das Kissen in meinem Liegestuhl. Ich schloß die Augen. Ich wollte nichts sehen und nichts hören. Jene Frau, von der man nur noch die Handtasche gefunden hatte, sah und hörte auch nichts mehr. In welchem Spiel sie ihre Hände auch gehabt haben mochte, man hatte sie ihr weggeschlagen, und das Spiel ging ohne sie weiter.

Der ganze federleichte Nachmittag hing an dem Gewicht dieser Minute. Hundert Jahre sind wie ein Tag. Ein Tag ist wie hundert Jahre. Der sinkende Tag, sagt man ja. Warum soll man nicht spüren können, wie er sinkt: vorbei an der Sonne, die schon in die Fliederbüsche eingetaucht, vorbei an dem kleinen Aprikosenbaum, an den heftigen Schreien der Kinder, auch an der Rose vorbei, die nur heute und morgen noch außen gelb und innen rosa ist. Aber man kriegt Angst, wenn immer noch kein Boden kommt, man wirft Ballast ab, dieses und jenes, um nur wieder aufzusteigen. Wer sagt denn, daß der Arm schon unaufhaltsam ausgeholt hat zu dem Schlag, der einem die Hände aus allem herausreißt? Wer sagt denn, daß diesmal wir gemeint sind? Daß das Spiel ohne uns weiterginge?

Die Kinder hatten aufgehört, sich zu streiten. Sie fingen Heuhüpfer. Die Sonne war kaum noch sichtbar. Es begann kühl zu werden. Wir sollten zusammenräumen, rief der Vater uns zu, es sei Zeit. Wir kippten die Stühle an den Tisch und brachten die Harken in den kleinen dumpfen Schuppen.

Als wir gingen, war die Luft voller Junikäfer. An der Gartentür drehten wir uns um und sahen zurück.

Wann war das eigentlich mit diesem Mittelmeer, fragte das Kind. Heute?

Nachbemerkung

Daß es in der DDR eine ausgeprägte Tradition der erzählenden Literatur gibt, war seit längerem bekannt. Seit Mitte der sechziger Jahre wurden Autoren wie Bobrowski, de Bruyn, Fühmann, Kant, Kunert, Irmtraud Morgner, Rolf Schneider, Strittmatter und Christa Wolf mit ihren Romanen und Erzählungen auch außerhalb der DDR bekanntgemacht (s. Anhang). Eine bewußte Rezeption von DDR-Literatur scheint es allerdings erst seit 1969 zu geben. Zuvor erschienen die Bücher der DDR-Autoren bei uns eher beiläufig, auf allzu viele Verlage verteilt, oft geradezu getarnt. Kennzeichnend für die vorsichtige Haltung gegenüber der DDR-Literatur sind die Titel zweier früherer Erzähl-Anthologien, in denen sich nur zögernde Anerkennung von Selbständigkeit spiegelt: 1960 nannte Marcel Reich-Ranicki seine Sammlung ›Auch dort erzählt Deutschland‹, und 1965 erschien Hans Peter Anderles Anthologie mit dem Titel ›Mitteldeutsche Erzähler‹. Seit 1971 ist es selbstverständlich geworden, von Erzählern der DDR zu sprechen.

Wichtige Autoren der DDR mit typischen Erzählungen dem Publikum der Bundesrepublik in einem Bande vorzustellen, ist die Aufgabe der vorliegenden Sammlung. Dabei orientierte sich die Auswahl der Autoren weitgehend an jenem Katalog von Namen, der von den Verlagen der DDR als repräsentativ betrachtet wird (vgl. die Anthologien, ›Erfahrungen‹ und ›Manuskripte‹ des Mitteldeutschen Verlags, 1969, und die Sammlung ›Auf einer Straße‹ des Aufbau-Verlags, 1968). Romanautoren, die keine Erzählungen publiziert haben, wurden allerdings ebenso beiseite gelassen wie jene Schriftsteller der älteren Generation, die bereits vor der Gründung der DDR als proletarisch-revolutionäre Schriftsteller aufgetreten waren, z. B. Otto Gotsche, Anna Seghers und Willi Bredel.

Die Erzählungen selbst wurden nach einem Maßstab von »literarischer« Qualität ausgewählt, der auch bei uns ohne weitere Erläuterung verständlich ist. Neben den Versuchen einer unmittelbaren Darstellung des sozialistischen Alltags in der DDR, wie sie z.B. von Strittmatter, Bräunig, Neutsch, Nowotny und Brězan angestrebt wird, stehen gleichberechtigt solche Erzählungen, die diesen Anspruch nur indirekt erheben. Auf diese Weise soll der doppelte Aspekt erkennbar werden, unter dem die DDR-Erzähler die vorgefundene Realität betrachten. Neben dem faktisch-realistischen Ansatz, der vor allem die praktischen Fragen des wirtschaftlichen Aufbaus im Auge hat und psychologische Momente nur funktional (als konstruktiv oder obstruktiv) begreift, gibt es andererseits den psychologisch-realistischen, der sich oft mit großer Zartheit um die Erforschung der seelischen Zustände bemüht, die durch die historisch-politischen Umwälzungen hervorgerufen werden.

Dieser zweiten Gruppe sind ebenso Franz Fühmann, Hermann Kant und Günter de Bruyn zuzurechnen, in deren Geschichten die Hinwendung zur neuen Gesellschaftsordnung aus dem Haß gegen Krieg und Faschismus begründet wird, wie andererseits Christa Wolf, Irmtraud Morgner und Günter Kunert, deren Zögern und Fragen die Erschütterungen durch die gegenwärtigen Umwälzungen spiegelt.

Oft ist es gerade das Zusammenspiel beider Ansätze, was die literarische Qualität der Erzählungen ausmacht. Natürlich ist ganz offensichtlich, daß z.B. Bräunig und Neutsch bei ihrem Versuch, einen breiten Ausschnitt der faktischen Realität in ihre Erzählung mit einzubeziehen, in der psychologischen Darstellung flacher bleiben als z. B. Christa Wolf oder Günter de Bruyn. Aber andererseits ist ebenso offensichtlich, daß bei diesen wiederum die Darstellung von Innenwelten kein psychologischer Selbstzweck bleibt, sondern als Spiegelung der gesellschaftlichen Verhältnisse begriffen wird.

Nicht nur bei den zupackenden Kämpfern, die den Leser überzeugen wollen, sondern auch bei den sensiblen, träumerisch-skurrilen und nachdenklichen, den ausgesprochen »literarischen« Erzählern ist ein deutliches Bewußtsein der gesellschaftlichen Situation gegeben. Nicht nur die ›Prosa vom Tage‹ (Untertitel einer Anthologie im Buchverlag Der Morgen, Berlin), sondern gerade auch die durch und durch ästhetisch geformte Literatur ist geprägt von der Erkenntnis einer neuen, nie dagewesenen politischen Situation.

Über das Wesen der Literatur reflektieren zwei Erzählungen dieses Bandes, die aus eben diesem Grunde aufgenommen wurden. Rolf Schneider, der mit seinen ›Aufzeichnungen des deutschen Bildschöpfers Siegfried Amadeus Wruck‹ (›Der Tod des Nibelungen‹) inzwischen eine noch umfassendere Abrechnung mit deutschem Kunstverständnis und Künstlertum unternommen hat, setzt sich in der hier vorgelegten Erzählung mit jener Art von »schöngeistiger« Literaturbetrachtung auseinander, deren Unverbindlichkeit in immer neue Sackgassen führt. Damit wird zwar noch kein eigenes Literaturverständnis formuliert, aber doch Distanz geschaffen zu einer Tradition, von der man sich lösen möchte. Im Gegensatz dazu zielt Brězan mit seiner satirischen ›Weihnachtsgeschichte‹ auf den allzu opportunistisch-bürokratischen Umgang mit der »Gebrauchs«-Literatur, die nur noch als zweckgerichtetes Erziehungsinstrument und zugleich als Zugeständnis »an die kleinbürgerliche Erbmasse aus Jahrhunderten« begriffen wird. Damit will er freilich keine grundsätzliche Kritik an der offiziellen Kulturpolitik anmelden, er hält sich im Rahmen einer »konstruktiven Satire«. Daß er sich solchen gutmütigen Spott erlauben kann, geht aus seiner besonderen Stellung im literarischen Leben der DDR hervor.

Als *Anthologie der Autoren* kann die vorliegende Sammlung nur einen Teil der erzählenden Prosa erfassen, die heute in der DDR geschrieben wird. Denn Schreiben ist in der DDR nicht mehr nur die Sache einer Gruppe von hauptberuflichen Schriftstellern, Lektoren oder anderen »Buchmenschen« (die freilich immer noch den bedeutendsten Anteil zur literarischen Produktion beisteuern), Erzählen und Schreiben scheint sich vielmehr in der DDR zu einem gesellschaftlichen Experiment im großen Stil zu entwickeln, an dem in immer noch steigender Zahl auch Angehörige anderer Berufsgruppen teilnehmen.

Die im Westen voreilig bespöttelte Parole »Greif zur Feder, Kumpel« hat offenbar nicht nur zu einigen Sammlungen unbeholfener Arbeiterprosa geführt, sondern auch bei der wissenschaftlich-technischen Intelligenz ein breiteres Echo gefunden. Über diese andere Seite der DDR-Literatur ist im Westen bisher wenig bekannt, und man darf annehmen, daß es noch eines längeren Vermittlungsprozesses bedarf, ehe auch sie bei uns ein angemessenes Verständnis findet.

Lutz-W. Wolff

Die Autoren
Bio-bibliographische Hinweise

Johannes Bobrowski wurde am 9. April 1917 in Tilsit als Sohn eines Eisenbahners geboren. Aufgewachsen auf beiden Seiten der Memel, zeitweise auf dem Kleinbauernhof der Großeltern im damaligen Memelgebiet, in einem Landstrich, wo Deutsche in engster Nachbarschaft mit Litauern, Polen und Russen lebten, besuchte er zunächst die Dorfschule, später das Gymnasium in Rastenburg und Königsberg. Er studierte Kunstgeschichte in Königsberg und Berlin und war von 1939 bis 1945 Soldat der Wehrmacht in Polen, Frankreich und der Sowjetunion. Angehöriger der »Bekennenden Kirche«. Während seiner Gefangenschaft war er Häuer-Brigadier im Kohlenschacht und besuchte Antifa-Schulen. Nach seiner Entlassung im Jahre 1949 wurde er für kurze Zeit Jugendsekretär der Volksbühne und ging dann ins Verlagswesen. Bis 1959 war er Cheflektor des Altberliner Verlages Lucie Groszer, dann im Union Verlag als Lektor für Belletristik. Von 1954 an begann Bobrowski, seine Gedichte in Zeitschriften und Anthologien zu veröffentlichen. 1962 erhielt er den Alma-Johanna-Koenig-Preis (Österreich) und den Preis der »Gruppe 47«, 1965 den Heinrich-Mann-Preis der Deutschen Akademie der Künste, Berlin, und den Charles-Veillon-Preis (Schweiz). Am 2. September 1965 ist Johannes Bobrowski in Berlin gestorben.

Veröffentlichungen: ›Hans Clauert, der märkische Eulenspiegel‹ (Berlin: Altberliner Verlag 1956) Essay; ›Sarmatische Zeit‹ (Berlin: Union Verlag 1961; Stuttgart: Deutsche Verlags-Anstalt 1961), ›Schattenland Ströme‹ (Berlin: Union Verlag 1962; Stuttgart: Deutsche Verlags-Anstalt 1962) Gedichte; ›Levins Mühle. 34 Sätze über meinen Großvater‹ (Berlin: Union Verlag 1964; Frankfurt a. M.: S. Fischer 1964) Roman; ›Boehlendorff und Mäusefest‹ (Berlin: Union Verlag 1965; Stuttgart: Deutsche Verlags-Anstalt 1965; Berlin: Wagenbach 1965) Erzählungen; ›Litauische Claviere‹ (Berlin: Union Verlag 1966; Berlin: Wagenbach 1967) Roman; ›Wetterzeichen‹ (Berlin: Union Verlag 1966; Berlin: Wagenbach 1967) Gedichte; ›Der Mahner‹ (Berlin: Union Verlag 1967; Berlin: Wagenbach 1968) Erzählungen; ›Nachbarschaft‹ (Berlin: Wagenbach 1967) Gedichte und Erzählungen; ›Im Windgesträuch‹ (Stuttgart: Deutsche Verlags-Anstalt 1970) Gedichte.

1967 erschien im Union Verlag eine Dokumentation ›Johannes Bobrowski. Selbstzeugnisse und Beiträge über sein Werk‹, die auch eine Bibliographie enthält.

Die Erzählung ›Der Mahner‹ wurde mit freundlicher Genehmigung des Union Verlages dem gleichnamigen Erzählungsband entnommen.

Werner Bräunig wurde 1934 als Sohn eines Kraftfahrers in Chemnitz geboren. Er erlernte den Beruf eines Schlossers, arbeitete später aber als Monteur, Papiermacher und Bergmann. Nach vorübergehender Tätigkeit als Volkskorrespondent studierte er von 1958 bis 1961 am Institut für Literatur »Johannes R. Becher« in Leipzig. Bis 1967 Leiter des Seminars Prosa, 1975 als freier Schriftsteller in Halle-Neustadt gestorben.

Werke: ›Waffenbrüder‹ (Halle: Mitteldeutscher Verlag 1959) Erzählungen; ›Für eine Minute. Agitationsverse‹, zusammen mit Horst Salomon (Leipzig: Hofmeister 1960); ›In diesem Sommer‹ (Halle: Mitteldeutscher Verlag 1960) Erzählungen; ›Prosa schreiben. Anmerkungen zum Realismus‹ (Halle: Mitteldeutscher Verlag 1968); ›Gewöhnliche Leute‹ (Halle: Mitteldeutscher Verlag 1969) Erzählungen; 2. erweiterte Auflage (Halle: Mitteldeutscher Verlag 1971).

Die Erzählung ›Gewöhnliche Leute‹ wurde mit freundlicher Genehmigung des Mitteldeutschen Verlages dem gleichnamigen Erzählungsband entnommen.

Jurij Brězan wurde 1916 in Räckelwitz (Kreis Kamenz) als Sohn eines Steinbrucharbeiters und Kleinbauern geboren. Er studierte Volkswirtschaft und arbeitete nach 1933 in einer illegalen sorbischen Widerstandsgruppe. 1937/38 emigrierte er in die Tschechoslowakei und nach Polen. Nach einer Gefängnishaft in Dresden wurde Brězan 1939 zum Wehrdienst gezwungen. Nach dem Krieg war er bis 1949 ein leitender sorbischer Jugendfunktionär. Seit 1949 lebt er als Schriftsteller in Bautzen. Brězan gilt als bedeutendster Vertreter der sorbischen Gegenwartsliteratur. Er schreibt in sorbischer und deutscher Sprache. 1951 wurde er mit dem Nationalpreis der DDR, 1956, 1957 und 1959 mit dem Preis des Ministeriums für Kultur, 1959 mit dem Čišinski-Preis, 1963 mit dem Literaturpreis des FDGB, 1964 erneut mit dem Nationalpreis ausgezeichnet.

Werke in deutscher Sprache: ›Auf dem Rain wächst Korn‹ (Berlin: Volk und Welt 1951) sorbische Gedichte und Erzählungen; ›52 Wochen sind ein Jahr‹ (Berlin: Volk und Welt 1953) Roman (1955 verfilmt); ›Hochzeitsreise in die Heimat‹ (Dresden: Sachsenverlag 1953); ›Christa. Die Geschichte eines jungen Mädchens‹ (Berlin: Verlag Neues Leben 1957) Erzählung; ›Das Haus an der Grenze‹ (Berlin: Verlag des Ministeriums für nationale Verteidigung 1957) Erzählung; ›Das Mädchen Trix und der Ochse Esau‹ (Berlin: Verlag Neues Leben 1959) Erzählung; ›Borbass und die Rute Gottes‹ (Bautzen: Domowina 1959) Erzählung; ›Eine Liebesgeschichte‹ (Berlin: Verlag Neues Leben 1962) Erzählung; ›Der Elefant und die Pilze‹ (Bautzen: Domowina 1964) Kinderbuch; ›Reise nach Krakau‹ (Berlin: Verlag Neues Leben 1966) Erzählung; ›Die Schwarze Mühle‹ (Berlin: Verlag Neues Leben 1968) Erzählung; ›Der Mäuseturm‹ (Berlin: Verlag Neues Leben 1971) Erzählungen.

Das Hauptwerk von Brĕzan ist der autobiographische Roman ›Felix Hanusch‹: 1. ›Der Gymnasiast‹ (Berlin: Verlag Neues Leben 1958), 2. ›Semester der verlorenen Zeit‹ (Berlin: Verlag Neues Leben 1960) und 3. ›Mannesjahre‹ (Berlin: Verlag Neues Leben 1964).

1954 gab Jurij Brĕzan eine von ihm selbst übersetzte Anthologie ›Sorbische Lyrik‹ heraus (Berlin: Volk und Welt 1954).

Die Erzählungen ›Krauzezy‹ und ›Die Weihnachtsgeschichte‹ wurden mit freundlicher Genehmigung des Verlages Neues Leben dem Sammelband ›Manuskripte‹ (Halle: Mitteldeutscher Verlag, Deutscher Schriftstellerverband 1969) und der ›Neuen Deutschen Literatur‹ (17. Jahrgang/Heft 12/Dezember 1969) entnommen.

Günter de Bruyn wurde 1926 in Berlin geboren. Im Krieg war er Flakhelfer und von 1944 an Soldat. Nach einer Verwundung und Gefangenschaft arbeitete er als Landarbeiter. 1946 nahm er an einem Neulehrerkursus teil und ging anschließend als Lehrer in ein märkisches Dorf. 1949 besuchte er die Bibliothekarschule, danach war er in verschiedenen Berliner Volksbüchereien und am Zentralinstitut für Bibliothekswesen tätig. 1964 erhielt er für den Roman ›Der Hohlweg‹ den Heinrich-Mann-Preis. Seit 1961 lebt er als Schriftsteller in Berlin.

Werke: ›Hochzeit in Weltzow‹ (Halle: Mitteldeutscher Verlag 1960) Erzählung; ›Wiedersehen an der Spree‹ (Halle: Mitteldeutscher Verlag 1960) Erzählung; ›Ein schwarzer, abgrundtiefer See‹ (Halle: Mitteldeutscher Verlag 1963) Erzählungen; ›Der Hohlweg‹ (Halle: Mitteldeutscher Verlag 1963) Roman; ›Maskeraden‹ (Halle: Mitteldeutscher Verlag 1966) Parodien; ›Buridans Esel‹ (Halle: Mitteldeutscher Verlag 1968; München: Kindler 1969) Roman; ›Preisverleihung‹ (Halle: Mitteldeutscher Verlag 1972) Roman; ›Das Leben des Jean Paul Friedrich Richter‹ (Halle: Mitteldeutscher Verlag 1975; Frankfurt a. M.: S. Fischer 1976).

Die Erzählungen ›Renata‹, ›Fedezeen‹ und ›Stallschreiberstraße‹ wurden mit freundlicher Genehmigung des Mitteldeutschen Verlages dem Band ›Ein schwarzer, abgrundtiefer See‹, 2. überarbeitete und erweiterte Auflage 1966, entnommen.

Franz Fühmann ist Lyriker und Erzähler. Er wurde am 15. 1. 1922 in Rochlitz im Riesengebirge als Sohn eines Apothekers geboren. Sein Vater war fanatischer Nationalsozialist und erzog ihn im Sinne der Wehrertüchtigung. Noch als Oberschüler wurde er zur Wehrmacht eingezogen und veröffentlichte 1942 erste Gedichte. Aus sowjetischer Kriegsgefangenschaft im Kaukasus kehrte er 1949 nach Deutschland zurück. Seit 1950 war er kulturpolitisch, journalistisch und literarisch tätig. Er lebt in Berlin. Fühmann ist Mitglied der Akademie der Künste, er wurde 1956 mit dem Heinrich-Mann-Preis, 1957 mit dem Nationalpreis der DDR und 1963 mit dem Johannes-R.-Becher-Preis ausgezeichnet. Außerhalb der DDR ist Fühmann vor allem durch seinen Erzählungsband ›Das Judenauto. Vierzehn Tage aus zwei Jahrzehnten‹ (Berlin: Aufbau-Verlag 1962; Zürich: Diogenes 1968) bekanntgeworden.

Weitere Veröffentlichungen: ›Die Fahrt nach Stalingrad‹ (Berlin: Aufbau-Verlag 1953); ›Die Nelke Nikos‹ (Berlin: Verlag der Nation 1953), ›Aber die Schöpfung soll dauern‹ (Berlin: Aufbau-Verlag 1957), ›Die Richtung der Märchen‹ (Berlin: Aufbau-Verlag 1962) Gedichte; ›Kameraden‹ (Berlin: Aufbau-Verlag 1955), ›Kapitulation‹ (Berlin: Verlag der Nation 1958) Novellen; ›Stürzende Schatten‹ (Berlin: Verlag der Nation 1959), ›Spuk. Aus den Erzählungen des Polizeileutnants K.‹ (Berlin: Aufbau-Verlag 1961), ›Böhmen am Meer‹ (Rostock: Hinstorff 1963) Erzählungen; ›Seht her wir sinds‹ (Berlin: Verlag der Nation 1957) Epigramme; ›Die heute vierzig sind. Eine Filmerzählung‹ (Berlin: Aufbau-Verlag 1961); ›Galina Ulanowa‹ (Berlin: Henschelverlag 1961) Schauspiel; ›Ernst Barlach‹ (Rostock: Hinstorff 1963) Essay;

›Vom Moritz, der kein Schmutzkind mehr sein wollte‹ (Berlin: Kinderbuchverlag 1958), ›Die Suche nach dem wunderbunten Vögelchen‹ (Rostock: Hinstorff 1960/61), ›Kabelkran und Blauer Peter‹ (Rostock: Hinstorff 1961), ›Androklus und der Löwe‹ (Berlin: Kinderbuchverlag 1966) Kinderbücher; ›Der Jongleur im Kino‹ (Rostock: Hinstorff 1970) Erzählungen; ›Zweiundzwanzig Tage oder die Hälfte des Lebens‹ (Rostock: Hinstorff 1973; Frankfurt a. M.: S. Fischer 1973); ›Erfahrungen und Widersprüche‹ (Rostock: Hinstorff 1975).

Fühmann ist außerdem Verfasser von Filmszenarien, Rundfunkbeiträgen und Übersetzungen.

Die Erzählung ›Die Schöpfung‹ wurde mit freundlicher Genehmigung des Diogenes Verlages dem Band ›Die Elite‹ (Zürich: 1970) entnommen, der 1966 unter dem Titel ›König Ödipus‹ im Aufbau-Verlag erschienen war.

Peter Gosse wurde 1938 in Leipzig geboren. Er studierte Hochfrequenztechnik in Moskau und war bis 1968 als Diplomingenieur in der Radarindustrie tätig. Danach Automatisierungsingenieur, freier Schriftsteller und ab 1970 Aspirant am Literaturinstitut in Leipzig.

Veröffentlichungen: ›Antennendiagramme‹ (Halle: Mitteldeutscher Verlag 1967) Reportage; ›Antiherbstzeitlose‹ (Halle: Mitteldeutscher Verlag 1969) Gedichte.

Die Erzählung ›Eine Geschichte, in der nichts los ist‹ wurde mit freundlicher Genehmigung des Buchverlages Der Morgen dem Sammelband ›Zeitzeichen. Prosa vom Tage‹ entnommen.

Hermann Kant wurde am 14. Juni 1926 in Hamburg geboren. Er besuchte die Volksschule und legte die Gesellenprüfung als Elektriker ab, bevor er zum Militär eingezogen wurde. Von 1945 bis 1949 war er in polnischer Kriegsgefangenschaft und wurde zum Mitbegründer des Antifa-Komitees im Arbeitslager Warschau und Lehrer an der Antifa-Zentralschule. An der Arbeiter- und Bauernfakultät der Universität Greifswald holte er das Abitur nach und studierte anschließend Germanistik. Er wurde Wissenschaftlicher Assistent an der Humboldt-Universität und schließlich Redakteur. Heute lebt er als freier Schriftsteller in Berlin. 1962 erhielt er den Heinrich-Heine-Preis des Ministerrats der DDR, 1963 den Literaturpreis des FDGB, 1967 den Heinrich-Mann-Preis. Sein Hauptwerk bilden drei Romane, ›Die Aula‹ (Berlin: Rütten & Loening 1965;

München: Rütten & Loening 1966), ›Das Impressum‹ (Berlin: Rütten & Loening 1972; Neuwied und Berlin: Luchterhand 1972) und ›Der Aufenthalt‹ (Berlin: Rütten & Loening 1977; Neuwied und Darmstadt: Luchterhand 1977). Erzählungsbände erschienen unter den Titeln: ›Ein bißchen Südsee‹ (Berlin: Rütten & Loening 1962; Gütersloh: C. Bertelsmann 1968) und ›Eine Übertretung‹ (1976).

Die Erzählung ›Auf einer Straße‹ wurde mit freundlicher Genehmigung des Bertelsmann Verlages und des Verlages Rütten & Loening, Berlin, dem Band ›Ein bißchen Südsee‹ entnommen.

Günter Kunert wurde am 6. 3. 1929 in Berlin geboren. Er studierte in den Jahren 1946/47 an der Hochschule für angewandte Kunst in Berlin-Weißensee. Johannes R. Becher wurde auf ihn aufmerksam, nachdem er 1948 einige satirische Gedichte im ›Ulenspiegel‹ veröffentlicht hatte. 1951/52 fügte sich zu dieser Förderung die Bekanntschaft mit Brecht. Kunert lebt heute als freier Schriftsteller in Berlin. 1962 wurde er mit dem Heinrich-Mann-Preis der Akademie der Künste ausgezeichnet.

Werke: ›Wegschilder und Mauerinschriften‹ (Berlin: Aufbau-Verlag 1950), ›Unter diesem Himmel‹ (Berlin: Verlag Neues Leben 1955), ›Tagwerke‹ (Halle: Mitteldeutscher Verlag 1961), ›Das kreuzbrave Liederbuch‹ (Berlin: Aufbau-Verlag 1961), ›Erinnerung an einen Planeten‹ (München: Hanser 1963), ›Tagträume‹ (München: Hanser 1964), ›Der ungebetene Gast‹ (Berlin: Aufbau-Verlag 1965), ›Unschuld der Natur‹ (Berlin und Weimar: Aufbau-Verlag 1966), ›Verkündigung des Wetters‹ (München: Hanser 1966), ›Betonformen. Ortsangaben‹ (Berlin: Literarisches Colloquium 1969), ›Ortsangaben‹ (Berlin und Weimar: Aufbau-Verlag 1971), ›Warnung vor Spiegeln‹ (München: Hanser 1970), ›Offener Ausgang‹ (Berlin und Weimar: Aufbau-Verlag 1972) Gedichte und Kurzprosa; ›Im Namen der Hüte‹ (München: Hanser 1967) Roman; ›Die Beerdigung findet in aller Stille statt‹ (München: Hanser 1968), ›Kramen in Fächern‹ (Berlin und Weimar: Aufbau-Verlag 1968), ›Die geheime Bibliothek‹ (Berlin und Weimar: Aufbau-Verlag 1973) Erzählungen; ›Der ewige Detektiv und andere Geschichten‹ (Berlin: Eulenspiegel Verlag 1954); ›Der Kaiser von Hondu‹ (Berlin: Aufbau-Verlag 1959) Fernsehspiel; ›Kunerts lästerliche Leinwand‹ (Berlin: Eulenspiegel Verlag 1965).

Neben zahlreichen Hörspielen und anderen Drehbüchern schrieb Kunert auch das Filmszenarium für Johannes R. Bechers Roman ›Abschied‹.

Die Erzählungen ›Fahrt mit der S-Bahn‹, ›Kramen in Fächern‹ und ›Nach der Landung‹ wurden mit freundlicher Genehmigung des Aufbau-Verlages und des Hanser Verlages dem Band ›Kramen in Fächern‹ entnommen.

Irmtraud Morgner wurde 1933 als Tochter eines Lokomotivführers in Chemnitz geboren. Nach dem Besuch der Oberschule legte sie 1952 das Abitur ab. Bis 1956 studierte sie an der Karl-Marx-Universität in Leipzig Germanistik. Danach war sie bei ADN und als Redaktionsassistentin bei der ›Neuen Deutschen Literatur‹. 1959 erhielt sie für die Erzählung ›Das Signal steht auf Fahrt‹ (Berlin: Aufbau-Verlag 1959) den Literaturpreis des Ministeriums für Kultur. Seit 1958 lebt Irmtraud Morgner als freischaffende Schriftstellerin in Berlin.

Weitere Werke: ›Ein Haus am Rand der Stadt‹ (Berlin: Aufbau-Verlag 1962) Roman; ›Hochzeit in Konstantinopel‹ (Berlin und Weimar: Aufbau-Verlag 1968; München: Hanser 1969) Roman; ›Gauklerlegende. Eine Spielfraun-Geschichte‹ (Berlin: Eulenspiegel 1970; München: Rogner & Bernhard 1971); ›Die wundersamen Reisen Gustav des Weltfahrers‹ (Berlin und Weimar: Aufbau-Verlag 1972) Roman; ›Leben und Abenteuer der Trobadora Beatriz nach Zeugnissen ihrer Spielfrau Laura‹ (Berlin und Weimar: Aufbau-Verlag 1975; Darmstadt und Neuwied: Luchterhand 1976) Roman.

Die Erzählung ›Drei Variationen über meine Großmutter‹ wurde mit freundlicher Genehmigung des Carl Hanser Verlages aus dem Roman ›Hochzeit in Konstantinopel‹ entnommen.

Erik Neutsch wurde 1931 als Sohn eines Formers in Schönebeck (Elbe) geboren. Nach dem Journalistikstudium in Leipzig arbeitete er zunächst als Abteilungsleiter für Kultur in der Redaktion der Bezirkszeitung ›Freiheit‹ in Halle, danach als Reporter für deren Wirtschaftsredaktion. Von 1963 bis 1965 war er Vorsitzender des Bezirksverbandes des DSV. Er ist Mitglied des Zentralvorstandes des DSV und der Bezirksleitung Halle der SED. 1964 erhielt er für seinen Roman ›Spur der Steine‹ (Halle: Mitteldeutscher Verlag 1964) den Nationalpreis für Kunst und Literatur der DDR. Der Roman wurde 1966 unter dem gleichen Titel von der DEFA verfilmt. Gegenwärtig lebt Erik Neutsch als Schriftsteller in Halle.

Weitere Werke: ›Die Regengeschichte‹ (Halle: Mitteldeutscher Verlag 1960) Erzählung; ›Die zweite Begegnung‹ (Halle: Mitteldeutscher Verlag 1961) Erzählung; ›Bitterfelder Geschichten‹ (Halle: Mitteldeutscher Verlag 1961) Erzählungen; ›Die anderen und ich‹ (Halle: Mitteldeutscher Verlag 1970) Erzählungen; ›Haut oder Hemd‹ (Halle: Mitteldeutscher Verlag 1972) Schauspiel; ›Auf der Suche nach Gatt‹ (Halle: Mitteldeutscher Verlag 1973; München: kürbiskern 1974) Roman; ›Der Friede im Osten‹ (Halle: Mitteldeutscher Verlag 1974; München: Damnitz 1974) Roman.

Die Erzählung ›Drei Tage unseres Lebens‹ wurde mit freundlicher Genehmigung des Mitteldeutschen Verlages dem Band ›Die anderen und ich‹ entnommen.

Joachim Nowotny wurde 1933 als Sohn eines Arbeiters in Rietschen (Oberlausitz) geboren. Er erlernte den Beruf eines Zimmermanns. 1954 legte er an der Arbeiter- und Bauernfakultät die Reifeprüfung ab und studierte bis 1958 an der Karl-Marx-Universität Leipzig Germanistik. Danach arbeitete er in einem Verlag. Seit 1962 lebt er als Schriftsteller in Leipzig. Er ist Dozent für Prosa am Literaturinstitut »Johannes R. Becher«.

Werke: ›Hochwasser im Dorf‹ (Berlin: Kinderbuchverlag 1963); ›Jagd in Kaupitz‹ (Berlin: Kinderbuchverlag 1964); ›Jakob läßt mich sitzen‹ (Berlin: Kinderbuchverlag 1965); ›Hexenfeuer‹ (Halle: Mitteldeutscher Verlag 1965) Erzählung; ›Labyrinth ohne Schrecken‹ (Halle: Mitteldeutscher Verlag 1967) Erzählungen; ›Der Riese im Paradies‹ (Berlin: Kinderbuchverlag 1969); ›Sonntag unter Leuten‹ (Halle: Mitteldeutscher Verlag 1972) Erzählungen; ›Ein gewisser Robel‹ (Halle: Mitteldeutscher Verlag 1977) Roman.

Die Erzählungen ›Die Sintflut‹ und ›Ordentliche Verhältnisse‹ wurden mit freundlicher Genehmigung des Mitteldeutschen Verlages den Bänden ›Labyrinth ohne Schrecken‹ und ›Sonntag unter Leuten‹ entnommen.

Siegfried Pitschmann wurde 1930 als eines von fünf Geschwistern in Grünberg geboren. Sein Vater, Tischlermeister, hatte im Ersten Weltkrieg das rechte Bein und eine Lunge verloren. Sein ältester Bruder fiel im Zweiten Weltkrieg. 1945 begann Pitschmann im thüringischen Mülhausen eine Uhrmacherlehre, die vier Jahre dauerte. In dieser Zeit entstanden die ersten Manuskripte. Pitschmann besuchte ein Schriftsteller-seminar, schrieb Reportagen, Skizzen, Kurzgeschichten. Seine erste Erzählung ›Sieben ist eine gute Zahl‹ wurde 1952 im ›Aufbau‹ veröffentlicht, sie entstand während des Aufenthalts auf einer Berliner Baustelle. 1957 setzte er neu an: er wurde Betonhilfsarbeiter, später Maschinist auf der Baustelle »Schwarze Pumpe«. 1958 mußte er wegen Krankheit ausscheiden, 1960 kehrte er nach Hoyerswerda zurück und arbeitete in den Zirkeln, Kabaretts und Laientheatern des Kombinats. Seit 1964 lebt Pitschmann in Rostock. Sein erster Erzählungsband ›Wunderliche Verlobung eines Karrenmannes‹ erschien 1961 im Aufbau-Verlag.

Weitere Werke: ›Männer mit Frauen‹ (Berlin und Weimar: Aufbau-Verlag 1974) Prosa; ›Er und Sie‹ (Berlin und Weimar: Aufbau-Verlag 1975) Einakter.

Die beiden Texte ›Spiele‹ und ›Um diese Zeit‹ sind mit freundlicher Genehmigung des Aufbau-Verlages dem Band ›Kontrapunkte. Geschichten und kurze Geschichten‹ entnommen, den Pitschmann 1968 im Aufbau-Verlag veröffentlichte.

Rolf Schneider wurde 1932 als Sohn eines Werkmeisters in Chemnitz geboren. In Wernigerode besuchte er die Oberschule, in Halle studierte er von 1951 bis 1955 Germanistik und Pädagogik. Anschließend war er bis zum Jahre 1958 leitender Redakteur bei der Monatsschrift ›Aufbau‹. Seither lebt er als freier Schriftsteller in Schöneiche bei Berlin. Schneider wurde 1962 mit dem Lessingpreis der DDR und 1967 mit dem Hörspielpreis der Kriegsblinden ausgezeichnet.

Werke: ›Aus zweiter Hand‹ (Berlin: Aufbau-Verlag 1958) Parodien; ›Das Gefängnis von Pont-L'Evêque‹ (Halle Mitteldeutscher Verlag 1960) Erzählung; ›Godefroys‹ (Berlin: Henschelverlag 1961) Schauspiel; ›Prozeß Richard Waverly‹ (Berlin: Henschelverlag 1963) Schauspiel; ›Der Mann aus England‹ (Berlin: Henschelverlag 1962) Schauspiel; ›Die Tage in W.‹ (Halle: Mitteldeutscher Verlag 1965; München: Piper 1967) Roman; ›Brücken und Gitter‹ (Berlin: Verlag der Nation 1965; München: Piper 1965) Erzählungen; ›Zwielicht‹ (München: Piper 1967) Hörspiel; ›Dieb und König‹ (Frankfurt a. M.: S. Fischer 1969) Komödie; ›Der Tod des Nibelungen‹ (Rostock: Hinstorff 1970; München: Piper 1970) Roman; ›Einzug ins Schloß‹ (1971) Komödie; ›Pilzomelett und andere Nekrologe‹ (Rostock: Hinstorff 1973; München: Piper 1974); ›Die Reise nach Jaroslaw‹ (Rostock: Hinstorff 1974; Darmstadt und Neuwied: Luchterhand 1975) Roman.

Die Erzählung ›Literatur‹ wurde mit freundlicher Genehmigung des R. Piper Verlages dem Band ›Brücken und Gitter‹ entnommen.

Erwin Strittmatter wurde 1912 als Sohn eines Bäckers und Kleinbauern in Spremberg geboren. Er lernte das Bäckerhandwerk, arbeitete als Bäckergeselle, als Kellner, Chauffeur, Tierwärter, Hilfsarbeiter. Daneben erste literarische Versuche. Nach dem Zweiten Weltkrieg Amtsvorsteher für sieben Landgemeinden (1947), später Zeitungsredakteur. 1951 erschien als erstes Buch der Roman ›Ochsenkutscher‹. 1953, 1955 und 1964 wurde ihm der Nationalpreis für Kunst und Literatur verliehen, 1961 der Lessingpreis. Lebt als freier Schriftsteller und Mitglied einer Landwirtschaftlichen Produktionsgenossenschaft in Dollgow, Kreis Gransee.

Die wichtigsten Werke: ›Ochsenkutscher‹ (Berlin: Aufbau-Verlag 1951; Gütersloh: S. Mohn 1966), ›Tinko‹ (Berlin: Aufbau-Verlag 1955), ›Der Wundertäter‹ (Berlin: Aufbau-Verlag 1957; Gütersloh: S. Mohn 1965), ›Ole Bienkopp‹ (Berlin: Aufbau-Verlag 1963; Gütersloh: S. Mohn 1965) Romane; ›Eine Mauer fällt‹ (Berlin: Aufbau-Verlag 1953), ›Pony Pedro‹ (Berlin: Aufbau-Verlag 1959), ›Schulzenhofer Kramkalender‹ (Berlin und Weimar: Aufbau-Verlag 1966; Gütersloh: Bertelsmann 1969), ›Ein Dienstag im September‹ (Berlin und Weimar: Aufbau-Verlag 1969), ›$^3/_4$hundert Kleingeschichten‹ (Berlin und Weimar: Aufbau-Verlag 1971), ›Die blaue Nachtigall oder Der Anfang von etwas‹ (Berlin und Weimar: Aufbau-Verlag 1972); ›Meine Freundin Tina Babe‹ (Berlin und Weimar: Aufbau-Verlag 1977) Erzählungen; ›Katzgraben. Szenen aus dem Bauernleben‹ (1953; Berlin: Aufbau-Verlag 1954), ›Die Holländerbraut‹ (1959; Berlin: Aufbau-Verlag 1961) Dramen.

Die Erzählung ›Kraftstrom‹ ist mit freundlicher Genehmigung des Aufbau-Verlages dem Erzählungsband ›Ein Dienstag im September‹ entnommen.

Christa Wolf wurde am 18. März 1929 als Tochter eines Kaufmanns in Landsberg an der Warthe geboren. 1945 siedelte sie mit ihren Eltern nach Gammelin (Mecklenburg) über und arbeitete dort als Schreibkraft beim Bürgermeister. Nach dem Abitur im Jahre 1949 studierte sie bis 1953 in Jena und Leipzig Germanistik. Dann wurde sie wissenschaftliche Mitarbeiterin beim DSV in Berlin, Cheflektorin beim Verlag Neues Leben, Redakteurin bei der ›Neuen Deutschen Literatur‹ und freie Mitarbeiterin beim Mitteldeutschen Verlag. Seit 1962 lebt sie als freie Schriftstellerin in Kleinmachnow bei Berlin. 1963 erhielt sie den Heinrich-Mann-Preis, 1964 den Nationalpreis für Kunst und Literatur der DDR, 1978 den Bremer Literaturpreis. Christa Wolf veröffentlichte 1961 den Prosaband ›Moskauer Novelle‹, eine Liebesgeschichte aus der Kriegs- und Nachkriegszeit (Halle: Mitteldeutscher Verlag 1961). Ihre Erzählung ›Der geteilte Himmel‹ (Halle: Mitteldeutscher Verlag 1963; Berlin: Gebr. Weiss 1964), die auch verfilmt wurde (DEFA 1964), brachte einen großen Erfolg.

Weitere Werke: ›Nachdenken über Christa T.‹ (Halle: Mitteldeutscher Verlag 1969; Neuwied: Luchterhand 1969) Roman; ›Lesen und Schreiben‹ (Berlin und Weimar: Aufbau-Verlag 1971) Aufsätze; ›Unter den Linden‹ (Berlin und Weimar: Aufbau 1974; Darmstadt und Neuwied: Luchterhand 1974) Erzählungen; ›Kindheitsmuster‹ (Berlin und Weimar: Aufbau-Verlag 1976; Darmstadt und Neuwied: Luchterhand 1977) Roman.

Christa Wolf ist Verfasserin mehrerer Filmszenarien und Essays. Insbesondere ihre Studien über Anna Seghers und ihre Ausgabe von deren Essays verdienen Beachtung (Anna Seghers: ›Glauben an Irdisches. Essays‹ Hrsg. Christa Wolf. Leipzig: Reclam 1969).

Der Nachdruck der Erzählung ›Juninachmittag‹ erfolgt mit freundlicher Genehmigung der Autorin.